amazon.com

Les dessous d'une aventure
qui a révolutionné le monde des affaires

Se propulser vers les plus hauts sommets

Données de catalogage avant publication (Canada)

Spector, Robert, 1947-

Amazon.com: Les dessous d'une aventure qui a révolutionné le monde des affaires

(Collection: Réussite personnelle)
Traduction de: Amazon.com: get big fast.

Comprend des références bibliographiques

ISBN 2-89225-445-0

1. Amazon.com – Histoire. 2. Librairies sur Internet – États-Unis – Histoire. 3. Commerce électronique – États-Unis – Histoire. 4. Bezos, Jeffrey. I. Titre.

Z473.A485S6414 2000   381'.45002'02854678   C00-941438-X

Cet ouvrage a été publié en langue anglaise sous le titre original:
AMAZON.COM, GET BIG FAST
Published by HarperCollins. For information please write:
Special Markets Department, HarperCollins Publishers Inc., 10 East 53rd Street, New York, NY 10022.
Grateful acknowledgment is made to reprint excerpts from *Architects of the Web* by Robert Reid. Copyright © 1997 by Robert Reid. Reprinted by permission of John Wiley & Sons, Inc.
AMAZON.COM. Copyright © 2000 by Robert Spector
All rights reserved

©, Les éditions Un monde différent ltée, 2000
Pour l'édition en langue française

Dépôts légaux: 4e trimestre 2000
Bibliothèque nationale du Québec
Bibliothèque nationale du Canada
Bibliothèque nationale de France

Conception graphique de la couverture:
OLIVIER LASSER

Version française:
JOCELYNE ROY

Photocomposition et mise en pages:
COMPOSITION MONIKA, QUÉBEC

ISBN 2-89225-445-0

(Édition originale: ISBN 0-06-662041-4, HarperCollins, New York)

Nous reconnaissons l'aide financière du gouvernement du Canada par l'entremise du Programme d'Aide au Développement de l'Industrie de l'Édition pour nos activités d'édition (PADIÉ).

IMPRIMÉ AU CANADA

Robert Spector

Amazon.com

Les dessous d'une aventure
qui a révolutionné le monde des affaires

Se propulser vers les plus hauts sommets

Les éditions Un monde différent ltée
3925, Grande-Allée
Saint-Hubert (Québec), Canada J4T 2V8
Tél.: (450) 656-2660
Site Internet: http://www.umd.ca
Courriel: info@umd.ca

Pour mon épouse, Marybeth,
sans qui rien ne serait possible

mot de robert reid

« *R*ejetant à peu près tous les principes confirmés par l'expérience permettant de créer méthodiquement une affaire, les entreprises Internet ont adopté une approche basée sur la croissance-à-tout-prix, l'absence-de-profit, l'évaluation-la-plus-élevée-avant-tout-le-monde. Cette mentalité est maintenant connue sous le nom de "Get Big Fast". »

– Robert Reid, *Architects of the Web*

table des matières

remerciements

*C*et ouvrage n'aurait pu voir le jour sans l'apport de très très nombreuses personnes.

En tout premier lieu, je tiens à remercier mon agente, Elizabeth Wales, qui, lecture après lecture de mon manuscrit, n'a cessé de me donner de judicieux conseils. Je remercie également Nancy Shawn, de la *Wales Literary Agency*.

À mon éditeur, David Conti: Merci d'avoir cru en mon projet et en ma capacité de le mener à bien. Et merci à Devi Pillai.

Merci à Paul Andrews qui m'a mis en communication avec Glenn Fleishman, qui, à son tour, m'a mis en relation avec d'anciens Amazoniens, dont Paul Barton-Davis, Nicholas Lovejoy, Scott Lipsky, Dana Brown, Nils Nordal, Gina Meyers, Maire Masco, E. Heath Merriwether et Lauralee Smith.

Un gros merci à Tom Alberg, Nick Hanauer et Eric Dillon qui ont si généreusement commenté l'évolution d'*Amazon.com*.

Merci également à Brian Bailey, Petyr Beck, Maureen Bell, Brian Bershad, Henry Blodget, Grace Chichilnisky, Jack Covert, Christina Crawford, Craig Danuloff, John Decker, Dan Dœrnberg, Avin Mark Domnitz, Roy Goldman, Alex Gove, Albert N. Greco, Bill Heston, Harvey Hirsch, Richard Howorth, Barry Lafer, Ed Lazowska, Cheryl Lewy, Brian Marsh, Jennifer McCord, Jim McDowell, John Miller, Tim O'Reilly, Mike Parks, Vito Perillo, Philip Pfeffer, Michael Powell, Barry Provorse, Ramanan Raghavendran, Jeffrey Rayport, Jennifer Risko, Chuck Robinson, David Rogelberg, Paul Saffo, Bernie Schrœder, David Siegel, Bob Spitz, Barbara Theroux, Rachel Unkefer, Alberto Vitale, Charles Waltner, Ursula Werner, Ryan Winter, Perry Woo et Dennis Zook.

Et un merci tout spécial au professeur Jeffrey F. Rayport de la Harvard Business School qui m'a permis d'utiliser les résultats de son étude de 1997 sur *Amazon.com*, préparée par l'étudiant de maîtrise Dickson L. Louie.

Finalement, je n'aurais pu tenir le coup sans l'amour, la tendresse, la fermeté et le soutien de mon épouse, Marybeth Spector.

Robert Spector
Seattle, Washinton

en guise de préambule

Se propulser vers les plus hauts sommets
Les dessous d'une aventure qui a révolutionné le monde des affaires

*A*vec *Amazon.com*, Jeff Bezos a innové du tout au tout. Il a créé la marque la plus connue du réseau Internet et il est devenu l'un des hommes les plus riches de la planète. Il a récemment été nommé «Personnalité de l'année» par le magazine américain *Time* et il a été couronné «roi du cyber-commerce».

Malgré ses nombreux succès et la vaste couverture médiatique dont elle a fait l'objet, la véritable histoire d'*Amazon.com* n'a jamais vraiment été racontée. Dans ce récit révélateur et non autorisé de l'extraordinaire ascension d'*Amazon*, le journaliste et auteur à succès, Robert Spector, dévoile les débuts fulgurants de l'entreprise, expose son présent tumultueux et trace un portait de son avenir incertain.

En parlant à des amis, des confidents, d'anciens employés, des rivaux, des éditeurs, des analystes boursiers et des spécialistes du capital-risque, Robert Spector va au-delà de l'«histoire officielle», au-delà des énoncés désinvoltes, léchés et évidents dont Jeff Bezos nourrit les médias, et il expose avec des détails sans précédent les débuts de l'entreprise, ses innovations, ses pratiques commerciales, ses stratégies et sa vision de l'avenir. De plus, il commente l'impact de l'histoire d'*Amazon* sur le commerce conventionnel, sur le commerce électronique et, finalement, sur le consommateur.

Les premiers employeurs de Jeff Bezos expliquent comment l'expérience qu'il a acquise au sein de leurs entreprises l'a préparé à lancer *Amazon.com*. Des investisseurs de première heure révèlent les détails des premières tentatives de Bezos pour trouver du financement. D'anciens employés dévoilent combien il a été laborieux de mettre au point les systèmes internes d'*Amazon.com*.

Et l'histoire devient de plus en plus envoûtante alors que l'entreprise *Amazon* se trouve en butte aux attaques des cyberdétaillants qu'elle a défiés, aux lancements en ligne en vue de la détruire, et aux investisseurs impatients de réaliser des profits. (*Amazon* a perdu en 1999 la somme incroyable de 720 millions de dollars).

L'émergence de la très novatrice *Amazon.com* dans le domaine du commerce électronique a secoué le monde entier, a ébranlé les géants du commerce de détail œuvrant sur le «plancher des vaches», et a transformé pour toujours la façon de chacun de faire des affaires. Mais la gloire de Jeff Bezos tire-t-elle à sa fin? Son exploit colossal restera-t-il dans nos mémoires comme une simple anecdote de la genèse de l'ère d'Internet? Ou bien ce petit malin aux réalisations démesurées triomphera-t-il encore une fois et réussira-t-il à surprendre aussi bien ses admirateurs que ses détracteurs?

Voici certains éloges

«Je croyais connaître l'histoire d'Amazon avant de lire ce livre. Comme j'avais tort! Robert Spector raconte cette histoire avec une acuité et une intuition journalistique exceptionnelles. Et il tire des leçons dont toutes les entreprises devraient tenir compte. Cet ouvrage deviendra un classique dans le monde des affaires.»

– Philip Kotler, professeur de marketing international, J.L. Kellogg Graduate School of Management, Northwestern University

«C'est l'ouvrage que devraient lire tous ceux qui font des affaires dans la Nouvelle Économie. Robert Spector met en lumière le comment, le quoi et le pourquoi de l'extraordinaire réussite d'Amazon. Il en résulte un portrait nécessaire et impartial de cet incroyable phénomène de l'ère d'Internet. Il inspire, informe et fascine le lecteur du début à la fin.»

– Stan Rapp, auteur de *The New MaxiMarketing;* président du Conseil et président-directeur général, McCann Relationship Marketing Wolrdwide

«En jetant un regard irrésistible sur le "grand-papa" des entreprises de commerce électronique, ce livre déborde de détails à propos de l'origine, du mûrissement, et même des faux pas d'Amazon.com. Il sera intéressant de voir la critique que l'entreprise Amazon fera elle-même de cet ouvrage révélateur.»

– David A. Kaplan, auteur du succès de librairie national *The Silicon Boys*

«Avertissement! Vous serez incapable de poser ce livre après en avoir lu le premier paragraphe. C'est vraiment deux livres en un: l'histoire fascinante de l'un des plus captivants révolutionnaires de notre époque, et un voyage guidé à travers le monde du commerce électronique. C'est un investissement qui rapporte immédiatement!»

– David Siegel, auteur de *Futurize Your Enterprise*

«Dans le domaine du commerce électronique, c'est l'étude de cas par excellence. Robert Spector accomplit un tour de force en narrant avec profondeur l'histoire

de l'entreprise qui a posé les jalons du commerce électronique et les repères de l'excellence du service en ligne, et qui persiste à chercher de nouvelles façons de satisfaire sa clientèle. Cet ouvrage renseignera tous ceux qui souhaitent connaître la trajectoire gagnante d'Amazon.com et sa vision de l'avenir. C'est une histoire qui, par son importance et son succès, laisse un souvenir durable.»

– Jeffrey F. Rayport, président-directeur général,
Monitor Marketspace Center;
professeur de faculté, Harvard Business School

«Une occasion extraordinaire de jeter un coup d'œil «dans les coulisses» du succès de Jeff Bezos et d'Amazon.com! C'est une lecture essentielle pour quiconque veut sérieusement faire sa place dans l'économie du commerce virtuel. Le souci quasi fanatique de Jeff Bezos en matière de satisfaction totale et entière du client est ce qu'il faut retenir!»

– Patricia Seybold, auteure du succès de librairie
Customers.com; fondatrice et
présidente-directrice générale,
Patricia Seybold Group

avant-propos

*É*crire le premier ouvrage portant sur la naissance d'*Amazon.com* était tout un défi. Lorsque mon projet d'écriture a été accepté à la fin de l'automne 1998, les activités d'*Amazon.com* étaient canalisées dans les domaines de l'édition et de la vente de livres. Ce fut le point de départ de mes recherches. Quelques mois plus tard, il était question de commerce de détail. Et bientôt il devint évident que l'ascension d'*Amazon.com* avait eu une profonde influence sur pratiquement tous les secteurs de l'économie mondiale. Il n'est pas étonnant que le chien de Jeff Bezos porte le nom de Kamala, un personnage ayant fait l'objet d'une métamorphose dans un épisode de *Star Trek : The Next Generation ; Amazon.com* est dans un état de perpétuelle transformation.

C'est l'une des raisons pour lesquelles Jeff Bezos et *Amazon.com* ont refusé de participer à ce projet d'écriture. Officiellement, l'entreprise a déclaré qu'il était trop tôt pour relater son histoire. Bien que monsieur Bezos n'ait ni encouragé ni découragé quiconque à parler avec moi, aucun employé actuel de l'entreprise n'a consenti à être interviewé, même officieusement. En fait, *Amazon.com* demeure une organisation secrète. (J'ai eu un entretien avec Jeff Bezos le 17 novembre 1998, mais c'était dans le cadre d'un autre projet que j'ai mis de côté pour écrire ce livre. Les propos recueillis à cette époque sont toutefois rapportés dans cet ouvrage).

Plusieurs personnes qui ont été témoins de la création de l'entreprise, notamment Nicholas Hanauer, Eric Dillon et Thomas Alberg ont accepté de coopérer – monsieur Alberg est actuellement membre du conseil d'administration d'*Amazon.com*. Elles m'ont été d'une aide inestimable, tout comme Paul Barton-Davis, employé numéro deux et Nicholas Lovejoy, employé numéro cinq.

Il s'agit du premier véritable regard jeté sur *Amazon.com*, mais ce ne sera certainement pas le dernier. J'attends avec impatience la publication des mémoires de Jeff Bezos. Entre-temps, vous trouverez le récit de ses réalisations dans les pages qui suivent.

introduction

*H*a *mmering Man* (l'homme au marteau), une sombre silhouette de 15 mètres de hauteur et de 15 centimètres d'épaisseur, se dresse résolument, la jambe gauche en avant, près de l'arche de marbre décorative à l'entrée du musée d'art de Seattle où se tient l'assemblée annuelle des actionnaires d'*Amazon.com*. Nous sommes le 20 mai 1999. Enduit d'une couche de peinture de carrosserie noire comme du jais, ce personnage fait d'acier et pesant 13 000 kilos, créé par l'artiste Jonathan Borofsky en hommage aux travailleurs américains, tient son nom du marteau qu'il brandit de la main gauche. Le bras gauche s'élève et s'abaisse silencieusement quatre fois par minute, du haut de la tête de la statue jusqu'à un angle de 75 degrés, où il rejoint la main droite immobile qui tient un objet plat qui est «martelé».

La vie de *Hammering Man* à Seattle a été plutôt mouvementée. En 1991, une grue hissait l'œuvre d'art placée sur un camion semi-remorque à plateau et la courroie cassa net alors que la sculpture se trouvait à 30 centimètres du sol. Elle s'écrasa sur le trottoir, imprimant sur ce dernier deux gigantesques empreintes de pas, à l'intersection de la First Avenue et de Seneca Street. «On aurait dit la vraie vie», indiqua un passant à un journaliste du *Seattle Times*.

«La vie n'est pas toujours facile et on tombe parfois.» Après des travaux de réfection qui se sont étalés sur toute une année, *Hammering Man* est revenu à Seattle, cette fois-ci sans incident; mais il n'a cessé depuis d'être la cible de déclarations politiques et fantaisistes. Un jour, un groupe d'artistes transformés en guérilleros lui attachèrent un boulet d'acier de 300 kilos à la cheville droite; et par une sombre nuit de Noël, quelques lutins malicieux utilisèrent un ballon-sonde pour déposer un chapeau de Père Noël rouge et blanc (de la taille d'une voile de bateau) sur la tête du géant.

En ce matin ensoleillé de mai, quelque 350 actionnaires sont massés dans le hall d'entrée du musée d'art de Seattle, œuvre de l'architecte Robert Venturi. Ils boivent du café frais *Starbucks* et mangent de petits bagels tartinés de fromage à la crème, attendant impatiemment d'avoir des nouvelles de leur *propre Hammering Man*, Jeffrey P. Bezos – un génie des affaires aussi bien qu'un farceur – qui a méthodiquement et résolument «martelé» un nouveau modèle d'affaires pour l'ère d'Internet. Et comme *Hammering Man*, Jeff Bezos a été non seulement la cible de l'admiration et de l'envie («Pourquoi lui, et pas vous?» demanda *Wired*), mais aussi du mépris («*Amazon.toast*», railla George Colony, le pontife d'Internet, en 1997; «*Amazon.bomb*», proclama *Barron's* en 1999). Mais cette journée se déroule sous le signe de l'amitié. Quelques-uns des actionnaires sont carrément surexcités à l'idée de voir et d'entendre l'homme qui les a aidés à faire fortune, et une fortune colossale pour certains d'entre eux.

Dans l'ensemble, les actionnaires d'*Amazon.com* ressemblent beaucoup aux participants de n'importe quelle assemblée annuelle: plusieurs retraités aux cheveux blancs, disposant de tout leur temps pour veiller à leurs intérêts; un père de famille dans la trentaine, venu d'Allentown, Pennsylvanie, qui explique le déroulement de la rencontre à son fils de neuf ans qui porte fièrement une casquette de baseball à l'effigie des Mariners de Seattle. Mais Seattle étant ce qu'elle est, on trouve également dans l'assistance un ex-employé d'*Amazon.com*, issu de la génération X, tatoué, adepte du body-piercing et les cheveux teints en violet, qui a gagné plus d'argent qu'il n'avait jamais rêvé le faire grâce aux nombreux fractionnements de l'action d'*Amazon.com* dont la valeur a grimpé de 5 600 % (oui, *5 600 %*) au cours des deux premières années qui ont suivi son entrée en Bourse, le 15 mai 1997.

Puis, circulant également dans la foule, il y a le légendaire L. John Dœrr, cet associé très en vue de la société de capital-risque *Kleiner Perkins Caufield & Byers*, vêtu de façon très professorale d'un veston bleu, d'un pantalon gris, d'une chemise rayée, sans cravate. Cet homme astucieux est le directeur de l'entreprise et il détient personnellement 1 011 561 actions, valant ce jour-là environ 131 millions de dollars. Et là-bas se trouve Scott Cook, un autre membre du conseil d'administration, dans une tenue vestimentaire similaire. C'est le cofondateur d'*Intuit Inc.*, une entreprise majeure de logiciels de finances personnelles, d'impôt et de comptabilité ainsi que de services Internet. (Il est également l'un des directeurs de *eBay Inc.*, un rival d'*Amazon.com* en matière de vente aux enchères virtuelles). Paul Saffo, directeur du *Institute for the Future*, qui connaît Scott Cook et Jeff Bezos, déclare que «Scott et Jeff se ressemblent beaucoup en ce qui a trait au caractère méthodique de leur stratégie», et il les considère tous deux comme des «stratèges extraordinairement perspicaces».

Et c'est d'ailleurs de stratégie dont les investisseurs veulent entendre parler lorsque, à 10 heures précises, ils entrent à la queue leu leu dans la salle aux murs gris du musée. Une certaine impatience fait vibrer l'atmosphère. Se détachant de la foule, à partir d'une des allées latérales, surgit Jeff Bezos qui bondit sur la petite estrade, vêtu comme John Dœrr: veston et pantalon d'une couleur sombre, chemise blanche au col ouvert, et sans cravate. Avec l'air du professeur de sciences adulé qui tente de ramener à l'ordre sa classe remplie d'adolescents, Jeff Bezos dirige d'un ton bon enfant les quelques derniers retardataires vers des sièges inoccupés: «Il reste quelques places là-bas», indique-t-il, puis traversant la scène, «et encore quelques-unes de ce côté-ci.»

Après avoir rapidement passé en revue le volet formel de la rencontre – la révision des procédures, la présentation des directeurs, le vote de propositions, etc. – Jeff Bezos, campé derrière un lutrin, se prépare à parler aux actionnaires de la situation de leur entreprise et des progrès qui ont été accomplis depuis la dernière assemblée annuelle, l'année précédente. Ils savent tous qu'au cours des douze derniers mois, Jeff Bezos et *Amazon.com* ont inondé les médias: des apparitions à *NewsHour* sur PBS et à *60 Minutes II* sur CBS; des articles principaux dans *Business Week, Fortune, Forbes, Wired* et *New York Times Magazine*. Toute cette visibilité a couronné *Amazon.com* enfant prodige de l'Internet, et Jeff Bezos pionnier de la nouvelle économie.

Au cours de l'année qui vient de s'écouler, le mot «*Amazon*» est entré comme un verbe dans la langue des affaires lorsque le *Wall Street Journal* écrivit que des entreprises établies hors ligne risquaient d'être «amazonées», c'est-à-dire de «se faire damer le pion par une nouvelle venue virtuelle». *Forbes* déclara que «*Youbet.com* veut devenir l'*Amazon.com* des courses de chevaux». *Fortune* (qui aime particulièrement les analogies) appela *Babycenter.com* «l'*Amazon* des cyber-bébés» et *Sportsite.com* (qui vend des *Zambonis*) «l'*Amazon.com* des fabricants de glace sur roues», et demanda: «Qui sera l'*Amazon.com* de l'industrie de l'automobile d'un trillion de dollars?» Finalement, le chroniqueur de *Fortune*, Stewart Alsop se demanda: «Y a-t-il une *Amazon.com* pour chaque industrie?» (Avec ses investissements minoritaires significatifs dans *drugstore.com*, *HomeGrocer.com*, *Pets.com* et *Gear.com*, Jeff Bezos semble en être convaincu).

Nom de marque reconnu par 55 % des consommateurs, le mot «*Amazon.com*» fait maintenant partie de la culture populaire. Pour le prouver, Jeff Bezos présente fièrement aux actionnaires plusieurs vidéoclips tirés de diverses émissions télévisées faisant référence à *Amazon.com*: *Tonight Show* (Jay Leno: «Bill Clinton pensait qu'*Amazon.com* était l'adresse électronique de Janet Reno»), *3rd Rock from the Sun* et *Hollywood Squares*. Il leur montre ensuite un extrait d'une bande dessinée intitulée *Sherman's Lagoon* où l'un des personnages marche dans la jungle en disant: «Voici donc l'Amazonie. Génial. J'en ai tellement entendu parler. Regarde, voici un perroquet. Écoute les oiseaux. Les insectes. Les singes. Respire le parfum de ces fleurs tropicales. Vraiment génial. Ça n'a rien à voir avec ce site Web.» L'assistance rit et applaudit.

Au cours de la dernière année, pratiquement tous ceux qui œuvrent dans l'industrie des médias ont voulu entendre ce que la star montante Jeff Bezos avait à dire, pas seulement à propos de la gestion d'*Amazon.com*, mais aussi sur un grand nombre d'autres sujets plus personnels, comme ses lectures favorites (*Les Vestiges du jour* de Kazuo Ishiguro et *Dune* de Frank Herbert), et même ses habitudes de consommation ou de sommeil. Pour ce qui est de ses dépenses, il propose aux actionnaires de jeter un coup d'œil sur les articles qu'il a récemment achetés sur le site d'enchères virtuelles d'*Amazon.com*.

Sur une table à côté du podium, on peut voir une photo signée par Albert Einstein, un buste en porcelaine de 2 kilos représentant Boba Fett, un personnage de *La Guerre des étoiles*, et une plaque de commutateur à l'effigie de Bozo le Clown. «Lorsque j'étais enfant, les gens me taquinaient parce que mon nom, Bezos, ressemblait beaucoup à Bozo», plaisante-t-il. (Heureusement, il avait omis d'apporter le squelette d'un ours des cavernes de la période glaciaire qu'il a payé 40 000 $). En matière de sommeil, dans un article du *Wall Street Journal* intitulé: «Sleep: The New Status Symbol», il révèle: «J'ai besoin de 8 heures de sommeil et je les obtiens pratiquement chaque nuit (...) Qu'importe ce que j'ai à l'esprit, environ cinq minutes après avoir éteint la lumière, je dors.» (Par opposition, Donald Trump déclare dans le même article: «C'est quand je suis en compagnie d'une belle femme que je dors le mieux).»

De plus, au cours de la dernière année, Jeff Bezos a prononcé un discours lors de l'assemblée annuelle du Forum économique mondial à Davos, en Suisse, et il a fait partie des 100 hommes et femmes d'affaires invités par Bill Gates au sommet annuel des dirigeants d'entreprises qui se tenait au siège social de *Microsoft* dans la ville voisine de Redmond, et qui a rassemblé des gens de la trempe de Warren Buffett de *Berkshire-Hathaway*, Michael Eisner de *Walt Disney Company* et Jack Welch de *General Electric*. Jeff et son épouse, Mackenzie, ont quitté l'appartement de 84 mètres carrés qu'ils louaient dans Belltown, le quartier branché du centre-ville de Seattle, et ils ont emménagé dans leur nouvelle demeure de 10 millions de dollars (650 mètres carrés; cinq chambres à coucher) – qui appartenait auparavant à un descendant de la dynastie du bois d'œuvre *Weyerhaeuser* – dans le quartier huppé de Medina, sur la «Côte d'Or» du lac Washington, où les 3 085 riches habitants comptent parmi eux le président de *Microsoft*, Bill Gates, et Nathan Myhrvold, son ancien

directeur technique. Oh, oui, et la fortune de Jeff Bezos s'é-
lève à environ 10 milliards de dollars, ce qui représente plus
que le produit intérieur brut de l'Islande.

Puis les 75 minutes qui suivent deviennent, essentiellement: «Le Jeff Bezos Show», alors qu'il parle d'une grande
variété de sujets dont l'efficacité du modèle d'affaires
d'*Amazon.com*, la position de l'entreprise et ses réalisations en
matière de service à la clientèle, ses nouveaux produits (à
l'époque, il s'agissait d'enchères et de cartes de souhaits électroniques), et ses derniers investissements. Il répond ensuite
à une longue séries de questions soulevées par les actionnaires et qui traitent de tout, allant de la sécurité des transactions effectuées par carte de crédit, en passant par le cours
variable de l'action et la décision d'offrir un rabais de 50 %
sur tous les livres figurant sur la liste des best-sellers du *New
York Times*.

Jeff Bezos change aisément de personnage. Parfois, on
dirait un comptable à visière verte: «Nous tentons d'opti-
miser le total de notre bénéfice net, et non le pourcentage de
celui-ci. Donc, si ce pourcentage plus bas nous permet de réaliser un profit brut plus que compensatoire, cette modifica-
tion de notre programme de financement et de gestion sera
avantageuse pour les actionnaires.» Plus tard, il se met dans
la peau d'un humoriste. Alors qu'on lui demande s'il est préoccupé par le fait que les acheteurs en ligne aient directement accès à l'information qui leur permet de comparer les
prix de tous les détaillants, il répond, pince-sans-rire: «En un
sens, c'est une préoccupation, tout comme la gravité est une
préoccupation pour *Bœing*.» (Sa réplique provoque des éclats
de rire). Ensuite, en répondant à la question suivante, il devient un visionnaire décontracté: «C'est la façon de faire du
commerce électronique. Les clients auront à leur disposition
une information quasi parfaite. Les marchands qui ne

comprennent pas cela, et qui n'établissent pas leurs projets d'entreprise sur cette base, auront, je crois, de graves problèmes.»

Soudain, une question met fin à la représentation. Un jeune actionnaire américain d'origine asiatique lève la main et demande poliment: «Quand la société prévoit-elle réaliser des profits?»

La plupart des membres de l'assistance s'esclaffent; quelques-uns applaudissent. Jeff Bezos est imperturbable. Il attendait cette question. Ce n'est pas la première fois qu'il doit y répondre.

«Je dois expliquer certaines choses à ce sujet, car il y a parfois des malentendus», dit-il en se penchant vers la foule. «Pour quiconque d'entre vous qui a des doutes là-dessus (un sourire se dessine lentement sur son visage), *Amazon.com* croit qu'il est *très* important qu'*un* jour... nous *réalisions* des profits.» (Les rires fusent de plus belle). D'un ton posé, il ajoute: «Nous n'adhérons à aucune forme de nouvelles mathématiques. À long terme, toutes les entreprises feront des affaires sur la base d'un ratio raisonnable [prix/gain]. C'est comme cela que ça fonctionne. La capitalisation doit refléter la valeur courante et actuelle des mouvements de trésorerie futurs.»

Alors qu'il parle, il est évident que Jeff Bezos devine qu'il a l'occasion de bien faire comprendre l'essence même de la stratégie d'*Amazon.com*, d'expliquer aux actionnaires et aux journalistes pourquoi l'entreprise continue à enregistrer des pertes toujours plus importantes – et continuera à le faire – avant que le moindre profit ne se pointe à l'horizon: «Ce que nous faisons maintenant, c'est investir dans toutes les "occasions insurmontables" [expression de John Dœrr à propos d'Internet] qui s'offrent à nous.

«Nos ventes de livres aux États-Unis ont été bonnes au mois de décembre [1998], qui est un mois surprenant [car le volume d'achats y est très élevé]. Je crois que si nous avions été capables de mieux nous organiser, nous n'aurions pas réalisé de profits au mois de décembre. [Des rires fusent de nouveau]. Des actionnaires raisonnables pénaliseraient la direction d'une entreprise pour son incapacité à déterminer comment mieux allouer le capital de façon à investir plus énergiquement à une époque où la catégorisation est cruciale. Écoutez», ajoute-t-il avec la conviction d'un véritable croyant, «il y a *tant* d'occasions avec Internet que c'est *maintenant* qu'il faut investir. Nous tentons de prendre toutes nos décisions en adoptant une vision à long terme.»

Même si ce ne sont pas là ses paroles exactes, l'intention de Jeff Bezos était claire: à cette phase de son développement, la stratégie d'*Amazon.com* était de *se propulser vers les plus hauts sommets* – en investissant de façon combative dans de nouvelles catégories de produits et de nouvelles sphères d'activité, en dépensant de l'argent pour faire connaître la marque et accroître la clientèle, en faisant le nécessaire pour s'assurer qu'*Amazon.com* soit l'un des survivants.

Comme la réunion tire à sa fin, un actionnaire demande à Jeff Bezos s'il est le moindrement préoccupé au sujet de la capacité des entreprises dans lesquelles *Amazon.com* a récemment investi (*drugstore.com*, *HomeGrocer.com* et *Pets.com*, qui ont toutes un hyperlien avec le site d'*Amazon.com*) d'offrir le même type de service à la clientèle qu'*Amazon.com* a tenté de créer. Tout en exprimant sa confiance dans les compétences des dirigeants de ces entreprises, il reconnaît volontiers: «Il est inévitable qu'on finisse un jour ou l'autre par se tromper.» D'autre part, si les dirigeants d'*Amazon.com* «ne font pas quelques erreurs importantes dans leurs investissements...

alors ils serviront mal les intérêts des actionnaires. Nous devons nous *attendre* à des erreurs.

«Et je crois que c'est en fait une question formidable pour mettre fin à cette rencontre. Merci beaucoup. Ce fut un plaisir de vous voir.»

Après avoir applaudi, les actionnaires sortent du musée sans s'attarder, accueillis par le soleil de midi. La vue de *Hammering Man* incite au moins l'un d'entre eux à se demander si *Amazon.com* continuera à dominer la concurrence. Ou bien s'effondrera-t-elle un jour sous le poids de ses attentes (et de ses dettes) avec le fracas et la fureur d'une sculpture de 13 000 kilos s'écrasant sur le sol? Un grand nombre d'observateurs croient que la bulle finira par éclater et qu'*Amazon.com* ne représentera qu'un autre chapitre de l'histoire du commerce électronique. Cela est possible.

D'un autre côté, la plupart des gens qui connaissent Jeff Bezos estiment que la perspective de l'échec est virtuellement inconcevable; ils disent presque tous que Bezos est l'une des deux ou trois personnes les plus intelligentes qu'ils aient jamais rencontrées. D'une façon ou d'une autre, ils se font l'écho de la pensée de Graciella Chichilnisky, la première employeuse de Jeff: «Dans le domaine des connaissances, les éléments clés sont le taux d'innovation et la profondeur de pénétration. Il saura anticiper les changements. Je mise sur le cerveau de Jeff Bezos.»[1]

---

1. *New York Times Magazine, 12 avril 1999.*

chapitre un

qui est jeffrey bezos?

«La jeune génération viendra frapper à ma porte.»
– Henrik Ibsen, *The Master Builder*

L'Opération Pedro Pan («Peter Pan») a été l'une des plus importantes missions de sauvetage politique de jeunes gens de l'histoire. Dirigée et organisée par le père Bryan O. Walsh du *Catholic Welfare Bureau* à Miami, Floride, cet effort humanitaire spectaculaire a commencé le lendemain du jour de Noël 1960 et a duré jusqu'au mois d'octobre 1962, alors que les États-Unis et l'URSS s'affrontaient sur la question des missiles balistiques fournis par les Soviétiques à Cuba. Le 22 octobre, lorsque le président John F. Kennedy annonça un blocus naval à Cuba pour empêcher la livraison d'autres missiles, le président cubain Fidel Castro répliqua en mettant fin aux liaisons aériennes entre La Havane et Miami. Avant qu'on ne mette un terme à l'Opération Pedro Pan, plus de 14 000 garçons et filles, âgés de 6 à 17 ans, avaient accosté sur les côtes américaines. À leur arrivée, ces enfants non accompagnés étaient placés dans des foyers d'accueil par le

Cuban Children's Program, un autre projet humanitaire créé par le père Walsh et financé par de riches hommes d'affaires du sud de la Floride.

L'un des plus âgés du groupe s'appelle Miguel Bezos, 17 ans, que tous surnomment Mike. Bezos (prononcez BÉ-zoz – le mot espagnol pour «baisers») maîtrise rapidement la langue anglaise et il obtient son diplôme de fin d'études dans une école secondaire du Delaware, où une mission catholique l'héberge avec quinze autres réfugiés. Diplôme en main, il met le cap vers l'ouest et se rend au Nouveau-Mexique où il s'inscrit à l'université d'Albuquerque. En 1963, il trouve un emploi dans une banque locale où il fait la rencontre d'une employée, Jacklyn «Jackie» Gise Jorgensen, une séduisante jeune mariée de 17 ans, native de Cotulla, Texas. Bien que les deux jeunes gens soient issus de milieux entièrement différents, leur destin est en quelque sorte influencé par la guerre froide que se livrent l'Amérique et l'Union soviétique et par la menace communiste mondiale. Pour Mike, cela avait été son évasion de Cuba; pour Jackie, c'était une facette du travail de son père. Lawrence Preston Gise (que tous appelaient Preston) venait d'être nommé directeur de l'*Atomic Energy Commission* (AEC) pour l'ouest du pays par le Congrès des États-Unis. À partir du quartier général d'Albuquerque, il supervisait les 26 000 employés de la région qui travaillaient dans les laboratoires de *Sandia*, Los Alamos et *Lawrence Livermore*.

Avant de joindre les rangs de l'AEC, Preston Gise, originaire de Valley Wells, Texas, avait travaillé dans les domaines de la technologie spatiale et des systèmes de défense balistique pour la *Defense Advanced Research Project Agency* (DARPA), une subdivision du ministère de la Défense des États-Unis vouée à la recherche et au développement qui avait été créée en 1958, suite au lancement par les Soviétiques du satellite *Spoutnik I*, en 1957.

Dans l'intention de contrebalancer avec créativité la pensée militaire conventionnelle en matière de recherche et de développement, DARPA avait été formée, selon son énoncé de mission officiel, «pour garantir que les États-Unis restent en tête en utilisant une technologie de pointe au chapitre de la capacité militaire et pour parer à toute surprise d'ordre technologique que pourrait leur servir l'ennemi.» En 1970, les ingénieurs de DARPA ont créé un modèle pour l'établissement d'un puissant réseau de communication qui resterait opérationnel même si une attaque nucléaire réduisait à néant les moyens de communication traditionnels. Le système, surnommé *ARPAnet*, était le fondement de ce qui allait éventuellement devenir l'Internet. (Mais nous allons trop vite. Nous traiterons plus loin d'*ARPAnet*).

Lorsque Mike et Jackie se sont rencontrés, elle était déjà enceinte, et le 12 janvier 1964, elle donna naissance à un garçon qu'elle nomma Jeffrey Preston et que Mike adopta légalement plus tard lorsque Jackie et lui se marièrent en 1968. Cinq ans après la naissance de Jeff naissait sa demi-sœur Christina, et l'année suivante, son demi-frère Mark se joignait à la famille. Jeff a dit qu'il n'avait aucun souvenir de son père biologique. «Mais la réalité, en ce qui me concerne, est que papa [Mike Bezos] est mon père naturel», a-t-il dit. «Le seul instant où j'y pense vraiment, c'est quand un médecin me demande de remplir un formulaire.» Et il ajoute: «C'est une belle vérité. Et elle ne me gêne pas.» En fait, Jeff Bezos a déclaré que lorsqu'il a eu 10 ans et que ses parents lui ont annoncé qu'il avait été adopté, cela ne l'avait pas particulièrement remué. D'un autre côté, lorsqu'ils lui ont annoncé qu'il devait porter des lunettes, «*cela* m'a fait pleurer»[1], se rappelle-t-il.

---

1. *Wired*, mars 1999.

Après avoir obtenu son diplôme, Mike Bezos est embauché par *Exxon* comme ingénieur pétrolier, un emploi qui l'amène éventuellement avec Jackie et Jeff à Houston, Texas – le premier de nombreux déménagements dans la vie de la famille Bezos.

À Houston, Jeff fait rapidement preuve de précocité. Il n'a que 3 ans et sa mère et lui ne s'entendent pas sur un point: il veut un vrai lit alors qu'elle estime qu'il n'est pas encore assez grand pour abandonner son lit d'enfant. Un jour, Jackie entre dans la chambre à coucher de Jeff et le découvre en train de démonter son petit lit avec un tournevis. Elle comprend alors qu'elle a affaire à forte partie. À l'école *Montessori*, Jeff est à ce point absorbé par ce qu'il fait que les professeurs doivent le soulever de sa chaise et le transporter ailleurs dans la pièce lorsqu'une nouvelle activité est prévue.

Pour satisfaire l'intellect et la curiosité de Jeff, Jackie rapportait souvent à la maison de petits gadgets électroniques achetés chez *Radio Shack*. Écolier à l'école primaire *River Oaks* de Houston, Jeff devient un fervent adepte de l'«*Infinity Cube*», un appareil muni de miroirs motorisés qui permettent à l'utilisateur de jeter un regard dans l'«infini». Mais lorsque Jeff en demande un à ses parents, Jackie regimbe contre les 20 dollars qu'il coûte. Ne se laissant pas abattre, Jeff achète séparément les pièces nécessaires (ce qui est plus économique que le jouet lui-même) et il assemble lui-même son propre «*Infinity Cube*».

Il a dit, à l'époque: «Il faut être capable de penser... par soi-même.» Cette histoire a été racontée dans un livre publié en 1977 dans la région de Houston et intitulé *Turning on Bright Minds: A Parent Looks at Gifted Education in Texas*. Écrit par Julie Ray, cet ouvrage suit Jeff (ici appelé Tim) tout au long d'une journée de classe à River Oaks, une école publique qui faisait partie d'un programme d'intégration volontaire à l'échelle de la ville. Julie Ray décrit le garçon de 12 ans (qui faisait un trajet aller et retour de 60 kilomètres chaque jour) comme étant «amical mais sérieux», aussi «courtois», et «possédant des qualités intellectuelles supérieures». Pourtant, ses professeurs de l'école primaire qualifient Jeff d'enfant «pas nécessairement doué pour le leadership».

Mais d'autres adultes qui ont côtoyé Jeff ont vu en lui ce qui avait manifestement échappé à ses professeurs. Ses parents l'ont inscrit dans une ligue de football, ce qui est un rite de passage au Texas, un État où le football est presque une obsession, et ceci en dépit du fait que sa mère craignait que son fils, tout menu et qui répondait tout juste aux exigences en matière de poids, se fasse démolir par des garçons plus grands et plus forts que lui. Elle a été agréablement surprise lorsque son combatif de fils a été choisi par l'entraîneur comme capitaine de l'équipe défensive. Et ceci n'était pas attribuable aux prouesses physiques de Jeff, mais plutôt à sa capacité de mémoriser non seulement sa position, mais aussi celle de tous les autres joueurs.

À part son père, le personnage masculin marquant dans la vie de Jeff a été son grand-père, Preston Gise, ancien directeur régional de l'*Atomic Energy Commission*. En 1968, il se retira dans son ranch, appelé Lazy G, à Cotulla, Texas (agglomération de 3 600 âmes), près de la frontière nord-est du Mexique, à environ 135 kilomètres à l'ouest de San Antonio et 135 kilomètres à l'est de Laredo, dans le comté de LaSalle. C'est à Cotulla, un territoire de premier ordre pour la chasse au cerf de Virginie, que Jeff passa tous ses étés, de l'âge de 4 à 16 ans, sous l'œil vigilant de Preston Gise.

Maureen Bell, dont la mère avait épousé Preston après la mort de sa première femme, (la grand-mère de Jeff, Mattie

Louise Strait), se souvient de «Pop» Gise comme «d'un homme charmant et très, très intelligent. Il documentait tout ce qu'il faisait.» Amateur de technologie, Preston Gise encouragea et alimenta l'intérêt que son petit-fils manifestait envers les sciences et tous les gadgets. Il ne faut donc pas s'étonner si le garage du domicile de Jeff était toujours rempli de curiosités, comme des systèmes Heathkit pour radio-amateurs, le squelette d'un parapluie enrobé de papier d'aluminium (utilisé pour la cuisson à l'énergie solaire) et un vieil aspirateur Hoover converti en aéroglisseur.

«Il se passait toujours quelque chose dans notre garage», dit Jackie. «Plus il vieillissait, plus ses projets devenaient complexes, mais malheureusement le garage n'est jamais devenu plus grand.»[1]

Son grand-père enseigna également à Jeff à construire des moulins à vent (et non à se battre contre eux), à poser des conduites d'eau et à réparer des pompes, ainsi qu'à marquer le bétail au fer rouge, le vacciner et le castrer (sans conteste de précieux outils pour un futur maître de l'Internet). «Nous faisons tous cela par ici; c'est une question de survie pour nous», dit Maureen Bell.

Jackie Bezos croit que sa vie au ranch a appris à son fils la nécessité de devenir autosuffisant lorsqu'on travaille la terre. «L'une des choses que Jeff a découvertes, c'est qu'il n'existe vraiment aucun problème sans solution. Les obstacles ne sont que des obstacles si vous pensez que ce sont des obstacles. Autrement, ce sont des occasions.»[2]

Ursula Werner, une ancienne camarade de classe, se rappelle: «Jeff parlait de son grand-père avec beaucoup

1.   *Seattle Times*, 19 septembre 1999.
2.   Ibidem.

d'amour. Il était clair qu'un très fort sentiment l'unissait à cet homme. Jamais je ne l'ai entendu parler de quelqu'un d'autre de cette manière. Cela m'a fait réaliser à quel point leurs liens devaient être étroits. J'ai le sentiment qu'il laissait beaucoup de liberté à Jeff, comme le font les grands-parents, et qu'il l'encourageait à être ce qu'il allait finalement devenir.»

Les Bezos déménagèrent à Pensacola, Floride, et puis dans un quartier bourgeois de Miami où ils restèrent pendant une partie des études secondaires de Jeff. Le retour de Mike Bezos à Miami en tant que cadre d'Exxon était loin de ressembler à sa première visite en tant que pauvre réfugié cubain.

Ursula Werner se rappelle de la très unie famille Bezos comme «d'un foyer heureux et tranquille. La mère de Jeff est une femme incroyablement forte et bonne. Si le dynamisme et le dévouement sont transmis génétiquement, alors c'est de sa mère qu'il les tient.» Jeff donna un aperçu de ce dynamisme à ses camarades de classe à l'école secondaire *Palmetto* lorsqu'il annonça qu'il avait l'intention d'être le major de sa promotion pour l'année 1982 et de prononcer ainsi le discours d'adieu. Selon un ancien camarade de classe, aucun d'entre eux – déjà intimidés par son intellect, sa compétitivité et sa confiance – ne douta de ses chances de réussite. Il termina non seulement premier de sa promotion sur 680 élèves, mais il gagna également, au cours de ses études, le prix du meilleur étudiant en sciences à trois reprises et le prix du meilleur étudiant en mathématiques à deux reprises.

De plus, en 1982, il fut l'un des trois étudiants de sa classe à remporter le prix de sciences octroyé dans le cadre du prestigieux concours *Silver Knight* tenu auprès des élèves d'écoles secondaires du sud de la Floride. Les candidats inscrits à ce concours commandité par le *Miami Herald* (un journal du syndicat *Knight-Ridder*) étaient jugés selon leur réussite scolaire, des compositions et un processus rigoureux d'entrevues devant jury.

À cette époque, Jeff songeait à devenir astronaute ou physicien. Dans le cadre d'un concours étudiant commandité par la NASA, il gagna un voyage au *Marshall Space Flight Center* de la NASA à Huntsville, Alabama, après avoir écrit un article intitulé: «Les effets de l'apesanteur sur le vieillissement de la mouche domestique». Il ne fit aucun secret de son intention de construire une station spatiale commerciale car, était-il convaincu, l'avenir de l'humanité ne se trouvait pas sur terre; la planète pouvait être percutée par un objet inconnu venu de l'espace. Dans le discours d'adieu qu'il prononça en tant que major de sa promotion, il plaida la cause de la colonisation de l'espace en tant que moyen d'assurer l'avenir de la race humaine.

En 1982, dans un article de fond du *Miami Herald* portant sur tous les discours d'adieu prononcés dans les écoles secondaires du *South Dade County*, Jeff est décrit comme étant celui qui espère un jour construire des hôtels dans l'espace, des parcs d'amusement, des yachts et des colonies de 2 à 3 millions de personnes vivant en orbite autour de la planète.

«Il s'agit d'abord de protéger la terre», confie-t-il au *Herald*, qui écrit que l'objectif ultime de Jeff est «de faire émigrer toute la population de la terre et de transformer celle-ci en un vaste parc national». Il ne plaisantait pas; il rêvait sérieusement à la construction d'une station spatiale. «Jeff avait beaucoup de rêves et de très grandes idées, et l'espace en constituait le carrefour», dit Ursula Werner, sa camarade de classe. «Il croyait que, en tant qu'espèce, nous devions explorer l'espace parce que notre monde est fragile et que nous n'en prenions pas suffisamment soin.

«Il n'était pas porté sur l'écologie – sur le fait que nous devrions nous préoccuper davantage du sort de la terre – mais il avait plutôt une vision à long terme de la terre comme d'un endroit restreint où vivre. Son approche était celle de *Star Trek* à propos de l'«ultime frontière». Nous avions la capacité d'explorer l'univers, il suffisait d'y injecter l'argent nécessaire. Une station spatiale en était de toute évidence la première étape. La nature créative de ses rêves était telle que, nom d'un chien, on sentait qu'il ne s'agissait pas de simples fantaisies. C'était une sorte d'énergie.» Aujourd'hui, Ursula Werner croit que son objectif final, avec *Amazon.com*, est d'amasser une fortune personnelle suffisante pour construire sa propre station spatiale et être en mesure de façonner l'avenir.

Ursula Werner était en terminale à *Palmetto* lorsqu'elle fit la rencontre de Jeff qui, à l'époque, était le portrait de l'adolescent qu'avait été l'acteur Martin Short – mince et portant la raie au milieu. «Je crois que c'était lors d'une fête ou bien lors d'une soirée donnée par la *National Honor Society*. Nous fréquentions à peu près les mêmes groupes», dit Ursula, qui avait un an de plus que Jeff et qui était le major de la promotion de sa classe.

«J'ai été très impressionnée par lui à l'instant même où j'ai fait sa connaissance. C'est un être tout à fait charmant. Il a une personnalité attachante et il vous attire très rapidement. Il porte une attention extrême aux gens avec qui il se trouve. Il a l'un des plus merveilleux sens de l'humour que j'aie jamais rencontré chez qui que ce soit. Mais, contrairement à certaines personnes qui ont un sens de l'humour fantastique, il peut apprécier celui d'autrui. C'est une de ses particularités dont je me souviendrai toujours.»

Jeff Bezos a toujours été un planificateur à long terme très méticuleux. Ursula Werner se rappelle tout le mal que Jeff s'était donné pour lui organiser une chasse aux trésors pour son dix-huitième anniversaire de naissance, le 11 mars 1981. Il avait passé plusieurs jours à disséminer des indices à travers toute la ville de Miami.

Au début de la chasse aux trésors, Jeff et Ursula montèrent dans la voiture de celui-ci. Jeff était au volant. Leur destination dépendait de la façon dont Ursula jouerait le jeu. Il lui donna le premier indice et, se remémore-t-elle, «j'étais assise là et j'essayais de comprendre de quoi il parlait. Il refusait de m'indiquer si j'étais sur la bonne voie ou non. Il disait: «Où penses-tu que je devrais aller?», et je lançais une réponse à tout hasard.

«Pour vous donner une idée du mal qu'il s'était donné, il avait caché un indice sous une traverse d'une section désaffectée de la voie ferrée de la *South Dixie Highway*. Un autre indice se trouvait sous le couvercle de la cuvette d'une des toilettes publiques de *Home Depot*. Il était allé voir une caissière de banque (un indice portait sur le prénom de celle-ci) et il lui avait dit: «Lorsque quelqu'un se présentera le 11 mars et que cette personne vous demandera un million de dollars en coupures de un dollar, donnez-lui cet indice.» C'était incroyable. Mis à part la naissance de mes trois enfants, je ne peux me rappeler une expérience aussi exténuante. Le monde entourant Jeff Bezos est rempli d'histoires aussi incroyables que celle-ci car son esprit bouillonne de créativité et d'espièglerie.»

Dans son premier grand projet animé d'un esprit d'entreprise, Jeff fit équipe avec Ursula pendant l'été de 1982 pour créer une colonie de vacances éducative appelée le *DREAM Institute*[1]. Ils réussirent à inscrire cinq enfants de quatrième, cinquième et sixième années, incluant Mark et Christina, le demi-frère et la demi-sœur de Jeff. Bezos et Ursula Werner demandèrent 150 $ pour le séminaire d'une durée de deux semaines, qui se déroulait de 9 heures à midi dans la chambre à coucher moquettée de Jeff au 13720 de la 73e avenue Sud-Ouest, à Miami.

Le programme était un amalgame de sciences et de littérature, du passé et de l'avenir, qui laissait présager le *modus operandi* de Jeff Bezos. Ursula fit la sélection d'ouvrages de littérature et de sciences humaines: *Les Garennes de Watership Down*, *Black Beauty*, *Voyages de Gulliver*, *L'île au trésor* et *David Copperfield*, ainsi que de pièces de Thornton Wilder intitulées *Our Town* et *The Matchmaker*, et Jeff choisit des ouvrages de science-fiction: *The Once and Future King*, *En terre étrangère*, *Le Seigneur des anneaux* et *Dune*. Le programme traitait de sujets aussi variés que les combustibles fossiles et la fission nucléaire, les colonies spatiales et les voyages interstellaires, les trous noirs et les courants électriques, la restriction des armes nucléaires et l'utilisation d'un appareil photo. Comme Jeff et Ursula l'écrivirent dans un dépliant destiné aux parents, le programme mettait «l'accent sur de nouvelles façons de penser dans de vieux domaines». Dans une interview réalisée pendant cet été de 1982 avec le *Miami Herald*, Jeff explique: «Nous ne faisons pas que leur enseigner quelque chose. Nous leur demandons de le mettre en application.».

Encore aujourd'hui, Jeff considère Ursula comme sa première partenaire en affaires. Le couple se scinda, mais entretint son amitié, quand Ursula poursuivit ses études à l'université *Duke*, et Jeff à Princeton. «Ma mère adore Jeff»,

---

1. DREAM: Directed REAsoning Methods (méthodes de raisonnement dirigées).

dit Ursula. «Ils étaient très proches l'un de l'autre lorsque Jeff et moi sortions ensemble – au point où lorsque Jeff et moi avons eu une grosse dispute, elle a pris soin de *lui* (ses parents se trouvaient en Norvège à l'époque) et a veillé à savoir comment *il* allait.» Ursula Werner est maintenant avocate pour la commission antitrust du Département de la Justice des États-Unis à Washington, D.C.

PRINCETON

Jeff entra à Princeton à l'automne 1982. Pour quelqu'un décrivant sa jeunesse comme une époque socialement difficile, il était actif et populaire. Il a été élu président de l'organisation étudiante *Tau Beta Pi*, il a été membre du *Quadrangle Club* composé de 160 membres (l'un des douze réfectoires étudiants sur le campus) et il a été membre du regroupement appelé *Students for the Exploration and Development of Space*. Parmi ses compagnons de classe en 1986, on retrouve Phil Goldman, maintenant directeur général de *WebTV*, Katherine Betts, rédactrice en chef du magazine *Harper's Bazaar* et David Risher, vice-président chez *Amazon.com*.

Pendant ses années de collège, Jeff occupa des emplois d'été utiles et intéressants. En 1984, la famille Bezos vivait en Norvège, où Mike avait été muté par *Exxon*. Cette année-là, Jeff travailla pour *Exxon* dans la ville de Stavanger, comme analyste-programmeur. Si l'on se fie à son curriculum vitae, il développa cet été-là un modèle financier pour calculer les redevances devant être versées par la société pétrolière au moyen du langage non procédural IFPS sur un ordinateur IBM 4341. L'été suivant, il travailla au laboratoire de recherche Santa Teresa d'IBM à San Jose, Californie, où, comme il l'écrit dans son curriculum vitae: «En trois jours, j'ai mené à terme un projet pour lequel on m'avait accordé quatre semaines. Il s'agissait de réimplanter l'interface de développement d'un logiciel IBM en réécrivant le programme superviseur de manière à modifier automatiquement et sélectivement l'outil de productivité.»

À Princeton, il étudiait le génie électrique et l'administration des affaires, mais, pendant un certain temps, il caressa l'idée d'une carrière en physique théorique. Malheureusement, il se rendit compte que, même s'il faisait partie des 25 meilleurs étudiants de sa promotion dans cette discipline, «il était clair à mes yeux qu'il y avait trois étudiants de ma classe qui étaient bien, bien meilleurs que moi et pour qui c'était bien, bien plus facile. J'ai eu comme une révélation: le cerveau de ces personnes était branché différemment», raconte-t-il à *Wired*, qui décrit cette révélation comme étant la première déception intellectuelle de Jeff. En 1986, il obtient un diplôme *summa cum laude* en génie électrique et en informatique avec une moyenne de 4,2 dans ces disciplines (à Princeton, 4,3 équivaut à A+) et une moyenne globale de 3,9, et il est admis dans l'association *Phi Beta Kappa*[1]. Pour sa thèse, il a conçu et construit un ordinateur spécialisé dans le calcul des répétitions des diverses séquences de l'ADN.

Armé de son diplôme de Princeton, débordant de confiance en lui, et ayant foi dans le caractère inévitable de sa propre réussite, Jeff Bezos était prêt à franchir l'étape suivante. Sa détermination est illustrée dans cette citation de Ray Bradbury, inscrite sous sa photographie dans l'annuaire de l'université:

«L'Univers nous dit: "Non".

En réponse, nous lui opposons notre humanité et nous crions: "Oui!"

1. Il s'agit d'une association d'anciens étudiants très brillants.

À RETENIR

Sans vouloir extrapoler sur la façon dont les épisodes de la jeunesse de Jeff Bezos ont pu influer sur la création d'*Amazon.com*, il est évident qu'il a fait preuve d'une prédisposition au succès dès son plus jeune âge, et qu'il n'a fait que confirmer cette aptitude en franchissant la porte du monde des affaires.

Jeff Bezos a été un adolescent précoce, obstiné, concentré, et sûr de lui. En tant que jeune leader d'une équipe de football, il était en mesure de mémoriser non seulement sa position, mais aussi celle de tous les autres joueurs. Lorsque sa mère refuse de lui acheter un «*Infinity Cube*», il en fabrique un. Lorsqu'il organise une chasse aux trésors pour l'anniversaire de sa petite amie, il démontre le type de stratégie et de pensée à long terme qui formeront la direction d'*Amazon.com*.

- Concentrez-vous sur la tâche à accomplir.
- Comprenez qu'il y a une solution à tout problème.
- Envisagez les inévitables obstacles comme rien de plus que des occasions.
- Pensez à long terme.

chapitre deux

à l'assaut de manhattan

«C'est par l'expérience que la science et l'art font leurs progrès chez les hommes.»

– Aristote

*T*outes les démarches entreprises par Jeffrey Bezos dans sa carrière professionnelle – et chaque parcelle d'expérience et de connaissances acquises – ont contribué à la création d'*Amazon.com*.

Étant donné son dossier scolaire à Princeton, Jeff Bezos se fit courtiser par diverses entreprises bien établies, dont *Intel*, *Bell Labs* et *Andersen Consulting*. Mais un jour, alors qu'il lisait le journal étudiant *Daily Princetonian*, son regard fut attiré par une publicité pleine page de *Fitel*, une toute nouvelle entreprise de télécommunication dans le domaine financier qui, selon l'annonce, était à la recherche des «meilleurs diplômés en informatique» de Princeton.

En mai 1986, immédiatement après l'obtention de son diplôme, il devint l'employé numéro onze chez *Fitel*, qui avait été fondée par les professeurs Graciella Chichilnisky et Jeffrey Heal, collègues à la faculté des sciences économiques de l'université Columbia, à New York. En tant que directeur de la gestion et du développement, Jeff Bezos devait superviser un réseau de télécommunication international qui utilisait des programmes informatisés destinés à simplifier les transferts de capitaux et de données d'un pays à l'autre. Le processus comprenait l'interconnexion d'un réseau complexe d'acheteurs, de vendeurs, de courtiers et de divers intermédiaires bancaires. Ce réseau spécialisé de communication était en quelque sorte un mini-Internet et le précurseur de sites Web financiers spécialisés tels que *E*Trade Securities*.

Promu directeur associé de la technologie et du développement des affaires en février 1987, Jeff Bezos développa et lança sur le marché *Equinet*, un réseau conçu par la professeure Chichilnisky pour relier entre eux les courtiers, les investisseurs et les banques, et pour leur fournir les données nécessaires pour effectuer des transactions internationales. Graciella Chichilnisky se rappelle que Jeff Bezos était tellement doué lorsqu'il s'agissait d'améliorer le protocole de communication (ensemble des règles régissant la connexion d'un système informatique à un autre) qu'il réduisit d'environ 30 % les coûts de communication de *Fitel*. Et, à l'âge 23 ans, il réunit une équipe de 12 programmeurs et analystes à Londres et à New York (il faisait la navette entre les deux bureaux chaque semaine). Il supervisait la conception, la programmation et l'expérimentation; et il gérait les relations avec des clients majeurs tels que *Salomon Brothers*, la société de placement qui était la plus importante cliente de *Fitel*. Il a supervisé des groupes de service à la clientèle en Amérique du Nord, en Extrême-Orient et en Australie, et il a ouvert le bureau de *Fitel* à Tokyo.

Lorsqu'elle évoque cette période de la carrière de Jeff Bezos, Graciella Chichilnisky dit que l'expérience acquise à traiter avec des réseaux globaux lui a permis d'apprendre les fondements de la communication internationale et de comprendre la valeur commerciale de cette industrie en plein essor. Alors que *Fitel* était une entreprise spécialisée et axée sur un marché bien spécifique, *Amazon.com* ne l'est pas, car, estime Graciella Chichilnisky, Jeff «voulait une entreprise non spécialisée qui pourrait pénétrer les marchés plus rapidement».

En avril 1988, il entre au service de la *Bankers Trust Company*, où il est nommé vice-président associé des services fiduciaires globaux; dix mois plus tard, à l'âge de 26 ans, il devient le plus jeune vice-président de l'histoire du *Bankers Trust*. Son premier mandat consistait à superviser un service de programmation comptant six employés qui travaillaient à la conception et au développement d'un réseau de communication appelé *BTWorld*. *BTWorld* est un logiciel qui fut installé sur les ordinateurs de plus d'une centaine des entreprises citées par *Fortune 500* dont les régimes de retraite et de participation aux bénéfices (représentant 250 milliards de dollars) étaient gérés par le *Bankers Trust*. Le système informatisé permettait aux clients de la banque de vérifier périodiquement le rendement de leurs investissements – taux de rendement de l'actif, transactions, intérêts cumulés, dividendes distribués, etc. – sans avoir à attendre de recevoir une copie imprimée du rapport standardisé que le *Bankers Trust* leur fournissait sur une base régulière.

Si une telle facilité d'accès à l'information est chose commune de nos jours, c'était révolutionnaire à la fin des années 1980. En fait, la majorité de la vieille garde du *Bankers Trust* estimait que «c'était quelque chose qui ne pouvait pas se faire, qui ne devait pas être fait, et que la façon traditionnelle de transmettre cette information sur papier était bien meilleure», se rappelle Harvey Hirsch, le patron de Jeff Bezos à cette époque. «Le sentiment général se résumait à ceci: Pourquoi changer? Pourquoi faire cet investissement?» Auparavant, les données qui constituaient ces rapports imprimés étaient conservées et traitées au moyen d'unités centrales. Alors que Jeff Bezos défendait ouvertement la puissance des ordinateurs personnels, nombreux sont ceux au *BT* qui restaient convaincus que le suivi et le traitement des données relatives aux régimes de retraite et de participation aux bénéfices ne pouvaient être effectués au moyen de micro-ordinateurs qui, à leurs yeux, n'avaient pas suffisamment de mémoire ou de puissance.

«Un grand nombre des cadres – qui étaient loin de partager l'esprit d'entreprise de Jeff – s'opposaient avec véhémence à ce qu'il proposait», ajoute Harvey Hirsch, un ancien vice-président du *Bankers Trust*. «Je parle ici de défenseurs de la vieille technologie.» Bien que cette opposition ait été une source de frustration en ce sens qu'elle ralentissait l'évolution de son projet, Jeff persévéra. «Jeff a le don de faire fi de ce qui est sans grande portée et de se concentrer sur ce qui est réellement important. Il voit non seulement différents moyens de faire les choses, mais de meilleurs moyens de les faire. Il a dit à ses détracteurs: "J'ai foi en cette nouvelle technologie et je vais vous montrer comment ça peut marcher", et il l'a fait. À la fin de la journée, il leur avait prouvé à tous qu'ils avaient tort. Il n'hésite pas à "crever le ballon" de quelqu'un s'il estime que cette personne se propose d'accomplir une tâche de la mauvaise façon ou d'une façon inappropriée. Il plaidera sa cause avec beaucoup de persuasion. Cela ne veut pas dire qu'il n'a pas cassé quelques œufs en cours de route, mais je ne crois pas qu'il ait agi de manière à blesser ou à faire enrager les gens. Il a été très professionnel.»

Jeff Bezos trouva également le temps de travailler à des projets à l'extérieur du *Bankers Trust*. En 1990, il avait fait la rencontre de Halsey Minor, un analyste en valeurs chez *Merrill Lynch*, à New York. À l'époque, Halsey Minor songeait à un système qui pourrait acheminer l'information et le matériel de formation sur le réseau interne de *Merrill* à l'aide d'hyperliens, d'animation et de graphiques – en d'autres termes, un réseau *intranet* créé plusieurs années avant que le mot ne soit homologué. Avec le soutien financier de *Merrill*, Halsey Minor constitua une petite entreprise au nom ambitieux – *Global Publishing Corporation* – et commença à développer l'infrastructure du réseau. Satisfait des premiers résultats, *Merrill* appuya Minor dans un projet encore plus ambitieux qui permettrait de personnaliser les données en fonction des intérêts et des besoins individuels des abonnés. Jeff Bezos et Halsey Minor, alors âgés de 26 et 25 ans respectivement, signèrent un contrat de trois ans avec *Merrill* et commencèrent à travailler à leur projet.

Mais à peine quelques semaines plus tard, Jeff Bezos et Halsey Minor se trouvaient dans les bureaux de *Merrill* lorsqu'un employé vint leur annoncer que l'entreprise avait changé d'idée et qu'elle mettait fin à son soutien financier.

Deux ans plus tard, *CNET Inc.* voit le jour à San Francisco. Halsey Minor en est le fondateur, le président et le directeur général. *CNET* est aujourd'hui le principal fournisseur américain de contenus d'information pour Internet. Avançons dans le temps de quelques années, et nous retrouvons Jeff Bezos et Halsey Minor sur la couverture du numéro du 27 juillet 1998 de *Forbes*, aux côtés de onze autres «impresarios» de l'Internet, dont Jerry Yang de *Yahoo!* et Rob Glaser de *RealNetworks*, sous le titre suivant: «Les maîtres du nouvel univers».

En méditant sur les souvenirs qu'il garde de sa collaboration avec Jeff Bezos, Halsey Minor dit: «À part Bill Gates, je crois que très peu de gens partagent la profonde compréhension technique de Jeff et qui savent la combiner avec un instinct et des stratégies hautement raffinés.»[1] Halsey Minor se rappelle que Jeff Bezos était un grand admirateur de Bill Gates, ainsi que d'un homme moins connu appelé Alan Kay, l'inventeur de l'interface graphique chez Xerox. «Jeff est l'un des rares innovateurs purs et durs qui peuvent faire autre chose», dit Halsey Minor. «Il avait toujours rêvé de lancer sa propre entreprise.»[2]

En 1990, Jeff Bezos n'était pas encore tout à fait prêt à créer cette entreprise, mais il était disposé à quitter le *Bankers Trust* après deux ans, et à laisser derrière lui le domaine des services financiers. Il signifia à des chasseurs de têtes qu'il souhaitait joindre les rangs d'une entreprise de technologie, où il pourrait se consacrer à sa véritable passion, la «seconde phase» d'automatisation. Jeff Bezos décrit cette seconde phase comme «le fil conducteur de sa vie. La première phase d'automatisation est lorsqu'on utilise la technologie pour exécuter les mêmes vieux processus, mais avec davantage de rapidité et d'efficacité». Une première phase d'automatisation typique dans le domaine du commerce électronique pourrait se résumer à des scanners de codes à barres et à du matériel P.L.V.[3]. Avec Internet, «le processus est le même, mais il est plus efficace». Voici comment il décrit la seconde phase d'automatisation: «C'est lorsqu'on peut fondamentalement modifier les processus sous-jacents et faire les choses d'une façon complètement nouvelle. C'est donc davantage une révolution qu'une évolution.»

---

1. *Red Herring*, juillet 1997.
2. *Independent*, 12 mai 1998.
3. N. de T.: Promotion dans les points de vente à l'aide d'un matériel approprié.

D. E. SHAW

D. E. Shaw & Co. était ce type d'entreprise de «seconde phase», et David E. Shaw, son fondateur, président et directeur général, était le genre de patron qui pouvait stimuler l'intellect et le dynamisme de Jeff. Même si ce dernier n'avait pas très envie de demeurer dans la communauté financière, un chasseur de têtes le convainquit que c'était différent chez D. E. Shaw et, effectivement, ça l'était. Au début des années 1980, David Shaw, détenteur d'un doctorat en informatique de l'université Stanford, avait dirigé une entreprise de logiciels prospère appelée *Stanford Systems Corporation*, et il avait côtoyé à l'université des gens (des cerveaux) comme Leonard Bosak, cofondateur de *Cisco Systems;* Andreas Bechtolsheim, cofondateur de *Sun Microsystems* (maintenant passé chez *Cisco*); et Jim Clark, fondateur de *Silicon Graphics Inc.* et qui deviendrait président de *Netscape*. David Shaw travailla au département d'informatique à l'université Columbia avant de se joindre, en 1986, à la maison de change *Morgan Stanley & Co.* à titre de vice-président responsable de la technologie automatisée d'analyse commerciale.

En 1988, avec un capital de démarrage de 28 millions $, il fonde *D. E. Shaw & Co.*, une entreprise spécialisée dans les opérations de couverture. Pour gagner de l'argent dans cette obscure discipline, le truc est d'utiliser des techniques telles que l'arbitrage stratégique, qui fait appel à des algorithmes complexes (séries de formules mathématiques programmées de façon à ce que l'ordinateur accomplisse une tâche spécifique) afin de déceler les légers écarts du cours des actions transigées sur le marché boursier. Par exemple, si les actions de *Microsoft* étaient transigées à 99,50 $ à New York et à 100 $ à Tokyo, l'entreprise achetait à New York et vendait à Tokyo, réalisant un profit de 0,50 $ par action (moins les frais de transaction). «Traditionnellement, les entreprises spécialisées dans les opérations de couverture avaient élaboré des outils informatiques sophistiqués pour aider les négociants à prendre des décisions», dit Jeff Bezos. «Mais *D. E. Shaw & Co.* renversa l'opération. Les programmeurs programmaient les machines et leur enseignaient la finance. Les machines prenaient éventuellement toutes les décisions commerciales. C'était une représentation du monde tout à fait différente.»

L'*Investment Dealer's Digest* vient étayer cette opinion, qualifiant *D. E. Shaw & Co.* de «sans doute la maison de change la plus innovatrice de Wall Street». Le *Wall Street Journal* plaça l'entreprise «à l'avant-garde de la vente informatisée». *Fortune* déclara que c'était «la force la plus intrigante et la plus mystérieuse de Wall Street aujourd'hui. (...) Un laboratoire de recherche bien pourvu en capital dans le firmament – un endroit où l'avant-garde rencontre l'arbitrage, et où l'intellectualité et la quête du profit se marient harmonieusement». Le magazine conclut en affirmant que *D. E. Shaw* est «la réponse que vous obtiendrez si vous posez la question suivante: Quelle est l'entreprise la plus sophistiquée à Wall Street, technologiquement parlant?» Bien qu'elle soit située (métaphoriquement) *sur* Wall Street, l'entreprise ne se considérait pas comme étant *de* Wall Street. «Nous ne voulons pas être considérés comme une maison de change ordinaire, parce que nous n'en sommes pas une», dit David Shaw à *Fortune* dans l'une des rares entrevues qu'il accorda. Ses bureaux étaient aménagés avec une telle élégance que des photos de ceux-ci furent présentées lors d'une exposition au musée d'art moderne de New York. L'entreprise n'imposait pas à ses employés une tenue vestimentaire stricte et une politique de vacances formelle; si vous aviez besoin de vacances, vous en preniez, voilà tout.

Fortune écrivit: «Même s'il a la réputation d'être un amalgame d'Einstein, Midas et Raspoutine, David Shaw se révèle un être étonnamment humble.». Pour Jeff Bezos, David Shaw était une âme sœur et un pair sur le plan intellectuel. «David Shaw est un homme très intelligent», dit Jeff Bezos. «C'est l'une des rares personnes que je connaisse qui a su développer aussi bien le côté gauche que le côté droit de son cerveau.» De plus, *D. E. Shaw & Co.* se montrait extrêmement sélective en matière de recrutement, affirmant n'embaucher qu'un seul candidat parmi chaque centaine de mathématiciens, informaticiens, chercheurs et négociants en valeurs mobilières qui posaient leur candidature. Une bonne part des ressources temporelles et financières de l'entreprise étaient consacrées à recruter les meilleurs cerveaux et les meilleurs talents qu'elle puisse attirer. «David Shaw a dégagé les formes d'une culture unique», se rappelle Brian Marsh, qui a joint les rangs de l'entreprise en 1994. «L'environnement était très ouvert et créatif; il avait presque une saveur universitaire. David Shaw est très charismatique, tout comme l'est Jeff. Lorsque j'ai fait la connaissance de David, j'ai pensé: *"Oh mon Dieu, voilà quelqu'un pour qui je veux travailler".»*

En décembre 1990, Jeff a été engagé comme vice-président chez *D. E. Shaw & Co.*, et deux ans plus tard, à l'âge de 28 ans, il est devenu le plus jeune vice-président principal de l'entreprise. En tant que l'un des quatre dirigeants, il créa, développa et coordonna une équipe de 24 personnes qui avait le mandat d'explorer de nouveaux marchés. Jeff Bezos dirigeait le plus grand service de l'entreprise. Brian Marsh, qui travailla pendant une courte période pour lui, se rappelle que: «Jeff avait la main haute sur ses affaires. Il savait parler de ce qu'il faisait et, par conséquent, il arrivait à stimuler les gens qui l'entouraient. Le leadership exige, entre autres, l'habileté à bien exprimer l'aspect passionnant de la tâche à accomplir, de façon à ce que tout le monde monte à bord. Il sait exactement comment s'y prendre.»

Jeff mène une vie sociale active, mais il n'a pas de petite amie attitrée. «Je ne suis pas beaucoup sorti avant ma dernière année de collège», dit-il. «J'avais un plan bien précis à cet égard. Tous mes amis m'organisaient des rendez-vous avec des inconnues.[1] Ça n'a jamais très bien marché.» Lorsqu'il déménagea à New York, il devint ce qu'il décrit lui-même un «professionnel de la rencontre». Comme avec presque tout le reste dans sa vie, il cherchait à imaginer un système qui, à la fin, produirait le résultat désiré; c'est-à-dire, dans ce cas précis, une relation sérieuse. Il s'inspira d'un système que les banquiers utilisent pour déterminer la valeur minimale des transactions qu'ils effectueront. «Je voulais rencontrer une femme qui pourrait me tirer d'une prison du tiers monde. C'était mon premier critère.» En d'autres termes, il cherchait une personne pleine de ressources car «la vie est trop courte pour la passer avec des gens qui ne sont pas ingénieux».[2]

En fin de compte, il trouva la femme qu'il cherchait chez son nouvel employeur. Elle s'appelait Mackenzie Tuttle. C'était une mince et jolie brunette qui était membre associée dans l'équipe de recherche que dirigeait Jeff. Mackenzie était diplômée de la *Hotchkiss School*, un établissement prestigieux indépendant, situé dans la région rurale de Lakeville, Connecticut. Elle faisait également partie de la promotion de 1992 de Princeton, l'alma mater de Jeff. Alors qu'elle étudiait à Princeton, Mackenzie, une écrivaine en herbe, avait été l'assistante de recherche du professeur et romancier Toni Morrison pendant qu'il écrivait «Jazz». Jeff et Mackenzie se marièrent en 1993 et s'installèrent confortablement dans le *Upper West Side* de Manhattan.

---

1. *60 Minutes II*, 3 février 1999.
2. *Wired*, mars 1999.

LE MONDE COMMENCE À CHANGER: UNE BRÈVE HISTOIRE DE L'INTERNET

En 1993, l'année où les Bezos se marièrent, naissait ce que nous connaissons maintenant comme le World Wide Web (la Toile). Les premières graines du Web – ou plus précisément de l'Internet – furent semées en 1959, à l'époque de la guerre froide, à la suite du lancement réussi du satellite soviétique *Spoutnik* et de la crainte grandissante d'une attaque nucléaire. Une subdivision du ministère de la Défense des États-Unis, la *Defense Advanced Research Project Agency* (connue sous le nom de DARPA, l'agence pour laquelle avait travaillé pendant de nombreuses années le grand-père de Jeff), reçut le mandat de créer un réseau de communication pour l'armée américaine qui demeurerait fonctionnel même après une attaque nucléaire.

En effet, contrairement au réseau téléphonique standard et centralisé qui existait à l'époque, ce réseau serait *décentralisé* et disséminé en des lieux stratégiques, afin de permettre à n'importe quel ordinateur de communiquer avec n'importe quel autre en échangeant des unités élémentaires d'information appelées «paquets». Chaque paquet numéroté consécutivement serait acheminé d'un ordinateur à l'autre jusqu'à ce qu'il arrive à destination, où il serait replacé dans l'ordre pour former le message original. Dans l'éventualité d'une attaque nucléaire, chaque paquet resterait en mouvement et à la recherche d'une route encore opérationnelle. *ARPAnet*, comme avait été nommé le système expérimental, vit le jour en septembre 1969, avec des serveurs interconnectés dans trois universités californiennes et une autre située dans l'Utah. Avec le temps, plusieurs autres universités se joignirent aux travaux de développement du réseau en pleine croissance et se connectèrent au système. Dans les années 1970, *NSFnet*, un réseau de recherche scientifique

55

parrainé par la *National Science Foundation* (NSF), fit rapidement en sorte qu'un plus grand nombre d'universités américaines et étrangères joignent le réseau, permettant ainsi aux participants de communiquer au moyen d'un nouveau médium électronique (le e-mail).

Bien que *NSFnet* ait été conçu à des fins académiques, les premières pistes menant à une utilisation commerciale commencèrent à se dessiner dans les années 1980. Alors que des étudiants diplômés commençaient à migrer vers des entreprises du secteur privé telles que *Hewlett-Packard* et *IBM*, ils emportèrent avec eux leur adresse e-mail, ce qui leur permettait de rester facilement en relation avec leurs amis et leurs confrères. Une fois le monde des affaires connecté au Net, les utilisateurs passèrent rapidement de la correspondance d'affaires aux discussions sur la littérature, le cinéma et la politique, ce qui mena à des échanges personnels/commerciaux tels que: «J'ai une Honda Accord à vendre» ou «Je cherche un colocataire». En 1990, la NSF instaure une politique d'utilisation ayant trait au commerce sur l'Internet, qui ouvre la voie à des ingénieurs animés de l'esprit d'entreprise et qui leur permet de devenir des fournisseurs d'accès Internet (FAI). Les FAI aidaient les utilisateurs et les entreprises à se connecter à Internet avec les lignes téléphoniques existantes. Lorsque les premiers FAI – *UUNET*, *PSInet*, *NETCOM*, *BBN* et *MCI* – établirent et exploitèrent leurs propres lignes transcontinentales, ils créèrent ce que nous appelons aujourd'hui l'Internet.

À la fin des années 1980 et au début des années 1990, la chaîne de librairies la plus populaire de la *Silicon Valley* était *Computer Literacy Bookshops Inc.* (CLB). Établie depuis 1983 à Sunnyvale, Californie, elle répondait aux besoins des ingénieurs et des scientifiques. Le *Whole Earth Software Review* a décrit ce commerce comme «un port civilisé au milieu d'un paysage aride». Peu après avoir ouvert ses portes, CLB expédiait par la poste des ouvrages traitant d'informatique, un peu partout dans le monde.

«Nos principaux clients étaient des professionnels de l'informatique et des techniciens», se rappelle Dan Dœrnberg, qui, avec son épouse, Rachel Unkefer, étaient copropriétaires de la chaîne, qui compta bientôt quatre magasins. «L'une de nos principales clientèles était constituée de gens qui travaillaient au développement de la communication de données par réseau – les employés d'entreprises telles que *Sun Microsystems* – et qui construisaient et perfectionnaient l'Internet. Ils ne se contentaient pas seulement d'utiliser la technologie; ils la créaient. Nous étions très près de ces innovateurs et, très souvent, nous étions leurs fournisseurs de livres. Nous étions vraiment aux premières loges par opposition à une entreprise utilisant le Net.»

Rachel Unkefer se rappelle: «Un grand nombre de clients demandaient: "Pourquoi n'avez-vous pas une adresse électronique? Je voulais obtenir des renseignements à une heure du matin et vous n'étiez pas ouverts." Les clients souhaitaient accéder aisément au matériel technique que nous offrions et ils nous ont poussés dans cette direction. L'un de nos clients travaillait au *Ames Research Center de la NASA* [National Aeronautics and Space Administration] à Mountain View, Californie. L'un de ses amis était un administrateur de systèmes qui avait accepté que nous connections par ligne téléphonique notre ordinateur, qui utilisait un système d'exploitation Unix, à son serveur Internet. Ainsi, quiconque au monde voulait nous poser une question par e-mail pouvait le faire.» (Les systèmes d'exploitation de AT&T et de UNIX avaient la préférence des techniciens et des universitaires à cause de leur puissance).

Le 25 août 1991, *Computer Literacy* enregistra son nom de domaine – *clbooks.com* – devenant la première librairie sur Internet. «Mais nous ne l'avons pas crié sur les toits, parce qu'à cette époque il n'était pas acceptable de faire des affaires sur Internet, et nous ne voulions pas bousculer les gens», dit Rachel Unkefer, qui apprécie aujourd'hui l'ironie de la situation. Bien sûr, il ne s'agissait pas d'un système de vente en ligne, mais plutôt d'un système basé sur le courrier électronique, ce qui était tout de même une amélioration par rapport aux commandes par téléphone. Un très grand pourcentage des affaires conclues par e-mail était d'ordre international.

Par souci de sécurité et parce qu'il était interdit de commercer par le biais du Net, «nous ne voulions pas que les clients nous donnent leur numéro de carte de crédit par e-mail, et nous avons donc mis sur pied un système de pré-enregistrement», dit madame Unkefer. «Le client remplissait un formulaire, y inscrivait son numéro de carte de crédit et y apposait sa signature, et il nous le retournait par télécopieur ou par la poste. Dès que nous le recevions, nous lui ouvrions un compte et il pouvait dès lors commander des livres par e-mail; la simple utilisation de l'adresse électronique servait de validation. Il n'y avait pas de mots de passe. Comme il était à ce moment-là possible de contrefaire une adresse électronique, nous n'expédiions la marchandise qu'à l'adresse inscrite sur le formulaire d'enregistrement, ce que nous estimions raisonnablement sécuritaire. La commande par e-mail n'était pas différente de la commande effectuée par télécopieur ou par téléphone. Cela exigeait le même traitement manuel.»

Un peu plus d'un an plus tard, deux autres librairies enregistrent leur nom de domaine – *BookStacks Unlimited* de Cleveland, Ohio: *books.com* (9 octobre 1992), et *Wordsworth* de

Cambridge, Massachusetts: *wordsworth.com* (23 décembre 1992). (*Amazon.com* ne sera officiellement enregistrée que le 1er novembre 1994).

Pratiquement tous les clients en ligne de *Computer Literacy* étaient des techniciens certifiés. L'Internet n'était pas encore prêt pour le grand public car il était à peu près impossible pour le non-initié de s'y retrouver parmi ces programmes compliqués, de localiser les groupes de recherche et de discussion et de manipuler l'information obtenue. Il n'existait pas d'hyperliens entre les sites Web. Mais en 1993, Tim Berners-Lee, chercheur au Conseil européen pour la recherche nucléaire, un centre de recherche situé en Suisse, développe des protocoles (ensemble de commandes et de séquences régissant la connexion de systèmes informatiques à un réseau) qui permettent à l'utilisateur de consulter des documents et de naviguer sur le Web à l'aide de commandes «pointer/cliquer» relativement faciles à comprendre. La navigation était rendue possible grâce à l'utilisation de mots ou de symboles mis en évidence et appelés «hyperliens» qui, lorsqu'on cliquait dessus, établissaient instantanément un lien avec un autre site. C'était la naissance du *World Wide Web*, que l'on appela également «la pierre de Rosette de l'Internet»[1], car il était maintenant accessible aux non-initiés du monde entier et devenait un réseau omniprésent facile à utiliser et avantageux pour tous.

Néanmoins, même si l'Internet était un outil fascinant, il ne servait qu'un public restreint, et en tant que moyen d'expression basé sur le texte, sans graphiques ni couleurs, et silencieux, il était loin d'être attirant pour le néophyte.

Mais cela changea rapidement. En octobre 1993, un petit groupe d'étudiants très liés de l'université de l'Illinois,

---

1. *Architects of the Web*, Robert H. Reid; John Wiley & Sons, Inc., 1997.

avec à sa tête Marc Andreessen, rendit le Web réellement accessible à la masse. Tous membres du *National Center for Supercomputer Application* (NCSA), un institut situé sur le campus de l'université de l'Illinois, les étudiants créèrent *Mosaic*, un logiciel de navigation conçu pour rechercher et extraire de l'information n'importe où sur le Web en utilisant des graphiques. En quelques mois, 100 000 utilisateurs avaient téléchargé la version *UNIX* de *Mosaic* qui était hébergée par les serveurs du NCSA.

Toutefois, cette nouvelle merveille restait du domaine des spécialistes de l'informatique assis devant leur poste de travail *UNIX*. La véritable percée eut lieu lorsque Marc Andreessen et son équipe créèrent un logiciel qui pouvait être utilisé aussi bien sur les ordinateurs *Macintosh* de *Apple* qu'avec le système d'exploitation *Windows* de *Microsoft*, installé sur la plupart des ordinateurs personnels et commerciaux du monde. Vers le milieu des années 1990, les administrateurs du *NSFnet* ferment le réseau lorsqu'ils constatent que son utilisation passe de l'utilisation académique à un usage commercial. (*ARPAnet* avait fait de même quelques années plus tôt). L'Internet, avec lequel personne n'avait encore gagné d'argent, était sur le point de devenir le marché mondial des idées et des produits. Et Jeff Bezos se trouva au bon endroit, au bon moment.

L'IDÉE

La plupart des experts s'entendent pour situer l'entrée d'Internet dans le courant dominant entre septembre 1993 et mars 1994. C'est à cette époque que les entreprises commencent à construire des sites Web, non pas tant pour effectuer des transactions que pour afficher de l'information statique telle que des rapports annuels, de la documentation sur les produits et des caractéristiques techniques, des communiqués de presse et des numéros de téléphone de leurs bureaux régionaux. Cependant, la Toile s'étendait rapidement. Dans *Architects of the Web*, Robert H. Reid explique:

«Parce que contrairement au réseau téléphonique, dont les architectes avaient dû monter des lignes, embaucher des standardistes, fabriquer des téléphones et inventer une myriade de connexions complexes, le Web fonctionnait au moyen d'une infrastructure déjà bien établie. Au moment où le logiciel Mosaic a été lancé, les micro-ordinateurs étaient présents depuis des années dans les bureaux et les résidences. Le modem était également de plus en plus répandu, car du matériel de transmission était intégré à la plupart des nouveaux micro-ordinateurs. Les connexions Internet étaient déjà installées dans des milliers d'entreprises et d'institutions. Et les ordinateurs de bureaux étaient tous reliés à un réseau local (LAN) [réseau informatique limité à une région immédiate, habituellement un même édifice ou un unique étage].... Mais soudain, en 1993 et 1994, les gens commencèrent à réaliser que ces réseaux permettaient de faire des choses très intéressantes. Plus précisément, ils permettaient de jeter un regard sur le monde extérieur et d'aller y puiser quantité de ressources.»

Rien de tout ceci n'échappa à D. E. Shaw qui décida de tenter sa chance sur Internet. En 1994, une année où la plupart des entreprises spécialisées dans les opérations de couverture étaient déficitaires ou faisaient à peine leurs frais, D. E. Shaw pouvait se glorifier d'un taux de rendement de 26 %. Cette même année, David Shaw confia à Jeff Bezos la tâche d'explorer les possibilités commerciales de l'Internet. (David Shaw déclarera plus tard que l'une des principales tâches de Jeff Bezos au cours des quelques dernières années qu'il passa dans son entreprise fut d'explorer ce type de possibilités, et qu'une grande majorité des découvertes significatives de Jeff Bezos pour ce qui allait éventuellement devenir) *Amazon.com* le furent sous sa direction – et avec son concours financier).[1]

Ce printemps-là, les recherches de Jeff Bezos révélèrent un fait étonnant: l'utilisation du Web augmentait à la vitesse stupéfiante de *2 300* % par année, grâce à la disponibilité du logiciel de navigation *Mosaic* pour les utilisateurs de Mac et de PC fonctionnant sous *Windows*. «Il ne faut pas oublier que les êtres humains ne sont pas doués pour comprendre la croissance exponentielle», dit Jeff Bezos. «Ce n'est pas quelque chose que nous pouvons observer dans la vie de tous les jours. Mais les choses ne grandissent pas aussi vite à l'extérieur de la boîte de Petri. Cela n'arrive tout simplement pas.» Quelque chose qui croît au rythme de 2 300 % par année «est imperceptible le jour même et omniprésent le lendemain».

Cherchant les meilleurs produits qui pourraient être vendus sur le Web, Jeff Bezos dressa une liste de vingt possibilités, incluant des logiciels, des fournitures de bureau, des vêtements et des disques.

Au cours de ses recherches, il fut étonné de découvrir que le marché du livre était monté en flèche pour occuper le premier rang, suivi par le marché du disque. Il élimina la musique à cause de l'infrastructure de cette industrie. Avec seulement six entreprises majeures dominant le marché et contrôlant la distribution, Jeff Bezos craignait qu'elles aient suffisamment d'influence pour freiner les activités d'un nouveau venu voulant concurrencer les magasins traditionnels. Cela risquait peu d'arriver avec l'industrie du livre, qui était déjà aux prises avec une importante poursuite antitrust où

---

1. *New York Times Magazine*, 12 avril 1999.

s'affrontaient plusieurs maisons d'édition et l'*American Booksellers Association* (qui représentait les intérêts des libraires) sur la question des conditions plus avantageuses que les éditeurs offraient aux chaînes de librairies. Un autre facteur qui jouait en faveur des livres était que le marché du disque n'offrait que 300 000 disques compacts, comparé à plus de trois millions de titres publiés ou en voie d'impression à travers le monde et dans toutes les langues.

De plus, le marché du livre était vaste et fragmenté, et aucun monopole n'était protégé par un gorille de 350 kilos. L'industrie américaine comptait des dizaines de milliers d'éditeurs, dont un grand nombre n'avait seulement qu'un ou deux titres à son actif. *Random House*, le plus grand éditeur d'ouvrages grand public, détenait moins de 10 % du marché. En 1994, les ventes combinées des deux plus grandes chaînes de librairies, *Barnes & Noble et Borders Group Inc.*, comptaient pour moins de 25 % du total des ventes de livres auprès de la clientèle adulte, s'élevant à approximativement 30 milliards de dollars. Ni l'une ni l'autre ne s'était établie en tant que marque dominante. Les points de vente non spécialisés – allant de la commande postale, en passant par les clubs de livres et les magasins entrepôts – récoltaient 54,3 % des ventes ; et les magasins indépendants, 21,4 %, selon une étude menée auprès des consommateurs de livres.

Aux États-Unis, les ventes de livres avaient augmenté sur une base régulière depuis le début des années 1990, avec un nombre record de 513 millions d'exemplaires en 1994, ce qui représentait un accroissement de 6,3 % par rapport à l'année précédente, selon le *Book Industry Study Group*, un organisme de recherche à but non lucratif. Cette année-là, 17 titres se vendirent à plus d'un million d'exemplaires et 83 titres dépassèrent le cap des 400 000 exemplaires vendus. Le roman le plus populaire avait été *Le Couloir de la mort* de John

Grisham, tandis que du côté de la littérature non roma-
nesque, le best-seller a été *In the Kitchen with Rosie*, de Rosie
Daley, la cuisinière d'Oprah Winfrey. L'industrie mondiale du
livre – qui était également très vaste, en pleine croissance et
fragmentée – prévoyait des ventes de l'ordre de 82 milliards
de dollars en 1996.

Les canaux de distribution de l'industrie du livre se trouvaient déjà au milieu d'une vague de changement. Dans les
années 1980, *Crown Books* révolutionna l'industrie du jour au
lendemain en ouvrant des centaines de magasins de vente
au rabais, forçant les autres librairies à consentir également
des rabais, ce qu'elles n'avaient jamais fait auparavant. Durant cette période également, *Barnes & Noble* et *Borders* éten-
daient leurs activités aux centres commerciaux à travers tout
le pays, et bientôt rares furent les centres commerciaux où
l'une ou l'autre de ces chaînes n'était pas présente.

Au milieu des années 1990, *Barnes & Noble* et *Borders* fer-
mèrent les plus petites de leurs librairies dans les centres
commerciaux pour les remplacer par d'immenses magasins
entrepôts (des édifices de 5 574 mètres carrés qui avaient auparavant abrité des salles de quilles ou des cinémas). Ces magasins offraient sur place jusqu'à 75 000 titres – une quantité
impressionnante mais qui ne représentait encore que moins
de 10 % des quelque 1,5 million d'ouvrages publiés en
langue anglaise. À quelques rares exceptions près, les milliers
de librairies indépendantes offraient infiniment moins de
titres sur des surfaces beaucoup plus petites. De plus, un
magasin représentait un investissement important en
termes de stocks, de biens-fonds et de personnel. Par conséquent, Jeff Bezos constata: «Avec cette grande diversité de
produits, il était possible de fonder un magasin en ligne qui
ne pouvait tout simplement pas exister autrement. Il était

possible de construire un véritable magasin entrepôt offrant un choix inégalé; et les clients apprécient avoir le choix.»[1]

Une librairie en ligne ne poserait virtuellement aucune limite à la quantité de titres offerts; et, grâce à l'interface de recherche et d'extraction des données du *World Wide Web*, le client pourrait aisément naviguer dans la base de données regroupant tous les ouvrages disponibles. Les décisions d'achat pourraient être facilitées en fournissant au client une information plus complète et de meilleure qualité, comme des résumés, des extraits et des critiques. En desservant un vaste marché international à partir d'un lieu de commande et de distribution centralisé, une librairie en ligne pourrait faire des affaires de façon bien plus économique que n'importe laquelle des plus grandes librairies traditionnelles.

Par ailleurs, malgré sa portée illimitée, la librairie en ligne pouvait être programmée pour offrir une expérience d'achat personnalisée et peu coûteuse à ses clients, et, plus important encore, l'information recueillie sur les préférences personnelles des clients et sur leurs habitudes d'achat pourrait générer des occasions de marketing direct et de service personnalisé. Jeff Bezos vit qu'à cause de ces avantages par rapport aux détaillants traditionnels, les détaillants en ligne avaient le potentiel requis pour se constituer rapidement une vaste clientèle globale et assurer une rentabilité à long terme.

La disponibilité des titres constituait un autre avantage de la vente en ligne. On pouvait aisément se procurer les ouvrages, soit directement auprès des éditeurs ou auprès d'un réseau de distributeurs dont l'inventaire comptait environ 400 000 titres. La distribution était dominée (et continue de

---

1. Tiré d'une allocution présentée devant l'Association of American Publishers, Washington, D.C., 19 mars 1999.

l'être) par deux entreprises: *Ingram Book Group*, une division de *Ingram Industries Inc.* de LaVergne, Tennessee; et *Baker & Taylor Books* de Charlotte, Caroline du Nord. *Ingram* possédait sept entrepôts disséminés stratégiquement à travers le pays; *Baker & Taylor* en avait quatre. Depuis de nombreuses années, ces deux entreprises envoyaient à leurs clients leur relevé d'inventaire sur microfiche. Mais à la fin des années 1980, elles passèrent au format digital, ainsi que d'autres entreprises similaires. En fait, ces distributeurs faisaient également office d'entrepôts pour les petites librairies indépendantes. Lorsqu'un client demandait un livre qu'il n'avait pas en stock, le libraire le commandait la plupart du temps chez *Ingram* ou *Baker & Taylor*.

La publication et la vente de livres sont les deux volets d'une industrie peu efficace où les éditeurs, les fournisseurs et les détaillants sont aux prises avec des intentions divergentes. Des mois avant qu'ils ne produisent un livre, les éditeurs doivent déterminer le nombre d'exemplaires à imprimer, mais il leur est difficile de le faire avant d'avoir présenté le titre aux libraires. Pour convaincre ces derniers de stocker de grandes quantités de ce titre et d'en assurer une grande visibilité, les éditeurs leur permettent de retourner les exemplaires invendus en échange d'une note de crédit. Lorsqu'il devint libraire, Jeff Bezos dit qu'il «ne s'agissait pas d'un commerce rationnel. L'éditeur prend tous les risques et le détaillant prédit la demande.»

Il n'est pas étonnant de constater que l'un des aspects les plus inefficaces de la vente de livres était la quantité de titres invendus retournés à l'éditeur, qui atteignirent en 1994 le nombre renversant de 35 % des 460 milliards de livres expédiés. (Cette généreuse politique de retour était un vestige de la Grande Dépression alors qu'elle avait été utilisée comme mesure incitative par les éditeurs pour encourager les libraires à passer des commandes). Au cours des dernières années, les coûts substantiels entraînés par ces retours furent désastreux en ce qui a trait au bénéfice net réalisé par les éditeurs. Jeff Bezos estima qu'un libraire en ligne pouvait réduire considérablement la quantité de retours, rendant ainsi la librairie virtuelle plus rentable.

Les commandes postales constituaient une petite part, quoique grandissante, de l'industrie du livre, ceci grâce à la demande croissante du consommateur en matière de commodité et à la nouvelle popularité des cartes de crédit, des lignes téléphoniques de service à la clientèle ouvertes 24 heures sur 24, et à la livraison garantie le lendemain. Un grand nombre de magasins, grands et petits, commencèrent à publier des catalogues, à l'instar des entreprises spécialisées, s'adressant aux lecteurs ayant des intérêts particuliers, comme la science-fiction, le roman à énigmes, la cuisine, les voyages, les questions gaies et la religion. Les catalogues généraient également des ventes auprès des lecteurs qui préféraient tout simplement faire leurs emplettes à la maison, ou qui vivaient à l'étranger ou dans des régions reculées où les bonnes librairies étaient rares ou inexistantes. Il y avait également les clubs de livres, comme le *Book-of-the-Month Club*. Le «*Reader's Catalog*» est une initiative digne de mention. Créé en 1989 par Jason Epstein, rédacteur en chef de la division des livres pour adultes chez *Random House*, et par Geoffrey O'Brien, poète, écrivain et éditeur, ce catalogue renfermait 40 000 titres publiés chez divers éditeurs dans des dizaines et des dizaines de catégories – allant de la religion orientale à la physique quantique, en plus de proposer de courts résumés des ouvrages. Bien que le catalogue ait été conçu dans le but d'attirer les lecteurs dans une librairie, certains libraires estimaient qu'il menaçait carrément leur existence. (En 1998, *barnesandnoble.com* faisait l'acquisition de sa base de données).

Pour ce qui est de l'Internet, la concurrence était déjà là, avec la présence de *clbooks.com* (*Computer Literacy*) et de *books.com*, fruit de l'esprit de Charles Stack, un avocat de Cleveland, Ohio, devenu concepteur de logiciels. En 1991 et 1992 respectivement, chaque entreprise commença à solliciter les lecteurs par le biais d'un système d'information télématique, un réseau permettant aux utilisateurs de communiquer, d'afficher des messages, d'envoyer et de récupérer de l'information, sans qu'il leur soit nécessaire d'être tous reliés au serveur au même moment. En 1993, *books.com* établit une liaison avec *Telnet*, un service conseil permettant à l'internaute de se brancher à un ordinateur distant et de consulter facilement une base de données renfermant les titres disponibles comme si celle-ci se trouvait dans son propre ordinateur. Lorsque b*ooks.com* lança son site Web en 1994, l'entreprise offrait 400 000 titres.

Enfin, une autre des raisons majeures pour lesquelles Jeff Bezos choisit de vendre avant tout des livres sur l'Internet était que *tout le monde sait ce qu'est un livre*. Il n'y avait pas lieu d'expliquer les caractéristiques du produit; le livre que l'on achetait sur Internet était le même que l'on pouvait trouver dans une librairie traditionnelle. Par contre, si Jeff Bezos avait voulu vendre du matériel électronique sur Internet, il lui aurait fallu présenter les fiches comparatives de divers produits, des évaluations, des commentaires d'utilisateurs, etc. (Ceci viendrait plus tard pour *Amazon.com* et d'autres détaillants en ligne). Et les gens qui utilisaient déjà Internet étaient de toute évidence très à l'aise avec l'informatique, bien nantis et, plus important encore, ils achetaient fréquemment des livres.

Jeff Bezos recommanda à David E. Shaw de se lancer dans la vente de livres sur Internet. À sa grande surprise, son idée fut rejetée.

Mais Jeff ne pouvait lâcher prise; il voyait sans cesse ce chiffre de 2 300 % de croissance annuelle sur l'Internet, ainsi qu'une occasion extraordinaire laissée-pour-compte. Quelque temps plus tard, Jeff Bezos dit à David Shaw qu'il avait pris une décision; il lui donna sa démission et lui annonça qu'il se lançait dans «cette folle aventure» – la création de sa propre librairie virtuelle. Jeff Bezos se rappelle que David Shaw lui a immédiatement proposé d'aller faire quelques pas ensemble. Ils déambulèrent dans Central Park pendant deux heures. David Shaw dit à son jeune et ambitieux vice-président qu'il pensait que la vente de livres sur Internet était en fait une idée formidable. Mais, ajouta-t-il rapidement, ce serait une *meilleure* idée pour quelqu'un qui n'aurait pas déjà un bon travail. «C'était en fait un argument irrésistible pour moi», se rappelle Jeff Bezos. Même si David Shaw admettait qu'il avait lui-même quitté une entreprise bien établie pour réaliser ses propres rêves, il mit l'accent sur le fait que Jeff Bezos renoncerait à la sécurité financière ainsi qu'à un rôle significatif, présent et futur, au sein de *D. E. Shaw & Co.* «Je reconnus la sagesse de ses propos et il me convainquit d'y réfléchir encore 48 heures.»[1]

Il était difficile pour Bezos de prendre une décision finale avant de se retrouver dans le contexte qui lui permettrait effectivement de prendre cette décision. Il s'inventa une «structure de minimisation du regret» – en d'autres termes, il voulait réduire au minimum le nombre de décisions qu'il pourrait éventuellement regretter amèrement. «Un grand nombre de gens vivent leur vie de cette façon», dit-il. «Peu nombreux sont ceux qui sont assez fous pour appeler ça une "structure de minimisation du regret", mais c'est ce que j'ai fait.» Il fit donc une projection dans le temps. Il s'imagina à

---

1. Allocution prononcée devant l'Association of American Publishers, Washington, D.C., 19 mars 1999.

l'âge de quatre-vingts ans en train de réfléchir aux choix qu'il avait faits pendant sa vie. «Je savais que lorsque j'aurais quatre-vingts ans, il n'y avait aucune chance que je regrette d'avoir renoncé à mon boni de Wall Street au beau milieu de 1994. Je ne m'en *souviendrais* même pas. Mais j'ai pensé qu'il y avait un risque que je regrette beaucoup de ne pas avoir participé à cette aventure appelée Internet en laquelle je croyais si fort. Je savais également que si j'essayais et échouais, je ne le regretterais pas. Donc, après avoir analysé la situation sous cet angle, il me fut extrêmement facile de prendre une décision.»[1]

David E. Shaw dit à Jeff qu'ils se retrouveraient peut-être un jour concurrents. Jeff Bezos admirait David Shaw et il était prêt à courir ce risque.

---

1. Allocution prononcée au Lake Forest College, Lake Forest, Illinois, 26 février 1998.

À RETENIR

Plutôt que d'entrer au service d'une grande société immédiatement après ses études, Jeff Bezos choisit de joindre les rangs d'une nouvelle entreprise où on lui donne très tôt un grand nombre de responsabilités. Il devient rapidement un expert des protocoles informatiques et des réseaux de communication, il dirige un service de l'entreprise, il fait affaire avec des sociétés citées par Fortune 500, il gère des milliards de dollars en argent et en avoirs, et il acquiert une expérience de valeur inestimable en matière de croissance à l'échelle internationale. Il voit dès le départ comment une entreprise créative, dirigée par un leader charismatique et iconoclaste, peut réussir dans le domaine qu'il a choisi.

- Soyez très sélectif lors du recrutement d'employés.

- Embauchez des gens qui sont ouverts, créatifs et capables de penser par eux-mêmes.

- Soyez un leader en manifestant clairement l'enthousiasme que suscite en vous votre entreprise et, tout aussi important, soyez capable de transmettre cet enthousiasme à vos employés.

- Choisissez une entreprise où il n'y a pas manifestement de leader et/ou une entreprise où peu d'obstacles pourraient nuire à votre embauche.

- Offrez un produit ou un service facile à comprendre. Jeff Bezos n'avait pas à expliquer à quiconque ce qu'était un livre.

- Écoutez votre cœur. Si vous sentez que vous regretterez un jour de n'avoir pas pris un risque, alors courez ce risque. Jeff Bezos appelle cela la minimisation du regret. Comme il l'a dit : «Je savais que si j'essayais et échouais, je ne le regretterais pas.»

chapitre trois

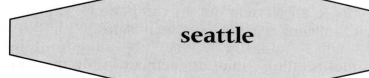

seattle

George: «Tout le monde déménage à Seattle.»
Jerry: «C'est le "pesto" des villes.»

– Seinfeld

« *L* orsque quelque chose connaît une croissance de 2 300 % par année, il faut agir rapidement», dit Jeff Bezos. «Un sentiment d'urgence devient votre atout le plus précieux.»[1]

Maintenant qu'il savait ce qu'il voulait faire et comment il voulait le faire, la question était: *Où* allait-il le faire? À sa manière méthodique et analytique, Jeff Bezos établit trois critères pour l'emplacement de sa nouvelle entreprise. Premièrement, elle devait se trouver dans une région abritant un vaste bassin de compétences techniques. Deuxièmement, elle devait être située dans un État relativement peu peuplé car seuls les habitants de cet État auraient à payer la taxe de vente. Cela éliminait Silicon Valley. Finalement, la ville devait

---

1.   Allocution prononcée au Lake Forest College, 26 février 1998.

se trouver à proximité d'un grossiste majeur afin de garantir une livraison rapide de la marchandise – d'abord à *Amazon* et ensuite au client. Après avoir compulsé des statistiques allant des taxes de vente au nombre de vols quotidiens en partance des aéroports locaux, Jeff Bezos limita sa liste à quatre villes de l'ouest du pays – Portland, Oregon; Boulder, Colorado; Lake Tahœ, Nevada; et Seattle, Washington – avant d'arrêter son choix sur Seattle. Des quatre États, Washington était le plus populeux avec 5,6 millions d'habitants, comparé au Nevada qui en comptait 1,6 million, l'Oregon 3,2 millions et le Colorado 3,9 millions.

Pourquoi Seattle? C'était assurément la Mecque des programmeurs, grâce à la présence de *Microsoft*, *Nintendo*, *Progressive Networks* (qui deviendra plus tard *RealNetworks*), *WRQ*, *Adobe* et de centaines d'autres entreprises spécialisées dans les logiciels. C'était le siège de l'université de Washington dont le département d'informatique jouissait d'une renommée nationale et qui était une source potentielle de programmeurs. De plus, cette ville où étaient établis *Nordstrom*, *Starbucks*, *Costco* et *Eddie Bauer* (d'assez bons modèles de commerce de détail en soi) était considérée par tous comme étant l'un des meilleurs endroits où faire des affaires en Amérique. Et sa réputation pour le café, la musique «grunge» et le mont Rainier lui donnait du piquant. De plus, Seattle se trouvait à environ six heures de route de Roseburg, Oregon, où *Ingram Book Group* possédait le plus grand centre de distribution de livres des États-Unis.

Mais bien au-delà de ces arguments quantifiables, Seattle offrait également un autre avantage. Nicholas J. Hanauer, un ami de Jeff Bezos, y habitait. Alors âgé de 34 ans, Nick Hanauer était le premier vice-président des ventes et du marketing de l'entreprise familiale, *Pacific Coast Feather Co.*, le principal fournisseur de plumes du pays pour la fabrication d'oreillers, d'édredons et de matelas de duvet haut de gamme. Avec des ventes totalisant presque 200 millions de dollars annuellement, *Pacific Coast Feather's* comptait parmi ses clients *Eddie Bauer*, *Land's End* et *Bed Bath & Beyond*. Cet homme à la chevelure noire, le sosie de Michael Dell, président du conseil et chef de la direction de Dell Computer, avait déjà posé en pyjama pour une campagne de publicité nationale. On le voyait abandonné avec délices sur un édredon de duvet, souriant, dans une annonce couleur de deux pages et vantant les mérites des concepteurs de logiciels SAP. Cette annonce parut dans des magazines comme *Forbes*, *Fortune* et *Business Week*. (L'annonce faisait la promotion de l'utilisation par *Pacific Coast Feather's* du logiciel de contrôle des stocks et des opérations conçu par SAP).

En 1993, un ami commun de Seattle, qui travaillait alors avec Jeff Bezos chez *D. E. Shaw*, avait invité Nicholas J. Hanauer et Jeff Bezos à déjeuner à New York, et «nous sommes immédiatement devenus amis», dit Hanauer. «Nous sommes restés en contact, mais sans devenir intimes. Nous avons dîné une ou deux fois avec d'autres employés de *D. E. Shaw*. Et puis j'ai appris que Jeff songeait à lancer une entreprise sur Internet et, à cette époque, j'étais intéressé à faire du commerce électronique.»

Lors d'une conversation téléphonique, Nicholas Hanauer dit deux choses à Jeff Bezos: premièrement, qu'il souhaitait investir dans son idée, et deuxièmement, que Bezos devait s'installer à Seattle. «Je lui ai affirmé que Seattle était le centre de l'univers, ce dont je suis toujours convaincu. Je lui ai dit que nous mènerions une vie formidable ici, que c'était un endroit qui attirait des gens fabuleusement talentueux, qu'il lui serait facile de recruter de bons employés. J'ai insisté sur le fait qu'il pourrait faire du ski un week-end et de la voile le week-end suivant. Je lui ai assuré que je l'aiderais.»

Même après tout cela, Nicholas Hanauer admet: «À la fin de la journée, je ne sais pas ce qui a fait pencher la balance. Je ne suis même pas certain qu'*il* le sache.»

À l'été 1994, Jeff et Mackenzie quittèrent leur appartement du *Upper West Side* à Manhattan, emballèrent tout ce qu'ils possédaient et observèrent les hommes de *Moishe's Moving & Storage* en train de remplir un camion de déménagement. Quand les déménageurs lui demandèrent où ils devaient transporter leur chargement, Jefff Bezos leur dit de rouler vers l'ouest et de l'appeler le lendemain, alors qu'il serait en mesure de leur donner une réponse. Le couple, qui n'avait pas de voiture, prit l'avion jusqu'au Texas (où vivaient les parents de Jeff) et son père, Mike, lui fit cadeau d'une Chevy Blazer 1988 pour leur voyage vers l'ouest. «C'est un véhicule que *Consumer Reports* recommande de ne jamais acheter usagé – sous *aucun* prétexte et à *n'importe quel* prix», dit Jeff. «Toutefois, le magazine ne faisait nullement mention des risques d'en recevoir un en *cadeau*.»[1] Le lendemain, Jeff Bezos appela les déménageurs et leur dit de se rendre à Seattle. Nicholas Hanauer se rappelle: «Ce fut vraiment une décision de dernière minute. Il était en route lorsqu'il me téléphona. Il me dit: "Nous arrivons. Pouvons-nous entreposer nos affaires chez toi?" Un camion de déménagement rempli à ras bord arriva, suivi une semaine plus tard de Jeff et de Mackenzie.»

Changer de lieu de résidence était une seconde nature pour Jeff, dont la famille avait vécu dans diverses parties du monde. «Je trouve l'acte de déménager revigorant», a-t-il dit à un collègue. «Cela a vraiment quelque chose de purifiant. Chaque départ est l'occasion de faire un grand nettoyage de

---

1.   Discours prononcé devant l'Association of American Publishers, Washington, D.C., 18 mars 1999.

printemps.» Il a plus tard raconté que le déménagement à Seattle «a été facile pour moi car ma femme m'a été d'un grand soutien; heureusement, elle n'est pas attachée à une région en particulier. Cela n'a pas été difficile de quitter New York et d'aller s'établir dans un endroit propice au lancement d'*Amazon.com*, qui se révéla être Seattle.»[1] Comme le veut la légende, tandis que Mackenzie conduisait la Chevy Blazer en direction de la côte ouest, Jeff, assis dans le siège du passager, tapa sur son portable la première ébauche de son projet d'entreprise. C'est une belle histoire – racontée maintes et maintes fois dans les journaux et les magazines – mais elle est probablement quelque peu romancée, comme le sont tous les mythes. Quelques personnes qui ont plus tard travaillé chez *Amazon.com* disent que le programme de financement et de gestion était loin d'être terminé même un an après l'arrivée de Jeff à Seattle.

Nicholas Hanauer mit Jeff Bezos en relation avec un avocat de Seattle nommé Todd Tarbert. Ce dernier s'occupa de l'ouverture des comptes bancaires et des procédures officielles. Lorsque Bezos, toujours sur la route, appela l'avocat Tarbert au sujet de l'incorporation de l'entreprise dans l'État de Washington, ce dernier lui demanda naturellement quel serait le nom de cette nouvelle entreprise. Jeff y avait déjà réfléchi.

«Cadabra Inc.», dit-il sur son téléphone cellulaire. «Comme Abracadabra.»

Et Todd Tarbert répliqua: «Vous avez bien dit *Cadaver?*»[2]

L'entreprise fut effectivement incorporée dans l'État de Washington le 5 juillet 1994 sous le nom de *Cadabra Inc.*,

---

1. Allocution donnée au Lake Forest College, 26 février 1998.
2. *Cadaver:* cadavre.

mais Bezos savait qu'il devrait éventuellement en changer le nom. Il désirait que la nouvelle appellation commence par la première lettre de l'alphabet parce que les sites Web en ligne étaient inscrits par ordre alphabétique – tout comme dans les pages jaunes : par exemple, AAA Autos (réparation d'). (*Amazon.com* aura plus tard un petit concurrent appelé A1 Books). Après avoir lu attentivement toute la section des «A» du dictionnaire, Jeff Bezos arrêta son choix sur *Amazon.com*. (Une autre possibilité était le mot hollandais «aard». Il était trop nébuleux, mais il était parfait alphabétiquement parlant.) «Jeff était très excité par le fait qu'il s'agissait du nom d'un fleuve dix fois plus grand que n'importe quel autre», se rappelle Paul Barton-Davis, l'un des premiers employés de Jeff Bezos. L'entreprise est donc rebaptisée *Amazon.com* et ré-engeristée le 9 février 1995 en tant que société commerciale du Delaware.

«Il commença avec un nom de marque qui ne se prêtait à aucune connotation – ce qui était très adroit», dit Nicholas Hanauer. «*Amazon.com* pouvait devenir ce qu'il déciderait qu'elle devienne. Jeff a toujours appelé la société *"Amazon.com"* ; jamais tout simplement *"Amazon"*.» Nicholas Lovejoy, qui a été le cinquième employé embauché par Jeff Bezos, se rappelle avoir pris part à «un grand débat sur la pertinence d'appeler l'entreprise *Amazon* ou *Amazon.com* en termes de marketing, de relations publiques, de correspondance, etc. Évidemment, le site Web s'appelait *Amazon.com*. Jeff était inflexible : il fallait conserver le *".com"*. Je pense que tous ceux qui avaient une forte opinion trouvait le *".com"* stupide. Avec le recul, c'était brillant. Aujourd'hui, nous parlons tous de *".com"*. *Amazon.com* fut la première. Personne d'autre ne misait dans ses activités de marketing sur le fait d'être une entreprise *".com"*. Cela différenciait *Amazon.com* en tant que marque.»

Cinq jours après avoir frappé à la porte de Nick Hanauer en juillet 1994, Mackenzie et Jeff louèrent une petite maison

seattle

rustique de trois chambres à coucher et d'une superficie de 157 mètres carrés à Bellevue, une banlieue de classe moyenne située à la hauteur de Seattle, mais à l'est du lac Washington. Avec un loyer mensuel de 890 $, la terne maison blanche au toit brun, vieille de 50 ans, n'avait rien d'extraordinaire, sauf qu'elle possédait une chose que Jeff *devait* avoir: un *garage*. Ceci revêtait une importance symbolique pour Jeff car il voulait pouvoir dire qu'il avait lancé son entreprise dans un garage, comme messieurs Hewlett et Packard, et tous les entrepreneurs qui les suivirent. Mais le garage de la maison de Bellevue avait été converti en salle familiale récréative au sol recouvert de linoléum. Même si «ce n'était pas un véritable garage», ironisa Jeff, il le considérait «comme tel parce que ses murs n'étaient pas isolés». Un gros poêle ventru situé au milieu de la pièce fournissait l'unique source de chaleur.

SHEL KAPHAN

Avant de se rendre à Seattle, Mackenzie et Jeff Bezos s'étaient arrêtés en Caroline du Nord pour interviewer trois programmeurs qu'un collègue de *D. E. Shaw* leur avait recommandés. Jeff cherchait à combler le poste de vice-président à la recherche et au développement, «qui était en quelque sorte le poteau principal de la tente», dit-il. Parmi ce trio, «j'ai trouvé la personne idéale».[1]

Cette personne s'appelait Sheldon J. «Shel» Kaphan. Ayant depuis peu dépassé la quarantaine, Kaphan était bien connu à Silicon Valley. «Si quelqu'un disait: "Je cherche un gars capable de concevoir des bases de données très rapides", c'est le nom de Shel qui était soulevé», dit un ancien collègue.

1. Discours prononcé devant l'Association of American Publishers, Washington, D.C., 18 mars 1999.

79

«Quel que soit le cercle dans lequel vous évoluiez, vous étiez certain de tomber sur le nom de Shel à un moment ou à un autre.» Né à Santa Cruz, Sheldon Kaphan détenait un diplôme en mathématiques de l'université de Californie, campus de Santa Cruz. «Shel a une conception intuitive du fonctionnement des choses», dit son ancien collègue. «Il n'accepte pas spontanément les dires d'autrui.» Shel Kaphan a travaillé pendant un certain temps au sein d'une entreprise appelée *Frox*, qui voulait devenir le premier centre multimédia entièrement contrôlé par ordinateur. Son système offrait le traitement digital de l'audio et de la vidéo, un moteur de recherche complet et une tour à disques compacts.

Pendant les deux années qui précédèrent sa rencontre avec Jeff Bezos, Sheldon Kaphan avait travaillé comme ingénieur principal chez *Kaleida Labs Inc.*, une cœntreprise multimédia regroupant *Apple Computer Inc.* et *International Business Machines Corporation*. En tant que produit de deux sociétés enregistrées riches et puissantes, quoique bien différentes l'une de l'autre, *Kaleida* était plutôt considérée comme une curiosité sans grande envergure par la communauté des programmeurs. Au départ, son objectif était de créer un lecteur multimédia portatif à plate-forme vectorielle similaire à un assistant numérique personnel (PDA), mais qui pourrait lire des disques compacts. Shel Kaphan faisait partie de la première équipe d'ingénieurs qui conçut un langage de programmation appelé *ScriptX*, qui pourrait être utilisé tant avec le lecteur multimédia qu'avec des systèmes *Macintosh, Windows, IBM OS2* et *Unix*. Mais lorsque Sheldon Kaphan fit la connaissance de Jeff Bezos, il était devenu évident que l'expérience menée par *Kaleida* était vouée à l'échec. (En fait, l'année suivante, en 1995, *Kaleida* fut absorbée par *Apple*).

Il fallut trois mois à Jeff Bezos pour convaincre Sheldon Kaphan de le rejoindre à Seattle. «L'une des raisons [de la réticence de Kaphan] s'explique par le fait qu'il avait participé à un grand nombre de démarrages et qu'il avait été témoin d'un grand nombre d'échecs», dit son ancien collègue, qui avait travaillé avec lui chez *Kaleida Labs*. «On finit par devenir très prudent lorsqu'il s'agit de se lancer dans une nouvelle affaire. Habituellement, les entreprises qui survivent comptent dans leurs rangs un bon nombre de personnes qui n'en sont pas à leur première expérience de ce genre. Avant que Shel arrive chez *Kaleida*, il connaissait très bien les éléments nécessaires au succès du démarrage d'une nouvelle entreprise.» Son collègue dit qu'avant d'accepter l'offre de Bezos, Sheldon Kaphan avait joué à ce qu'on appelle dans la «Valley» le «jeu de Silicon Valley». Qu'est-ce que le jeu de Silicon Valley? Il s'agit de la stratégie optimale pour survivre dans la «Valley» et pour en sortir gagnant – ou qui donne au moins une excellente chance de remporter la partie.

«On prévoit qu'une nouvelle entreprise qui s'établit à Silicon Valley aura une durée de vie de deux à cinq ans, et seulement une sur vingt réussit», dit le collègue de Sheldon Kaphan. «Donc, du point de vue d'un ingénieur, si on veut devenir millionnaire, on n'envisage pas demeurer au sein de la même entreprise pendant dix à vingt ans, car celle-ci risque de fermer ses portes bien avant. Ce qu'on veut, c'est trouver les entreprises qui démarrent, s'y investir, et y demeurer trois ou quatre ans. Si on prévoit travailler pendant trente ans, on passera par une dizaine d'entreprises. Cela donne une bonne chance de survivre à l'une d'entre elles.»

Shel Kaphan ne fut pas seulement l'employé numéro un, mais aussi la deuxième personne la plus importante dans la création d'*Amazon.com*. En l'espace de quelques années, il allait remporter haut la main le jeu de Silicon Valley.

SEATTLE DE LONG EN LARGE

Jeff Bezos ne perdit pas de temps à apprendre à connaître les gens de la communauté technologique de Seattle.

Avant qu'il ne quitte *D. E. Shaw & Co.*, son collègue Brian Marsh lui avait donné le nom d'un camarade d'études, Brian Bershad, qui était professeur au département d'informatique et d'ingénierie de l'université de Washington. Ce département est classé parmi les dix meilleurs aux États-Unis, et son corps enseignant de quarante professeurs jouit d'une réputation nationale. Un grand nombre de ses diplômés sont éventuellement embauchés par des entreprises telles que *Intel* et *Microsoft*. En août 1994, Brian Marsh appela Brian Bershad, lui dit qu'un de ses amis, Jeff Bezos, déménageait à Seattle afin d'y lancer une entreprise, et il lui demanda s'il voulait bien le rencontrer.

«J'ai déjeuné avec Jeff et il me parla de son idée. Comme tous les autres, je n'y compris rien», se rappelle Brian Bershad, qui avait eu le sentiment lors de cette première rencontre que Jeff Bezos n'était pas entièrement convaincu que Seattle était le meilleur endroit pour lancer son entreprise. Afin de déterminer si Seattle convenait, Jeff Bezos savait qu'il devait cultiver des contacts locaux et apprendre à connaître le potentiel d'aide technique que la ville abritait. «Il s'adressait à moi car il voulait établir des relations avec l'université», dit Brian Bershad. «Chaque année, notre institution produit 300 diplômés en informatique et autant d'employés potentiels. La disponibilité de ce type de ressources était justement ce que Jeff Bezos recherchait.» (Et, en l'occurrence, un grand nombre des premiers ingénieurs d'*Amazon.com* étaient issus de l'université de Washington. Cela s'explique en partie par le fait que la majorité des premiers curriculum vitae reçus par *Amazon.com* provenait de candidats de la région).

Peu après cette rencontre, Brian Bershad passa une journée à faire visiter la ville à Jeff et à Mackenzie, leur faisant découvrir les quartiers qu'il affectionnait particulièrement.

Les Bezos constatèrent rapidement ce que quantité de gens avaient fait avant eux: il est difficile de ne pas succomber au charme de Seattle lors d'une belle journée d'été.

Brian Bershad fit ensuite circuler un e-mail au département d'informatique et d'ingénierie de l'université, y donnant une brève description de ce que Jeff Bezos recherchait chez un programmeur. L'une des personnes qui répondit s'appelait Paul Barton-Davis; il était membre du personnel programmeur du département et l'un des partenaires de squash de Bershad. Ce citoyen britannique de 30 ans avait étudié à la *Portsmouth Polytechnic* du Royaume-Uni et il détenait un diplôme en biologie moléculaire. Il avait consacré ses recherches de dernière année «à la théorie de l'information et à l'analyse des séquences d'ADN». Cela a dû retenir l'attention de Jeff Bezos dont la propre thèse portait sur la conception et la construction d'un ordinateur spécialement destiné à calculer les distances entre les diverses séquences d'ADN. Après avoir abandonné ses études de doctorat en Allemagne, Paul Barton-Davis passa de la recherche en biologie moléculaire à l'ingénierie du logiciel.

En 1989, il vint s'établir à Seattle où il trouva un emploi comme ingénieur et directeur technique au sein d'une entreprise appelée *ScenicSoft Inc*. Ses tâches consistaient à concevoir et à écrire du code en UNIX afin d'automatiser la composition de publications immobilières «inter-agences». À l'automne 1993, Paul Barton-Davis devint le «webmestre» du premier site ouvert du *World Wide Web* du Nord-Ouest du Pacifique, au département d'informatique et d'ingénierie de l'université de Washington. À l'été 1994, Barton-Davis était conseiller technique et programmeur pour une entreprise Internet de Seattle appelée *USPAN*. Cette dernière fournissait des services publics d'information sur l'industrie du spectacle et des loisirs dans le Nord-Ouest du Pacifique, ainsi que

des services privés à des agences de casting. Fort de cette expérience, Paul Barton-Davis était considéré par ses pairs
comme le «gars du Web».

Lorsque Paul Barton-Davis lut le message de Brian
Bershad au sujet de Jeff Bezos, sa première réaction fut de se
dire: *«Pourquoi est-ce que je voudrais faire ça?»*, se rappelle-t-il.
Mais il changea rapidement de position car «la désillusion
commençait à me gagner au département d'informatique et
d'ingénierie. J'avais envie de faire davantage de programmation. Il y avait également quelques problèmes à l'interne qui
envenimaient le climat de travail. Je pris le temps de réfléchir
et je décidai d'entrer en contact avec Jeff.» Après une entrevue téléphonique, Jeff Bezos et Paul Barton-Davis se rencontrèrent à quelques reprises. «Je me souviens très bien de
nos rencontres sur le campus où, assis en plein air, nous dis-
cutions des idées folles que j'avais eues sur la façon de bâtir
une interface qui donnerait l'illusion à l'utilisateur de se
trouver dans une très grande librairie. Jeff s'est montré
plutôt réservé sur un grand nombre de détails, mais il a été
très clair sur le fait que l'argument de vente par excellence re-
poserait sur le fait qu'il y aurait beaucoup plus de livres
[offerts par le biais d'*Amazon.com*] que dans n'importe quelle
librairie traditionnelle.»

Jeff Bezos apparut à Paul Barton-Davis comme «quelqu'un qui a vraiment une vision de ce qu'il veut accomplir.
Même à ce point, il était manifeste qu'il possédait une compréhension suffisamment approfondie de la programmation
pour comprendre ce qui serait facile à réaliser et ce qui le serait moins. Il avait une idée précise de ce dans quoi il s'em-
barquait. C'est également quelqu'un de très sympathique et
un gars rempli d'énergie. J'ai pensé qu'il serait intéressant de
travailler pour lui.»

Mais avant que Paul Barton-Davis ne devienne l'employé numéro deux, il s'agissait de voir s'il s'entendrait bien avec l'employé numéro un, Shel Kaphan. Donc, en octobre 1994, Jeff Bezos demanda à Paul Barton-Davis de rencontrer Sheldon Kaphan qui, à l'époque, était à la recherche d'une maison à Seattle. La rencontre eut lieu sur le campus de l'université de Washington et ils bavardèrent pendant un moment. «Shel est en quelque sorte plus réservé que moi, mais je crois que nous avions suffisamment d'atomes crochus pour qu'il n'y ait pas de conflits de personnalité majeurs entre nous», dit Barton-Davis. Ce dernier se joignit à l'équipe peu après cette rencontre. Sheldon Kaphan et Barton-Davis n'avaient ni l'un ni l'autre beaucoup d'expérience en matière de logiciels de gestion conviviaux ou de logiciels de gestion des stocks, mais leur recrutement montre que, dès le début, Jeff Bezos croyait qu'il lui fallait embaucher les meilleurs et les plus brillants, quels que soient leurs antécédents.

Si Sheldon Kaphan était un vétéran endurci des démarrages et des fiascos, Paul Barton-Davis ne l'était pas. Se remémorant sa première visite sur les lieux où allait naître *Amazon.com*, il eut le sentiment que «les choses n'en étaient qu'au stade de l'exploration; que rien n'était en voie d'être réellement mis sur pied pour faire quoi que ce soit. Je crois qu'il y avait peut-être un serveur [SPARCstation], un bureau fabriqué avec une porte, quelques livres sur le commerce et de la documentation sur l'*American Booksellers Association*. Je ne m'attendais à rien d'extraordinaire, mais j'ai quand même eu un choc. J'ai pensé: *"Oh là là, c'est vraiment ce qui s'appelle partir de zéro."*» Comme cadeau d'adieu, ses collègues du département d'informatique et d'ingénierie lui offrirent une tasse à café contenant trois billets d'un dollar. «Je ne sais pas jusqu'à quel point ce geste était empreint de cynisme», se rappelle-t-il. «Pour être honnête, leur évaluation de la situation était assez réaliste. Beaucoup d'entreprises se lançaient sur le marché de l'Internet à cette époque et faisaient faillite au bout de quelques mois. En termes de risques, c'était une évaluation réaliste, mais elle l'était peut-être moins en ce qui avait trait à l'aspect technique ou aux promesses d'une telle entreprise.»

En septembre, Jeff Bezos fait son premier achat en ligne – un routeur – auprès de l'*Internet Shopping Network*.

À L'ÉCOLE DU «LIVRE»

Avant d'être en mesure de révolutionner l'industrie du livre, Jeff Bezos devait apprendre ce qu'était *vendre* un livre. Par conséquent, le 22 septembre 1994, il se rendit à l'hôtel Benson de Portland, Oregon, où il assista à un séminaire d'initiation à la vente de livres d'une durée de quatre jours, offert par l'*American Booksellers Association*, l'organisme qui veillait aux intérêts des libraires indépendants du pays. Ce cours, destiné à de futurs libraires, portait sur des sujets tels que: «L'élaboration d'un programme de financement et de gestion», «La sélection du stock initial», «Les commandes, la réception et les retours» et «La gestion des stocks».

Le premier jour, après le déjeuner, Barbara Theroux, propriétaire de *Fact and Fiction Books* à Missoula, Montana, et doyenne du programme, demanda à la quarantaine de participants de se présenter et de parler de leurs attentes. Comme on pouvait le prévoir, la plupart d'entre eux dirent vouloir ouvrir leur propre magasin. «Lorsque ce fut le tour de Jeff», se rappelle Jennifer Risko, l'une des participantes, qui travaillait alors pour un distributeur de livres de Seattle, «c'est un gars plutôt mignon qui se leva et dit: "Je vais lancer une librairie sur Internet." L'assistance resta silencieuse. Je suis certaine que la moitié des gens n'y comprenait rien et que l'autre moitié pensait: *"Ouais, un fana de l'informatique. Allez savoir."*»

Au cours des quatre jours que dura le séminaire, les participants et les quatre animateurs apprirent à se connaître grâce à des ateliers de groupe, à des repas et des apéros pris en commun, et aussi à leur cohabitation au même hôtel. L'un des animateurs, Richard Howorth, propriétaire de *Square Books* à Oxford, Mississippi, et à l'époque président de l'*American Booksellers Association*, dit: «Je me souviens très bien de Jeff. Je l'ai trouvé très intelligent et bien de sa personne. Au tout début d'un séminaire, nous avons tendance à nous former une opinion au sujet des participants. Nous nous disons: *"Celui-ci est sérieux et celui-là ne l'est pas; celui-ci réussira et celui-là échouera."*»

Le deuxième jour, Richard Howorth parla de l'importance du service à la clientèle. Sa présentation était construite autour de cette anecdote:

«Un jour, le directeur de mon magasin monta dans mon bureau et me dit: "Richard, il y a en bas une cliente qui est très contrariée et je n'arrive à rien avec elle. Il va falloir que tu t'en occupes."

«D'une façon tordue, j'aime ces situations car je sens toujours que je peux les renverser – quoique cela ne fonctionne pas toujours. Mais c'est la seule attitude à adopter.

«Je suis descendu et j'ai vu cette femme qui bouillait de rage. Je lui ai demandé: "Que puis-je faire pour vous?"

«Elle me dit qu'elle avait stationné sa voiture devant le magasin. C'est un édifice de deux étages avec un balcon au deuxième où se trouvent plusieurs plantes en pot. Elle affirma: "Quelqu'un a jeté de la terre sur ma voiture et celle-ci est maintenant sale. Mon mari l'avait justement lavée ce matin. Mon mari est avocat."

87

«Je l'ai tout simplement regardée et je lui ai dit: "Puis-je laver votre voiture?"

«Elle me répondit par l'affirmative et j'enchaînai en disant: "Allons-y."

«Nous sommes montés dans sa voiture. Une amie était avec elle. Elles s'assirent à l'avant et je m'installai sur la banquette arrière. Je la guidai jusqu'à une station-service où se trouvait un lave-auto. Mais il se trouve que la station-service était en rénovation et que le lave-auto ne fonctionnait pas. La dame était de plus en plus furieuse. Et je ne savais pas où trouver un autre lave-auto. Je lui ai donc proposé d'aller chez moi, à l'autre bout de la ville. Quand nous sommes arrivés à destination, je sortis de la voiture, j'entrai dans la maison, je remplis un seau d'eau savonneuse et je pris un boyau d'arrosage. Et je lavai sa voiture, ce qui ne fut pas très long.

«Ce qui est amusant, c'est qu'il s'agissait d'un vieux tacot. La peinture s'en détachait. Il était impossible de dire si son mari avait lavé cette voiture le matin même. C'était ridicule. Mais je fis comme si je lavais le plus récent modèle de Cadillac.

«Je remontai en voiture et elle me reconduisit à la librairie. Durant le trajet, elle commença à s'excuser et elle me remercia. Elle revint au magasin plus tard dans l'après-midi et acheta une grande quantité de livres.

«Le lendemain, l'une de mes employés me dit qu'elle avait pris son petit-déjeuner au *Holiday Inn* ce matin-là et qu'un groupe de femmes étaient attablées non loin d'elle. Elle avait entendu une femme raconter à ses amies comment j'avais lavé sa voiture.

«Il n'y a rien de tel que d'aller trop loin lorsqu'il s'agit de service à la clientèle, et en particulier lorsqu'on vend des livres.»

Jeff Bezos racontera plus tard avoir entendu cette histoire lors d'une conversation avec Avin Domnitz, le directeur général de l'*ABA*. Jeff Bezos dit à Avin Domnitz que depuis qu'il avait entendu cet exemple de service à la clientèle poussé à l'extrême, il prenait à cœur le «modèle de service à la clientèle» de Richard Howorth et qu'il était déterminé à en faire «la pierre angulaire d'*Amazon.com*» en faisant vivre au client une expérience qui ne pourrait être égalée en ligne. Jeff Bezos ajouta plus tard qu'il voulait faire d'*Amazon.com* l'entreprise la plus axée sur le client de toute la planète. Le germe de cette idée avait été planté par Richard Howorth et son histoire de voiture éclaboussée de terre.

Richard Howorth revit Jeff Bezos quelques années plus tard à Los Angeles, dans le cadre d'une foire commerciale appelée *Booksellers Expo America*. «Lorsque je l'ai croisé dans une allée, je l'ai reconnu mais son nom m'échappait», se rappelle Richard Howorth. «Je ne savais absolument pas qui il était. Je remarquai alors le logo d'*Amazon.com* sur la poche de sa chemise. Je dis: "C'est vous! C'est vraiment vous!" J'ai réalisé que c'était *le* Jeff Bezos qui avait participé à mon séminaire. Il me dit: "C'est exact", et nous nous mîmes tous deux à rire.»

C'est sans doute la dernière fois qu'un membre de l'industrie du livre a ri à propos d'*Amazon.com*.

À RETENIR

Jeff Bezos réfléchit avec méthode au type de commerce dans lequel se lancer, au lieu où il s'établirait et à la façon dont il convaincrait les autres d'adhérer à sa vision. Il sait tirer profit de ses relations pour pénétrer au sein des différentes communautés de libraires, de programmeurs et, éventuellement, comme nous le verrons, d'investisseurs.

Réalisez vos rêves.

- Faites preuve d'audace en prenant des décisions.
- Quittez votre zone de confort.
- Embauchez les personnes les plus brillantes que vous pourrez trouver et rémunérez-les bien.
- Acquérez une bonne connaissance de l'industrie.
- Engagez des gens qui ont des compétences que vous ne possédez pas.
- Élaborez une stratégie, mais soyez prêt à l'abandonner si une meilleure idée surgit.

chapitre quatre

d'abord le garage

*«Ce qu'un homme peut inventer, un autre peut le
découvrir.»*

– Sherlock Holmes

*E*n novembre 1994, Jeff Bezos, Shel Kaphan et Paul
Barton-Davis établissent leurs quartiers dans le garage réaménagé de la 28e rue Nord-Est à Bellevue, et entre-
prennent la création d'*Amazon.com*.

Il s'agissait d'installations modestes pour une entreprise
qui, en quelques années seulement, allait devenir le plus célèbre détaillant du monde sur Internet. Dans la pièce qui
était juste assez grande pour abriter l'équivalent d'une voiture et demie s'entassaient des micro-ordinateurs, des classeurs, des étagères et une grande table ronde. Pour se
ménager davantage d'espace, ils retirèrent le poêle à bois qui
se trouvait au centre de la pièce. Même si les fenêtres ne lais-
saient entrer que peu de lumière naturelle, c'était quand
même un endroit clair grâce aux lampes halogènes, au plancher de linoléum blanc et aux planches à dessin blanches qui

tapissaient les murs. Le cœur technologique des installations était composé de deux ordinateurs *Sun Microsystems SPARCstation*, des machines rapides et très performantes en termes de traitement graphique et capables d'effectuer plusieurs tâches simultanément.

Le trio était vivement conscient de l'existence des autres entreprises qui vendaient déjà des livres sur le Web. (En fait, selon les annales des propriétaires de *Computer Literacy*, c'est probablement pour tester son système que Jeff Bezos commanda l'ouvrage intitulé *How to Be a Computer Consultant* par le biais de leur site Web, *clbooks.com*.)

«Nous nous comparions à une entreprise telle que *Books.com* et nous savions qu'il nous fallait faire un aussi bon travail que ces gars-là», dit Paul Barton-Davis. «Nous ne nous disions pas: "Nous avons inventé cette chose incroyable et inconnue de tous, et nous allons carrément prendre le pouvoir."» Sans afficher une confiance excessive en l'avenir, ils avaient tous les trois le sentiment que les autres entreprises qui vendaient des livres sur Internet ne le faisaient pas très bien et qu'ils «pouvaient faire mieux», se rappelle Paul Barton-Davis. Et si les trois *Amazon*iens arrivaient à obtenir des résultats à la hauteur de leurs ambitions, ils seraient sur la bonne voie pour «construire quelque chose de plus grand».

Bien que le travail de programmation fut effectué par Jeff Bezos, Sheldon Kaphan et Paul Barton-Davis, le quatrième élément clé dans le garage réaménagé s'appelait Mackenzie Bezos. «Nous n'aurions pu fonctionner sans Mackenzie. Elle était d'une importance vitale», dit Paul Barton-Davis. Employée officielle de l'entreprise, Mackenzie faisait un peu de tout: des appels téléphoniques, des commandes, des achats de matériel et, au besoin, toutes sortes de tâches diverses telles que le secrétariat et la comptabilité –

une série d'occupations plutôt éloignées des intérêts d'une romancière en herbe. La tenue de livres, qui devait être au départ une tâche à mi-temps, se révéla être un travail à temps complet pendant un an et demi, jusqu'à ce que, à l'été 1996, la société embauche finalement quelqu'un ayant de l'expérience dans cette discipline. Mackenzie apprit à se servir du logiciel *Peachtree PC Accounting*, le programme standard que les petites entreprises utilisaient pour effectuer le contrôle des revenus et des dépenses. À cette époque, toutes les transactions financières d'*Amazon.com* étaient des opérations au comptant, comme celles de quiconque possédant un compte courant. «Nous recevions notre chèque de paie le jour dit et les choses semblaient bien se dérouler», dit Paul Barton-Davis.

Gina Meyers, qui prit la relève de Mackenzie à la comptabilité en 1996, et qui travaillait en étroite collaboration avec elle dans la même pièce, la décrit comme «extrêmement brillante et vive. Elle était très appliquée, consciencieuse et sensée». L'autre rôle de Mackenzie était de garder Jeff «sur la terre», ajoute madame Meyers.

À la fin de 1994 et au début de 1995, la majeure partie du temps et de l'énergie de l'équipe était consacrée à la programmation de l'infrastructure de l'entreprise, incluant l'aspect visuel du site Web, le développement d'une interface d'exploitation, la conception d'une base de données qui enregistrerait toutes les commandes, les informations sur le client, etc., et la création d'une interface de courrier électronique.

Après avoir fait un survol des logiciels disponibles sur le marché, Jeff Bezos décida que ses programmeurs et lui auraient à créer leur propre logiciel. Comme ils mettaient sur pied un nouveau modèle de commerce de détail en ligne qui (du moins au début) ne nécessiterait pas le maintien de stocks, les logiciels existants ne leur convenaient pas, car ils avaient été conçus en fonction des tâches reliées aux commandes postales traditionnelles, telles que le traitement et le contrôle des commandes et la gestion des stocks. Ils n'offraient que deux catégories relatives à la disponibilité de la marchandise: en magasin et commande en attente, alors qu'il en fallait sept à *Amazon.com:* 1) expédié dans les 24 heures; 2) délai de 2 à 3 jours; 3) délai de 1 à 2 semaines; 4) délai de 4 à 6 semaines; 5) en cours de publication, sera expédié dès que possible; 6) manquant; et 7) épuisé, sera expédié d'ici 1 à 3 mois si trouvé. Jeff Bezos évaluait qu'environ 85 % du travail de développement au cours des deux premières années d'*Amazon.com* serait axé sur ces programmes de logistique – que le client ne voit pas – qui permettent de gérer des millions de titres.

«Jeff voulait que nous ayons un modèle d'affaires qui nous soit propre», dit Paul Barton-Davis, qui croit que le succès remporté par *Amazon.com* est dû au fait que «Jeff insistait pour que tout soit bien fait».

Les logiciels libres – du code source écrit par des milliers de programmeurs à travers le monde et accessible à tous gratuitement – ont joué un rôle fondamental dans la création d'*Amazon.com*, tout comme d'autres sites Web réussis tels que *Yahoo!* Ces logiciels libres «abaissaient les barrières», dit Tim O'Reilly, président de *O'Reilly & Associates Inc.*, éditeur d'ouvrages sur l'informatique et grand défenseur des logiciels libres. En ne gardant pas leur code confidentiel, les sociétés de services et de conseil en informatique n'ont pas à rémunérer d'employés pour assurer la maintenance et la mise à jour de leurs programmes; les programmeurs du monde entier s'en chargent, trop heureux d'apporter leurs propres trouvailles et modifications.

Au début, presque tout le système d'*Amazon.com* était écrit à l'aide d'un logiciel libre très populaire appelé «C», qui est le langage le plus couramment utilisé sous *UNIX*. «Shel et moi étions des programmeurs de C dans l'âme», dit Paul Barton-Davis. Nous avons également employé ce langage pour le programme de compilation d'*Amazon.com*. (Un *compilateur* traite le code écrit dans un langage de programmation spécifique et le traduit en langage machine). Le logiciel C était utilisé parallèlement avec *Perl*, un langage machine très prisé pour la manipulation et la mise en forme de fichiers-texte. Par exemple, les programmeurs d'*Amazon.com* utilisaient *Perl* pour générer une longue liste de titres qui devaient faire l'objet de commandes spéciales, reconfiguraient ensuite cette liste en différents formats qui étaient ensuite imprimés à l'intention des employés responsables de ce type de commandes. «La mise en forme du texte à l'aide de Perl et non du langage C était logique étant donné sa facilité d'utilisation», dit Paul Barton-Davis.

Tim O'Reilly qualifiait *Perl* de «canevas de l'Internet et, en tant quel tel, il est employé de toutes sortes de façons inattendues. Tout comme les décors sur un plateau de cinéma, un site Web est souvent monté et détruit en un jour, et il faut des outils légers et des solutions rapides mais efficaces.» Quand *Amazon.com* fut créée à l'hiver 1994, il n'existait pas d'applications toutes faites pour gérer une grande quantité de texte. Mais des outils libres très polyvalents (appelés gratuitiels) tels que *Perl* ont permis à de nouvelles entreprises comme *Amazon.com* (et *Yahoo!*) de concevoir des «applications rapides et complexes», dit Tim O'Reilly.

Tim O'Reilly croyait qu'un nouveau paradigme était à la base de sites tels que *Yahoo!* et *Amazon.com* car ils étaient en perpétuel changement. «On ne peut se permettre un lourd processus de production lorsqu'on gère un million de pages, dont un grand pourcentage est modifié chaque jour. Les outils [de programmation] utilisés par *Amazon* étaient réellement adaptés à cette nouvelle ère.»

Paul Barton-Davis ajoute que «les logiciels libres nous ont fourni l'infrastructure nécessaire à l'écriture de programmes, à leur développement et à leur mise au point. Ils nous ont fourni les outils dont nous avions besoin. Sans eux, nous aurions utilisé des logiciels commerciaux conçus, par exemple, par *Sun Microsystems* ou *Digital Equipment* qui, en général, ne fonctionnaient pas aussi bien. Les outils [des logiciels libres] que nous utilisions étaient suffisamment évolués».

Aujourd'hui, *Amazon.com* utilise des programmes beaucoup plus sophistiqués pour répondre à des besoins de plus en plus complexes. Par exemple, l'entreprise utilise le logiciel *Veritas* pour enregistrer les données; *Bottomline Technologies* pour le paiement électronique de factures; et *i2 Technologies* pour le contrôle et la rationalisation des stocks (en particulier pour répondre à la demande après qu'Oprah Winfrey a recommandé un livre).

COMMERCE PAR E-MAIL

À la fin de 1994, selon le *Internet Report*, le courrier électronique était dix fois plus utilisé que la consultation de sites Web. À cette époque, *AOL*, *Prodigy*, *CompuServe* et les autres services en ligne n'avaient pas encore accès à la Toile; et le protocole de communication qui assure la transmission de fichiers hypertextes entre serveurs et navigateurs était relativement nouveau. Par conséquent, il y avait très peu d'activités commerciales entièrement basées sur le Web. Donc, au cours des six premiers mois où ils travaillèrent ensemble, Jeff Bezos, Sheldon Kaphan et Paul Barton-Davis luttèrent pour tenter de trouver un équilibre entre le fait de fournir un cata-logue e-mail aux clients et mener des affaires *uniquement* sur le Web. «Les choses évoluaient extrêmement rapidement», dit Paul Barton-Davis. «Il était clair que le commerce virtuel allait être important. Mais entre-temps, nous voulions être en mesure de rejoindre le plus de gens possible, et c'est le courrier électronique qui nous permettait de le faire. À cette époque, Jeff pensait que le e-mail prendrait probablement plus d'importance que le Web.»

Au cours de ces premiers mois, *Amazon.com* circonscrit ses paris en s'efforçant d'être à la fois un commerce par e-mail et un magasin virtuel. Avec le système de courrier élec-tronique, lorsqu'un client envoyait un message à *Amazon.com* en lui demandant un livre en particulier, la société effectuait une recherche et en transmettait par e-mail les résultats au client qui, en retour, envoyait un autre message pour com-mander l'ouvrage. Ce processus était similaire à l'utilisation d'un moteur de recherche, mais la réponse ne se faisait pas en temps réel. Le langage qui serait utilisé pour le courrier électronique serait également celui du moteur de recherche sur le Web.

«Il s'agit d'un langage de recherche pseudo-naturel qui vous permet de spécifier les titres que vous cherchez», dit Paul Barton-Davis. Le client tape le titre du livre qu'il cherche (peut-être un mot ou deux seulement), les premières lettres du nom de l'auteur et l'année approximative de parution, et cette information est traduite en un message que le pro-gramme peut comprendre. «Nous en sommes arrivés au point où nous pouvions envoyer un e-mail à une adresse donnée et recevoir une réponse. Nous envoyions ensuite un autre message et nous obtenions d'autres résultats en retour. Mais il devenait évident qu'il n'était pas nécessaire de déve-lopper plus avant cette application [e-mail], car lorsque nous ouvririons nos portes au public, le Web serait déjà largement développé. Nous avons donc laissé tomber. Mais rien n'était perdu puisque l'application nous servit également sur le site Web, ce que nous savions depuis le début.»

LA COLLECTE DE DONNÉES

L'accès immédiat à une volumineuse base de données est l'une des raisons pour lesquelles la vente de livres sur Internet était une idée réalisable. Au départ, la base de données d'*Amazon.com* était tirée de *Books in Print*, l'ultime source de référence de l'industrie du livre qui était publiée par *R. R. Bowker*, au New Jersey. *Bowker*, l'agence d'enregistrement officielle des États-Unis pour les ISBN, distribuait un cédérom (mis à jour périodiquement) auprès des librairies et autres magasins; sa version de 1994-1995 comptait 1,5 million de titres. Le transfert de la liste de titres contenus sur le cédérom de *Bowker* vers la base de données d'*Amazon.com* fut un processus long et pénible, car on ne pouvait saisir que 600 titres à la fois. Sheldon Kaphan compara le processus au fait de vider une piscine avec une paille. Le transfert de la mise à jour hebdomadaire des modifications, des retraits et des corrections de la liste de *Bowker* prenait presque une journée entière.

La *Library of Congress* était également une autre source de référence possible, donnant la liste de tous les livres publiés aux États-Unis. «Cette source m'intéressait particulièrement car elle offrait une classification hiérarchique par sujet», dit Paul Barton-Davis. «La plupart des livres ont trois niveaux de classement. Par exemple: "Histoire – États-Unis – Conflits de travail". Mais faire affaire avec la *Library of Congress* était une grande source de frustration car les personnes à qui j'ai parlé ne comprenait pas ce que nous leur demandions. Les termes "classification de livres par sujet" ne sont pourtant pas difficiles à comprendre. Mais si vous employez un mot que le personnel de la *Library of Congress* n'utilise pas, tant pis pour vous. Lorsque je tapais un mot qui me semblait évident et que cela ne correspondait à aucun titre, je devais trouver des synonymes. Finalement, nous ne nous servîmes pratiquement pas du matériel de la *Library of Congress*.»

Amazon.com recueillit également des données auprès des deux principaux distributeurs, *Ingran* et *Baker & Taylor*, qui classaient également les livres par catégorie.

Jeff Bezos et son équipe réalisèrent bientôt que l'utilisation de toutes ces sources mènerait souvent à des informations conflictuelles relativement à la disponibilité d'un même titre. Les *Amazon*iens comprirent finalement que la meilleure façon de faire face à ce dilemme consistait simplement à commander un livre à un distributeur – que ce dernier indique ou non s'il avait le livre en stock – et puis d'attendre les résultats. Après avoir comparé la liste des ouvrages disponibles et ce qui leur était effectivement livré, «nous avons pu dire: "l'information fournie par cette entreprise est fiable x % du temps", dit Paul Barton-Davis. «Par exemple, si un éditeur nous répondait qu'un ouvrage était "manquant", on le considérait comme peu fiable. S'il répondait qu'il était "épuisé", eh bien il le serait jusqu'à nouvel ordre. Quelques-uns des fournisseurs utilisaient une formule comme "manquant chez l'éditeur", ce qui était une façon détournée de dire "épuisé", comme nous l'apprîmes plus tard. Mais, au début, nous ne pouvions pas vraiment savoir.»

Une fois le site d'*Amazon.com* lancé, les clients commencèrent à demander des explications sur le statut attribué à chaque titre. L'entreprise prit donc la décision de clarifier sa terminologie et sa philosophie étant donné qu'il valait mieux ne pas faire de promesses qu'elle ne pourrait tenir. Au tout début, si *Amazon.com* avait un titre en stock, elle indiquait qu'il pouvait être «expédié dans les 24 heures»; si le livre était disponible chez un distributeur des environs, elle indiquait qu'il serait «expédié dans un délai de 2 à 3 jours»; pour ce qui est d'un ouvrage qui devait être commandé auprès de l'éditeur, elle indiquait qu'il serait «expédié dans un délai de 4 à 6 semaines ou peut-être jamais». Grâce à ce coussin de protection, *Amazon.com* faisait figure de héros si le client recevait le livre plus tôt que prévu – et figure de traître aux yeux des petits éditeurs qui estimaient que la mention «expédié dans un délai de 4 à 6 semaines ou peut-être jamais» nuisait à leur image.

Il restait à concevoir un système pour effectuer la mise à jour des listes, c'est-à-dire y ajouter les nouvelles publications et en retirer les titres épuisés. À mesure qu'*Amazon.com* grandissait, les programmeurs étaient confrontés à des fichiers de données de centaines de mégaoctets et à une pléthore de questions : Comment retirer les titres épuisés? Pouvait-on effacer des données qui se trouvaient au beau milieu d'un fichier? Si oui, fallait-il insérer un fanion pour marquer l'information retirée? Qu'arrive-t-il quand *Amazon.com* apporte des corrections à sa propre base de données? Si ces données sont constamment tirées d'un cédérom, comment conserver une copie des modifications?

Sheldon Kaphan et Paul Barton-Davis montèrent leur propre base de données en utilisant un logiciel du domaine public conçu à l'université de Californie à Berkeley, appelé DBM, et qui servait à la gestion de fichiers. Pour pousser le système et le rendre extrêmement rapide, Sheldon Kaphan modifia le système de gestion de base de données afin d'utiliser le système *UNIX* appelé *mmap* et de permettre au système d'exploitation d'*Amazon.com* d'enregistrer davantage de données dans sa mémoire. «Et tant et aussi longtemps que le système d'exploitation répondrait à nos besoins, il nous conviendrait parfaitement», dit Paul Barton-Davis. «Cette capacité de mémoire devenait très importante. Nous voulions avoir jusqu'à environ 25 mégaoctets réservés à la seule base de données bibliographique. Nous avions en mémoire les mille livres les plus en demande et nous en faisions une gestion efficace. Nous avions mis en place presque tout ce qu'il fallait pour la partie visible du site.»

LA PROGRAMMATION DU SYSTÈME DE SOUTIEN

En même temps, Sheldon Kaphan et Paul Barton-Davis devaient imaginer la programmation de l'«arrière-boutique» et des besoins d'entreposage d'*Amazon.com*. Après mûre réflexion, ils choisirent le système de base de données relationnelles de *Oracle Corporation* car ils le considéraient fiable et pouvant être adapté à la croissance de l'entreprise. «Nous étions conscients que nous exigerions de plus en plus de ce système. Il nous faudrait produire des rapports et d'autres documents destinés aux utilisateurs des bases de données. Cela ne servait pas à grand-chose de tout réinventer», dit Paul Barton-Davis. Il estimait que «le seul défaut d'Oracle – et des autres systèmes de base de données relationnelles – est qu'ils aiment se prendre pour le système au complet. C'est rarement le cas. Il faut lutter avec eux pour qu'ils n'envahissent pas l'ordinateur. C'est pourquoi nous avons instauré une architecture en couches.»

Paul Barton-Davis dit que ni lui ni Sheldon Kaphan n'étaient particulièrement calés en matière de bases de données relationnelles. «Notre intuition a parfois été bonne et nous nous sommes aussi parfois trompés du tout au tout», avoue-t-il. «L'entreprise compte maintenant des employés qui connaissent très bien le fonctionnement des bases de données relationnelles.»

Lors de son lancement en 1995, *Amazon.com* assurait la maintenance d'une base de données d'au moins 2 gigaoctets contenant plus d'un million de titres. On attribuait un numéro d'identification personnel (NIP) à chaque client en ligne lorsqu'il accédait au site. Chaque manœuvre du client était alors suivie de façon à ce que les gestionnaires du site d'*Amazom.com* puissent analyser ses habitudes de navigation et d'achat.

Au stade du développement, Sheldon Kaphan et Paul Barton-Davis durent réfléchir à la procédure la plus élémentaire: comment traiter la commande d'un client. Afin d'être en mesure de faire face à toutes les éventualités, ils se posèrent une série de questions: «Qu'arrivera-t-il exactement à la commande? Que faire si le client refuse de donner le numéro de sa carte de crédit sur le Net et préfère le faire par téléphone? Que se passe-t-il lorsqu'un client téléphone à l'entreprise? Qu'est-ce que l'entreprise fera de cette information? Ils traitèrent chaque possibilité au moyen d'une série d'outils à base de texte qui guidaient les représentants du service à la clientèle d'*Amazon.com*. Ces outils permettaient d'assurer l'uniformité au sein de l'entreprise à chaque étape du processus de commande.

Bien sûr, aujourd'hui, *Amazon.com* utilise quelques-uns des programmes les plus perfectionnés du monde pour gérer les multiples aspects de son commerce. Mais la base de ses activités est attribuable aux efforts de Sheldon Kaphan et de Paul Barton-Davis, qui mirent sur pied un système pouvant être adapté à la croissance de l'entreprise, sans heurts majeurs, car ils écrivaient à partir du code en gardant un œil fixé sur l'avenir.

«Nous tentions de découvrir des moyens de faire ce dont nous avions besoin au moment présent, mais nous essayions également de le faire sans oublier que nous allions grandir, et que la demande serait de plus en plus forte», dit Paul Barton-Davis.

La dynamique qui s'était installée entre Jeff Bezos, Sheldon Kaphan et Paul Barton-Davis donna quelques résultats intéressants. «Comme moi, Shel n'avait jamais travaillé [auparavant] sur le volet visible des applications de gestion, mais beaucoup sur des programmes destinés à l'utilisateur», dit Paul Barton-Davis. «Il aimait beaucoup travailler sur ce que les gens verraient – une interface graphique permettant de cliquer plutôt qu'une étrange composante interne à l'intérieur d'un plus gros système.»

Avec son expérience approfondie de la programmation, Jeff connaissait exactement le degré de difficulté des tâches qu'il assignait à Sheldon et Paul. Lorsqu'ils lui faisaient part de leurs résultats, Jeff y jetait un coup d'œil et «faisait d'excellentes suggestions. La synergie était très bonne», dit Paul Barton-Davis. «Lorsque Jeff nous demandait à Shel et à moi: "Pouvons-nous faire ceci?", il était clair qu'il avait déjà réfléchi un certain temps à ce que cela impliquait. Et il était prêt à nous écouter au sujet de ce que nous devrions réellement faire pour y arriver. Il comprenait tous les facteurs en jeu.»

CC MOTEL

À l'aube du commerce sur Internet, de nombreux clients craignaient de donner leur numéro de carte de crédit. (Dans l'esprit de la majorité d'entre eux, il était plus sûr de le donner lors d'un achat traditionnel par catalogue qu'à une entreprise en ligne). Vers l'époque où *Amazon.com* commença ses activités, un pirate avait pu percer les systèmes informatiques d'un fournisseur de services Internet et avait subtilisé des milliers de numéros de carte de crédit – mais il ne s'en servit jamais. Malgré cette bavure très dénoncée par les médias, les Amazoniens étaient convaincus qu'il était peu probable qu'un pirate se donne la peine de s'approprier des numéros individuels. Il fallait davantage s'inquiéter d'une intrusion dans un système peu sécurisé et du vol en bloc d'un grand nombre de numéros.

Pour que son modèle fonctionne, il était important qu'*Amazon.com* sécurise les transactions effectuées par carte de crédit. Paul Barton-Davis proposa un système appelé «CC Motel», un jeu de mots calqué sur Roach Motel[1], le nom d'un insecticide commercial. «Chez *Amazon.com*, les numéros de carte de crédit entrent mais ne ressortent pas», s'enorgueillissait l'entreprise. Le système CC Motel était composé de deux ordinateurs distincts qui communiquaient par le biais d'un port série en utilisant leur propre protocole. Dès qu'un livre était expédié à un client et que le montant de l'achat était porté à sa carte de crédit, l'information relative à la transaction était transférée sur une disquette. Un employé retirait alors la disquette du premier ordinateur et l'insérait dans le second ordinateur, qui était connecté par modem au centre de traitement des cartes de crédit.

Au tout début, l'ordinateur branché au centre de traitement des cartes de crédit servait également à effectuer les commandes, car c'était le seul qui était équipé d'un modem.

«Cela devint un problème [de synchronisation] intéressant à mesure que le volume des transactions augmentait», se rappelle Paul Barton-Davis. «Nous commandions les livres

1. *Roach:* cafard

pendant la matinée, et il nous fallait attendre d'avoir terminé cette étape avant de pouvoir acheminer les numéros de cartes de crédit au centre de traitement.»

Pour le personnel d'*Amazon.com*, ce système était très sécuritaire, car pour que quelqu'un puisse voler un numéro de carte de crédit, il lui fallait avoir physiquement accès à la disquette et à l'ordinateur. Le protocole du programme ne permettait absolument pas à un éventuel voleur de lui demander un numéro de carte de crédit. Et même si quelqu'un arrivait à découvrir ce protocole, le serveur ne réagirait pas à ce type de demande. La seule façon d'obtenir le numéro de la carte de crédit d'un client d'*Amazon.com* était de se trouver dans les bureaux mêmes de la société et de connaître le tour de passe-passe imaginé par Paul Barton-Davis.

«Je l'ai conçu de cette façon pour que nous puissions, entre autres, affirmer que le système était sécuritaire puisqu'il n'était pas sur Internet», dit Paul Barton-Davis. «J'ai toujours tenu à affirmer que même si on réussissait à percer le reste de notre système, on ne pouvait pas avoir accès aux numéros de carte de crédit. Une fois que nous avions le numéro de carte du client et que nous l'avions enregistré dans CC Motel, le seul moyen de le récupérer était d'entrer dans le bureau où se trouvait l'ordinateur. Quand je pense à ces événements rétrospectivement, il me semble que le système était beaucoup plus sécurisé que nécessaire. Et, en fait, le système qu'utilise maintenant *Amazon.com* fonctionne différemment. On ne circule plus avec des disquettes.»

Paul Barton-Davis raconte qu'il faisait souvent des cauchemars au sujet du système car, «nous ne prenions pas sérieusement la responsabilité de protéger cette information». *Théoriquement*, une copie de sauvegarde était faite chaque soir, mais il arrivait parfois qu'on oublie. «Nous nous demandions: "Qu'allons-nous faire quand nous aurons trop de numéros de carte de crédit et plus assez de mémoire sur la disquette?" Mais nous ne prenions pas cela trop au sérieux. Depuis, je me suis souvent demandé ce qui serait arrivé si nous avions perdu tous ces numéros.»

À cette époque, personne chez *Amazon.com* ne savait exactement comment fonctionnaient les transactions par carte de crédit. «À la base, nous avions quelques fausses perceptions sur le traitement des cartes de crédit», se rappelle Nicholas Lovejoy, l'un des premiers employés. «Nous avions créé notre propre terminologie, mais elle n'était pas très représentative de la réalité. Elle nous semblait logique mais ne correspondait pas exactement à la notion qu'en avait la banque. Donc, chaque fois que nous parlions avec des employés de la banque, nous pensions: "Mon Dieu, quelle bande d'idiots. Ils ne savent pas de quoi ils parlent." Ils avaient la même opinion de nous, mais à vrai dire, c'était nous les idiots, les bizarroïdes, parce que nous avions forgé de toute pièce notre propre terminologie.»

Évidemment, des erreurs furent commises, particulièrement lorsque la documentation des fournisseurs de cartes de crédit était mal interprétée par les employés d'*Amazon.com*, faussant leur compréhension du processus de traitement. À plus d'une occasion, *Amazon.com* perdit un fichier original contenant quelques centaines de transactions. La seule façon de récupérer l'information était de revenir à CC Motel, d'imprimer le fichier contenant tous les numéros, d'appeler le fournisseur de cartes de crédit et de systématiquement passer en revue la liste pour s'assurer que chaque transaction avait effectivement été traitée. Cette pénible tâche de vérification pouvait prendre une heure même si la liste de numéros n'était pas bien longue. (Bien sûr, cela se passait au tout début alors que l'entreprise ne recevait encore relativement que peu de commandes).

Parfois, il arrivait que quelqu'un «écrase» le fichier des transactions (en superposant des données) qui avait été envoyé au fournisseur de cartes de crédit. Pour récupérer l'information, *Amazon.com* devait demander au fournisseur de lui télécopier la liste des transactions, mais cette liste ne comprenait que les quatre derniers chiffres du numéro de chaque carte de crédit. Il fallait donc que quelqu'un prenne le temps d'apparier ces chiffres avec la liste des transactions. Les programmeurs réglèrent ce problème en archivant chaque transaction.

Quand *Amazon.com* commença à réaliser des ventes auprès du public en juillet 1995, la moitié de ses clients donnaient leur numéro de carte de crédit par téléphone. Au début, la société croyait qu'on lui transmettrait par téléphone la plupart des numéros de carte de crédit et très peu sur le Web, mais ce ne fut jamais le cas. Certains clients payaient par chèque alors que d'autres choisissaient de payer leur commande en ligne. Ces derniers n'avaient à inscrire que les cinq derniers chiffres de leur numéro de carte de crédit, et à téléphoner ensuite chez *Amazon.com* pour donner les autres chiffres.

Ensuite, les clients utilisèrent des systèmes de chiffrement intégrés; les plus populaires étaient *Netscape Navigator* du côté du fureteur et *Netscape Secure Commerce Server* du côté du serveur, ce qui rendait la tâche extrêmement difficile à un éventuel pirate ou craqueur qui aurait voulu mettre la main sur des informations confidentielles. «Ce n'est pas quelque chose que nous aurions pu accomplir nous-mêmes; il fallait que ce soit intégré au navigateur que les gens utilisaient», dit Paul Barton-Davis.

DEVENIR FACILE D'UTILISATION

À cette époque d'apprentissage, si un client adressait deux requêtes consécutives à *Amazon.com* – même à une fraction de seconde d'intervalle – l'ordinateur de l'entreprise n'avait aucun moyen de «savoir» qu'il avait déjà été en communication avec l'ordinateur de ce client. Donc, par exemple, si un client cherchait un ouvrage de John Updike et voulait ensuite effectuer une recherche sur les autres livres de cet auteur, les protocoles du Web ne permettaient pas de déterminer qu'il s'agissait d'une série d'échanges entre l'ordinateur du client et le serveur d'*Amazon.com*.

À l'époque, plusieurs entreprises Internet tentaient de trouver des solutions à ce problème en utilisant une interface CGI. Cette interface, attachée à un lien hypertexte, permettait au serveur Web de communiquer avec un autre logiciel installé sur le même ordinateur. Par exemple, un programme CGI pouvait extraire des données d'un serveur Web et en traduire le contenu sous forme de message électronique.

Le programme CGI d'*Amazon.com* générait un identificateur à 19 chiffres sur l'URL par la combinaison d'informations aléatoires et spécifiques. (L'URL est une adresse Internet que tous les navigateurs reconnaissent). «Dès qu'une personne se connectait au système pour la première fois, nous lui attribuions une clé d'identification et ensuite nous éditions les adresses URL de tout ce qui composait notre réponse. Chaque fois que cette personne nous adressait une autre requête, cette clé d'identification faisait partie de l'URL; nous pouvions ainsi faire le suivi des demandes», explique Paul Barton-Davis. «À ce moment-là, cela n'avait rien de vraiment nouveau. Nous n'étions pas les premiers à trouver des trucs de ce genre. La plupart de ces fonctions pouvaient être accomplies au moyen de Perl, qui était le langage dominant avec CGI.»

Après avoir pris note de la commande, *Amazon.com* devait constituer un historique des transactions du client, qu'elle désignait au moyen de la métaphore «panier à provisions», dit Paul Barton-Davis. «Il y avait trois termes qui circulaient. Mais ni l'un ni l'autre ne nous plaisaient. Panier à provisions nous paraissait plus attirant». Pour les habitués du site Web d'*Amazon.com*, l'icone du panier de provisions est devenue familière.

Pendant que les ingénieurs d'*Amazon.com* s'efforçaient de mettre un produit sur pied, la technologie entourant Internet se développait. Comme les normes des navigateurs changeaient tous les six mois, l'entreprise continua à bien fonctionner avec des nagivateurs-texte (puisque le site était principalement composé de texte). «C'est encore aujourd'hui une caractéristique du site d'*Amazon* – on peut toujours y accéder sans problème en utilisant *Lynx*, un navigateur-texte», dit Paul Barton-Davis. «Certains sites sont inaccessibles si on ne dispose pas d'une interface graphique. Aucun des changements éventuels ne voulait dire que ce que nous avions déjà accompli était vain; cela voulait tout simplement dire qu'il y avait de meilleures façons de le faire. Mais nos vieilles méthodes nous donnaient satisfaction. Et c'est encore vrai aujourd'hui.»

Étant donné que la plupart des particuliers utilisaient des modems dont le débit n'était que de 9 600 bits par seconde ou de 14,4 kilo-octets par seconde, il était important de faire en sorte que les pages puissent être téléchargées en seulement quelques secondes. Alors que les gens commençaient déjà à parler de l'Internet comme du «World Wide Wait»[1], *Amazon.com* se concentra dès le début sur le *texte* de son site, reléguant nettement l'aspect graphique à l'arrière-plan.

---

1. *Wait:* attendre

«Nous calculions la durée de téléchargement, en secondes, de telle ou telle image», dit Barton-Davis. «Nous tenions à conserver nos images petites et compactes et nous tentions aussi de les réutiliser. Pour ce qui est du volet texte, ce n'était pas vraiment un problème. Bien que 9 600 bits/s et 14,4 Ko/s sont des débits plutôt lents, c'est tout à fait acceptable si on n'utilise que du texte, même de nos jours. Mais avec les graphiques, ça ne l'était carrément pas. Il fallait donc mettre l'accent sur la réutilisation des mêmes graphiques. À cette époque, la plupart des navigateurs permettaient de réutiliser un graphique qui avait été téléchargé sur une page précédente. Nous tentions donc d'organiser la présentation des pages avec des motifs que nous pouvions utiliser encore et encore. Par exemple, il avait été question de remplacer les barres horizontales de certaines pages par des images d'animaux vivant dans la forêt tropicale humide de l'Amazonie. Même au moment de mon départ, le site comprenait étonnamment peu de graphiques. Nous n'avons jamais établi de véritables relations avec une bonne firme de concepteurs graphiques.»

Tim O'Reilly, l'éditeur, fait l'éloge d'*Amazon.com* pour la création de cette interface facile à utiliser et axée dès le départ sur la fonctionnalité. «Un grand nombre de gens consacraient beaucoup de temps et d'énergie à construire des sites qui étaient difficiles à consulter à cause de toutes sortes de graphiques fantaisistes», dit Tim O'Reilly. «Le site d'*Amazon.com* était très dépouillé. Ses concepteurs avaient compris qu'ils ne travaillaient pas à la conception d'une brochure, mais bien d'une application.»

QUESTION D'ARGENT

Au cours des six premiers mois d'exploitation, Jeff Bezos finançait personnellement l'entreprise. En juillet 1994, à titre de fondateur, de président, de directeur général et de président du conseil d'administration, il acheta 10 200 000 actions ordinaires pour un montant global de 10 000 $ et accorda un prêt sans intérêt de 15 000 $ à l'entreprise, suivi d'un autre prêt de 29 000 $ au mois de novembre, si on se fie aux annales publiques. Durant cette période, il cautionna personnellement les obligations de l'entreprise auprès de la *Seafirst Bank* de Seattle, où *Amazon.com* avait son compte commercial.

Mais il ne pouvait éternellement puiser dans sa propre poche. En février 1995, il vendit 582 528 actions ordinaires à son père, Miguel A. Bezos, au coût de 0,1717 $ l'action. Cette injection de 100 020 $ permit à l'entreprise de souffler un peu et de déménager dans des locaux plus vastes.

Ces six premiers mois avaient donné naissance à une infrastructure impressionnante, mais la société avait encore un long chemin à parcourir. En fait, *Amazon.com* était sur le point d'entrer dans sa période la plus critique.

À RETENIR

Au moment où Jeff Bezos, Sheldon Kaphan et Paul Barton-Davis établissent leurs quartiers dans le garage rénové, Jeff a déjà échafaudé les principes qui seraient à la base d'*Amazon.com*. Avec seulement trois employés (incluant son épouse Mackenzie), il a fait naître une culture d'entreprise, tant du point de vue humain que du point de vue technologique.

- Acquérez une connaissance approfondie de la technologie existante.

- Adaptez cette technologie à vos propres besoins.

- Tirez parti de la disponibilité des logiciels libres.

- Soyez prêt à modifier votre trajectoire au besoin, comme l'a fait *Amazon.com* lorsqu'elle est passée de la vente de livres par courrier électronique à la vente sur le *World Wide Web*.

- En élaborant votre stratégie, tenez compte de tous les scénarios possibles; demandez-vous: «Et si...?» Vous serez ainsi en mesure de faire les ajustements nécessaires.

- Gardez toujours un œil fixé sur l'avenir afin d'anticiper les nouveaux développements.

chapitre cinq

le lancement

«Certains disent qu'ils peuvent; d'autres qu'ils ne peuvent pas.
En général, ils ont tous raison.»

– Henry Ford

« **J** e sais pourquoi les gens déménagent et abandonnent les garages», a dit Jeff Bezos en plaisantant. «Ce n'est pas parce qu'ils manquent d'espace, mais plutôt parce qu'ils n'ont plus suffisamment de courant électrique.»

Les rangs d'*Amazon.com* avaient grossi et l'entreprise comptait cinq employés, avec l'embauche temporaire de Nicholas Lovejoy, un professeur de mathématiques de niveau secondaire ayant tout juste dépassé la vingtaine. Toutefois, l'unique disjoncteur du garage rénové ne pouvait plus répondre à la demande d'électricité générée par l'équipement informatique. Le quintette fit donc preuve de créativité. Ils firent courir de longues rallonges électriques orangées, tels les bras d'une méduse, entre le garage et différentes pièces de la maison qui étaient branchées sur des disjoncteurs différents.

Mais même ce nouvel apport de pouvoir n'était pas suffisant. Mackenzie ne pouvait plus se servir d'un séchoir à cheveux et Jeff ne pouvait plus passer l'aspirateur dans la salle de séjour sans qu'un disjoncteur ne saute.

S'ajoutant à ces problèmes d'approvisionnement en électricité, l'espace de travail était tellement encombré que toute rencontre avec des non-Amazoniens devait se tenir ailleurs. Il apparut que l'endroit le plus pratique pour se rencontrer était un petit café à environ 1,5 kilomètre de la maison. Ironiquement, le café était situé à l'intérieur du magasin entrepôt de *Barnes & Noble*, à Bellevue.

Au cours du printemps 1995, la société amorça la dernière étape de vérification de son site Web avec l'aide de plusieurs centaines d'amis – quelques-uns versés en informatique et d'autres non – qui avaient été invités à mettre le système à l'épreuve en naviguant à la recherche de livres et en simulant des achats. «Nous étions prêts à accepter de véritables commandes, mais s'ils désiraient faire semblant, ils le pouvaient», dit Paul Barton-Davis. Jeff Bezos insista auprès de tous les participants: «Ne parlez à personne de ce que nous sommes en train de faire.»

Glenn Fleishman, auteur d'ouvrages portant sur le Web, qui participa à cette étape de vérification (et qui travaillerait plus tard pour *Amazon.com*) nota: «Aujourd'hui, les entreprises se voient dans l'obligation de lancer un site Web, même s'il est plein de défauts. *Amazon*, même à l'époque de l'Internet, consacra des mois à fignoler son site auprès de vraies personnes.»

Bien que l'étape de vérification permit d'obtenir une rétroaction très utile, «la plupart des remarques étaient déjà inscrites sur la liste des choses que nous devions modifier, améliorer ou faire», dit Paul Barton-Davis. «Une fois les tests achevés, Shel et moi avons été extrêmement satisfaits de constater que le seul pépin rapporté concernait un cas où nous avions au moins deux façons de faire une chose, et le participant n'avait pas aimé celle que nous avions choisie. Lorsque nous avons lancé le site, nous savions que nous avions résolu 98 % des problèmes. Je me souviens du sentiment de satisfaction que j'ai éprouvé pendant quelques semaines alors que la rétroaction que nous recevions n'était pas différente de celle obtenue pendant l'étape de vérification.»

Cette période fut également témoin de l'avènement d'une variété de navigateurs Web tels que *Lynx*, *Mosaic* de NCSA, *Netscape Navigator* et *Internet Explorer* de *Microsoft*, se concurrençant tous pour devenir la future norme. Parce qu'ils n'avaient pas la main-d'œuvre nécessaire pour tester chaque navigateur en fonction de leurs besoins (ni le désir de le faire), les ingénieurs d'*Amazon.com* décidèrent de concevoir une plate-forme qui fonctionnerait avec tous les navigateurs. «Nous attendîmes d'avoir les résultats de l'étape de vérification», dit Paul Barton-Davis. «S'il devait exister plusieurs types de navigateurs, il était beaucoup plus facile de les tester avec 200 ou 300 personnes que de le faire nous-mêmes.»

Après avoir supprimé les erreurs du système, l'entreprise envoya un e-mail à tous ceux qui avaient participé à l'étape de vérification et leur annonça qu'*Amazon.com* était prête à accepter de *vraies* commandes. Elle les remerciait et les priait d'en parler à leurs amis.

Après avoir terminé les tests, la société quitta le garage de Bellevue et emménagea dans un local situé au 2714 de la 1re Avenue Sud, dans un quartier industriel de Seattle, en face du siège social de *Starbucks Coffee* et à environ 1,5 kilomètre du stade *Kingdome*. Étant au sud du «Dôme», le quartier était surnommé le SoDo. *Amazon.com*, qui partageait l'édifice avec un détaillant de tuiles appelé *Color Tile*, occupait un espace de 102 mètres carrés au deuxième étage et disposait, au sous-sol, d'un entrepôt de 37 mètres carrés – la superficie d'un garage pouvant accueillir deux voitures. «Bien que l'entrepôt avait sous plusieurs aspects des allures de jouet, le logiciel que nous avions conçu pour gérer nos... stocks n'en était pas un», dit Jeff Bezos dans le cadre d'une étude menée par la Harvard Business School. «Nous y avions beaucoup travaillé à l'avance.»[1]

Nicholas Lovejoy, qui joignit les rangs de l'entreprise en juin 1995, se rappelle de son premier jour de travail dans l'édifice de *Color Tile*. «Il y avait cinq pièces et seulement quatre employés. L'une des pièces servait à entreposer des boîtes de carton, et j'ai donc plié des boîtes», dit Lovejoy, un diplômé du *Reed College*, Oregon. Nicholas Lovejoy, qui avait travaillé avec Jeff et Mackenzie chez *D. E. Shaw & Co.*, avait quitté le monde des affaires pour enseigner les mathématiques dans une école privée à Redmond, Washington, une banlieue de Seattle mieux connue comme abritant le siège social de *Microsoft*.

«Une amie passait l'été en ville et j'ai appelé Jeff pour voir s'il pouvait lui donner du travail, dit Nicholas Lovejoy. «Jeff a tout de suite demandé: "Eh bien, et pourquoi pas toi? Que fais-tu cet été?"» Nicholas Lovejoy se rendit à Bellevue pour discuter avec Jeff Bezos. «Je n'ai pas passé d'entrevue comme telle. Jeff savait que je travaillais chez *D. E. Shaw* et que j'étais un bon candidat pour *Amazon*. Il m'offrit du travail sur-le-champ. J'ai donc commencé chez *Amazon.com* avec ce travail d'été. Au début, Jeff voulait que je travaille

---

1. Harvard Business School Study, 1997.

50 heures par semaine – ce qui représentait un poste à temps plein chez *Amazon*. Mais je voulais travailler 20 heures par semaine. Nous nous sommes finalement mis d'accord pour 35. Je fus embauché comme rédacteur de courtes descriptions de livres, pour faire un peu de tout [selon les besoins], et pour engager et former mon remplaçant avant la fin de l'été.»

Deux mois plus tard, lorsqu'il décida d'abandonner l'enseignement et d'unir sa destinée à celle d'*Amazon.com*, Nicholas Lovejoy devint techniquement le sixième employé, puisque Tom Schœnhoff avait joint les rangs de l'entreprise pendant l'assignation temporaire de Nicholas Lovejoy. Tous deux ont cependant un droit égal au rang d'employé numéro cinq.

Même si les locaux étaient plus spacieux que le garage de Bellevue, le bureau de la First Avenue était un véritable capharnaüm. Immédiatement après leur emménagement, ils retirèrent les tuiles du plafond, percèrent des trous dans les murs au-dessus du niveau de ces tuiles, et y passèrent les câbles de réseau, incluant la ligne Internet T1, qui pendait gauchement du plafond. Le CC Motel ainsi que le hub (centre d'activité) et le routeur Internet étaient posés sur une étagère métallique bon marché. Le système téléphonique fut installé par un entrepreneur indépendant.

Lauralee Smith, qui travailla pendant une courte période pour *Amazon.com* à titre de commis aux commandes spéciales, se rappelle avoir pensé en arrivant à l'édifice de *Color Tile*: «Pour une entreprise aussi techniquement avancée et aussi visionnaire, la situation géographique n'est pas très inspirante. L'édifice abritait une série de bureaux plutôt minables qui donnaient l'impression de tenir ensemble avec du ruban adhésif.»

L'entrepôt de 37 mètres carrés au sous-sol ne contenait rien de plus que des tablettes (ne pouvant accueillir que quelques centaines de livres), quelques tables avec du matériel d'emballage, un pèse-lettres et une machine pour timbrer *Pitney Bowes*. Considérant d'un œil critique ces installations peu impressionnantes, Sheldon Kaphan ironisa: «Je ne sais pas si ceci est irrémédiablement pathétique ou incroyablement optimiste.»[1]

Même si Jeff Bezos penchait plutôt pour le «incroyablement optimiste», il admet: «Nous avions très peu d'attentes pour commencer et nous pensions qu'il faudrait attendre longtemps avant que les clients prennent l'habitude de faire des achats en ligne.» Il tenta de persuader *Ingram* et *Baker & Taylor* de permettre à son entreprise naissante de commander moins que la quantité minimale exigée de dix livres. «Nous leur avons demandé si nous pouvions acquitter des frais de 20 dollars, par exemple, pour obtenir *un* livre. Nous ne voulions pas aller acheter le livre chez *Barnes & Noble*, car nous voulions en fait mettre nos systèmes à l'essai»[2], dit Jeff Bezos. Mais les distributeurs ne démordirent pas de leur politique de dix livres par commande.

Cette réticence peut sans doute s'expliquer en partie par une totale incompréhension de ce que Jeff Bezos tentait d'accomplir. Comme John Ingram, président du Conseil de *Ingram Book Co.*, l'a confié au *Washington Post* en 1998: «Avant 1995, je ne crois pas que je savais ce qu'était l'Internet.»[3]

Mais *Amazon.com* fut en mesure de trouver une brèche dans la politique d'Ingram. «Avec les deux grossistes... il fallait *commander* au moins dix livres», dit Jeff Bezos. «Si vous

---

1.   Lake Forest College, 26 février 1998.

2.   Ibidem.

3.   *Washington Post*, 20 juillet 1998.

commandiez dix livres, mais qu'ils n'avaient pas en stock neuf d'entre eux, ils vous envoyaient quand même l'unique livre disponible. Les deux distributeurs offraient un obscur ouvrage sur les lichens, mais ils ne l'avaient pas en stock. Nous avons donc testé nos systèmes en commandant un titre [différent] et neuf exemplaires de cet ouvrage sur les lichens.»[1]

À cette époque d'apprentissage, un élément déterminant du modèle de vente de détail d'*Amazon.com* était l'absence quasi totale de stocks à cause des coûts inhérents. (Comme nous le verrons plus tard, il faudra à Jeff Bezos beaucoup de temps pour abandonner cette idée et remanier son modèle d'affaires). Au début des années 1990, afin de réduire leurs coûts de gestion des stocks, plusieurs détaillants traditionnels tentèrent de populariser, de concert avec leurs fournisseurs, un système de livraison «juste à temps», c'est-à-dire que les marchandises n'étaient livrées au magasin que lorsque le détaillant en avait besoin. «Nous avons appelé ce système «livraison "presque à temps"», dit Paul Barton-Davis. «En d'autres termes, nous n'avons pas les livres que vous avez commandés, mais nous pourrons vous les expédier très bientôt.»

Une personne cynique n'aurait pas eu de difficulté à exposer de façon convaincante qu'*Amazon.com ne tenait pas en stock* plus d'un million de titres (comme la société l'avait déclaré au début), mais qu'*Amazon.com* pouvait *procurer* au client n'importe quel titre parmi ce million de livres – tout comme n'importe quelle autre librairie traditionnelle ou virtuelle.

Amazon.com avait désespérément besoin d'argent neuf afin de lancer son site Web. En juillet 1995, selon les annales

---

1.   Lake Forest College, 26 février 1998.

publiques, l'entreprise (lisez: Jeff Bezos) vendit 847 716 actions ordinaires au coût unitaire de 0,1717 $ au *Gise Family Trust*, dont Jacklyn Gise Bezos était la fondée de pouvoirs et la bénéficiaire. La vente rapporta 145 553 $. «Nous n'avons pas investi dans *Amazon*», dit Jackie, «mais dans Jeff».[1] Également ce mois-là, Jeff cautionna personnellement les obligations de l'entreprise pour l'ouverture d'un compte commercial avec carte bancaire auprès de la *Wells Fargo Bank*; en avril 1995, il avait cautionné les cartes de crédit de l'entreprise.

Amazon.com ne pouvait pas mieux choisir, car l'été 1995 se révélait le moment idéal pour lancer un nouveau site Web. Un an plus tôt, il y aurait à peine eu suffisamment d'ordinateurs personnels connectés à Internet pour maintenir une affaire à flot; un an plus tard, la concurrence aurait eu une avance insurmontable. Durant l'été 1995, plusieurs développements majeurs vinrent modifier l'infrastructure du Web, transformant l'aspect statique de ce dernier en un médium interactif plus attirant et convivial. En avril, *Silicon Graphics* lança Web Space, qui fonctionnait avec VRML, un langage de modélisation en réalité virtuelle, en faisant le premier navigateur Web capable de représenter des images en trois dimensions (Le langage HTML ne permettait de générer que des environnements en deux dimensions).

Une nouveauté encore plus significative vit le jour le mois suivant, lorsque *Sun Microsystems* lança *Java*, un langage de programmation sécurisé qui rendait possible l'utilisation de pratiquement n'importe quel type d'application ou de contenu interactif dans une page Web. Ne faisant pas de distinction entre les divers systèmes d'exploitation, une mini-application *Java* (appelée applet) pouvait exécuter des

1. *Time*, 27 décembre 1999.

fonctions sur des postes de travail *Windows*, *Macintosh* ou *UNIX*. En 1995, avec l'élargissement de la bande de transmission à 128 kilo-octets par seconde, des fichiers graphiques et sonores pouvaient aisément être acheminés sur le Web. Cet été-là également, *Netscape* lança la version 2.0 de *Navigator*, qui fut bientôt utilisée sur presque dix millions d'ordinateurs. Lorsque *Netscape*, qui n'avait jusque-là enregistré aucun profit, fit son premier appel public à l'épargne le 9 août 1995, l'action grimpa à plus de 100 % du cours d'ouverture officiel, clôturant à la fin de la journée avec une valeur totale de 2,7 milliards de dollars.

Avec cette percée fulgurante de *Netscape*, Internet avait pénétré la conscience du monde des affaires américain. Et, plus important encore pour *Amazon.com*, la réussite remportée par l'appel public à l'épargne de *Netscape* montrait au monde des investisseurs que les actions d'une entreprise Internet pouvaient – devaient – être évaluées non pas en fonction de son rendement passé, mais en fonction de la promesse vague mais irrésistible d'un avenir radicalement différent, où toutes les règles auraient été transgressées. Celui qui saurait inventer le meilleur scénario sortirait gagnant, et personne ne racontait mieux, ou avec plus de conviction, une histoire que Jeff Bezos et *Amazon.com*, dont la devise SE PROPULSER VERS LES PLUS HAUTS SOMMETS en ferait les plus grands bénéficiaires de cette Pensée Nouvelle.

Le site Web d'*Amazon.com* fut lancé le 16 juillet 1995. Lorsqu'un utilisateur se connectait, il voyait dans le coin supérieur gauche de son écran le premier logo d'*Amazon.com* – la lettre «A», de couleur bleu vert, en forme de pyramide à l'extrémité supérieure équarrie. Une rivière serpentait en s'amincissant de la base jusqu'au milieu de la lettre. Compte tenu de la façon dont on regardait le logo, on pouvait y voir

soit la lettre «A», soit une rivière. Le slogan suivant était inscrit sous le «A»: *«Earth's Biggest Bookstore»*.[1]

La première page était essentiellement composée de
texte informationnel avec des barres de navigation en haut et
en bas. On pouvait lire dans le haut de la page: «Bienvenue
chez *Amazon.com Books*! Cherchez parmi un million de titres.
Profitez immanquablement des plus bas prix.»

On n'y trouvait comme seules illustrations que le logo
d'*Amazon.com* et, mise en évidence, la couverture d'un nouveau livre chaque jour, caractéristique appelée «Spotlight». À
cette époque, les seuls ouvrages dignes de figurer au
«Spotlight» devaient être bien étoffés, c'est-à-dire présenter
un résumé, des critiques, des informations sur l'auteur, etc.
Une réduction d'au moins 20 à 30 % était toujours consentie
sur ces ouvrages – comparée au rabais de 10 % appliqué à
tous les autres livres. Comme on pouvait s'y attendre, ces livres se vendirent très bien et «Spotlight» devint un chouchou
des clients. Dans les mois qui suivirent, la société embaucha
des rédacteurs expérimentés pour assumer, entre autres, la
responsabilité de «Spotlight». Le premier d'entre eux à occuper un poste à plein temps à cet effet, Jonathan Kochmer,
"y mit vraiment beaucoup d'amour", se rappelle Nicholas
Lovejoy. «Chaque "Spotlight" avait un thème et il savait y
donner un tour nouveau et inattendu chaque jour. Et si les
ouvrages que Jonathan souhaitait mettre en vedette
n'avaient pas fait l'objet d'une critique, il en rédigeait une en
deux temps trois mouvements. Cela prit bientôt l'allure d'un
volet éditorial et non plus seulement d'une série d'ouvrages
pour lesquels nous disposions de critiques.»

Jeff Bezos, Sheldon Kaphan et Paul Barton-Davis
étaient tous trois partisans de pages Web concises, et ils

---

1. La plus grande librairie sur terre.

utilisaient souvent une expression qui est devenue très populaire dans le monde du commerce électronique : «shopping sans friction», c'est-à-dire garder l'ensemble du processus aussi simple et bref que possible. Le client devait être en mesure d'accéder au site, de trouver ce qu'il cherchait et de l'acheter, le tout en quelques minutes.

Amazon tira parti des capacités de recherche qu'offrait le Web en permettant à ses clients de faire des recherches par auteur, par titre, par sujet, par date de parution et par mot clé dans l'ensemble du catalogue, et ensuite de circonscrire ces recherches. En plus du moteur de recherche de base, *Amazon.com* mit deux services additionnels à la disposition des utilisateurs : *«Editors»* et *«Eyes»*. Avec *«Editors»*, les rédacteurs d'*Amazon.com* recommandaient des ouvrages aux clients – en se basant sur leurs achats précédents – après en avoir lu des comptes rendus préliminaires. Avec *«Eyes»*, les utilisateurs étaient aussitôt avertis de la disponibilité des ouvrages de leurs auteurs favoris ou traitant de sujets pour lesquels ils avaient exprimé de l'intérêt. Par exemple, les utilisateurs de ce service pouvaient être informés de la parution récente en livre de poche d'un livre de John Grisham ou encore de l'arrivée sur le marché d'un ouvrage pratique.

«La logique dans tout ça, c'est que le langage de recherche permet de déplacer les requêtes à l'intérieur du système sous une forme standard», dit Paul Barton-Davis. «Donc, lorsque vous venez de terminer une recherche sur un sujet donné, le système connaît la requête. Lorsqu'un client vous dit : "J'aimerais être tenu au courant de la parution de ce genre de livres à l'avenir", le système en tient compte et emmagasine cette information. Ce soir-là et tous les soirs suivants, il parcourt la base de données [de livres] comme si vous aviez vous-même tapé cette requête.»

Jeff Bezos lançait le défi de l'interactivité aux librairies traditionnelles. Nous ne remplacerons pas les librairies», dit-il lors d'une entrevue, en 1995. «Ce qu'il y a d'intéressant avec les livres en tant que produit, c'est que les gens vont dans les librairies parce qu'ils veulent des livres, bien sûr, mais aussi parce que c'est un endroit agréable. C'est un défi pour toute librairie interactive que de rendre son site aussi attirant que possible.»

Très tôt, *Amazon.com* reçut une première véritable commande. «C'est très excitant lorsqu'un premier client se manifeste, et qu'il ne fait pas partie de votre cercle d'amis», dit Jeff Bezos à la blague. Lorsque la commande arriva, «tout le personnel a dit: "Connais-tu cette personne? Moi, je ne la connais pas. Et toi? Connais-tu cette personne?"»[1]

Paul Barton-Davis pensa qu'il serait très intéressant de mesurer l'activité générée par le site. «Jeter un coup d'œil aux rapports de vente à la fin de la journée ou de la semaine est une chose», dit-il, «mais il était bien plus viscéral pour nous de savoir qu'une vente était en train de se faire. Si aujourd'hui il y a un intervalle d'une minute entre deux commandes, et que la semaine prochaine cet intervalle n'est plus que de dix secondes, ce serait, il me semble, psychologiquement bon de le savoir.»

Pour ce faire, il modifia le code du serveur Web de façon à ce qu'au moment de chaque vente, une commande envoie un message à tous les ordinateurs de l'entreprise et fasse entendre un joli BIP bien sonore en affichant à l'écran le montant de la vente et le nombre de livres vendus. Chaque fois qu'ils entendaient le BIP, les Amazoniens poussaient une exclamation de joie.

---

1. Lake Forest, 26 février 1998.

Pendant un certain temps seulement.

Au cours de ces quelques premiers jours, lorsqu'il n'y avait qu'une douzaine de ventes par jour, le BIP était une joyeuse innovation. Mais avec l'augmentation du volume des ventes, il perdit rapidement l'attrait de la nouveauté. «C'est étonnant à quel point même une faible fréquence [de ventes] pouvait le rendre *incroyablement* agaçant», dit Paul Barton-Davis. «J'avais pensé qu'il serait amusant jusqu'à environ un intervalle de dix secondes. Mais lorsqu'il se faisait entendre à toutes les cinq ou dix minutes, il avait tendance à désorganiser ce qui se trouvait dans la fenêtre [sur l'écran de l'ordinateur] dans laquelle on travaillait. Ou encore le message apparaissait dans une fenêtre qu'on ne pouvait voir, mais on entendait le BIP, qui n'était pas différent de tous les autres BIP. Et on se demandait: *"Qu'est-ce qui s'est passé? Ai-je fait une fausse manœuvre?"*»

Trois jours après le lancement, *Amazon.com* reçut un e-mail d'une personne qui travaillait chez *Yahoo!*, une autre entreprise Internet toute récente. Le message mentionnait que les gars de *Yahoo!* adoraient le site Web d'*Amazon.com* et demandaient s'ils pouvaient l'inscrire sur leur liste de sites dignes d'intérêt appelée "What's Cool"[1], qui était à l'époque la page la plus consultée du Web. «Cette personne disait que nous allions y gagner beaucoup d'affluence et que si nous estimions qu'il était encore trop tôt pour attirer autant d'utilisateurs [sur notre site], nous pouvions attendre un mois ou même plus», se rappelle Jeff Bezos. «Aujourd'hui, pour que *Yahoo!* fasse une chose pareille, il faudrait débourser des dizaines de millions de dollars. À l'époque, il ne s'agissait que d'un échange de messages électroniques. Donc, nous nous sommes assis, sept ou neuf d'entre nous, devant quelques plats de cuisine chinoise, et nous nous sommes demandés si

---

1. «Ce qui est génial».

nous étions prêts pour ce que Shel Kaphan a décrit ainsi: "Ça pourrait être comme boire une gorgée d'eau à même un boyau d'incendie." Nous avons discuté pendant cinq minutes pour finalement conclure: "Oui, faisons-le."»[1]

Sheldon Kaphan avait vraiment eu une prémonition. Avec le déluge de commandes qui suivit, c'était vraiment comme boire une gorgée d'eau à même un boyau d'incendie. Pendant sa première semaine d'exploitation, *Amazon.com* reçut des commandes d'une valeur de 12 438 $, mais la valeur des livres qu'elle fut en mesure d'expédier ne dépassa pas 846 $. Le BIP exaspérant fut déprogrammé après une semaine et remplacé par un message pouvant être affiché à l'écran si on souhaitait vérifier le nombre de ventes réalisées au cours de la dernière heure ou des cinq dernières minutes. La semaine suivante, l'entreprise enregistra des ventes de 14 792 $ et la valeur des livres expédiés s'éleva cette fois à 7 302 $.

Au début, le volume des ventes ne justifiait pas plus d'une commande par jour auprès des grossistes. Mais il vint un moment où la société dut lancer le programme de commandes dès 10 h 30 si elle voulait avoir le temps de remplir la commande du jour – car la *même machine* servait à vérifier les numéros de cartes de crédit et à effectuer toutes les autres tâches.

Même si le nombre de commandes était relativement bas, cela dépassait considérablement les attentes des Amazoniens. «Notre programme de financement et de gestion ne commence même pas à ressembler à ce qui s'est réellement produit», dit Jeff Bezos. «Je pense que ce qui nous avait échappé, c'est que les utilisateurs d'Internet étaient tous des

---

1. Lake Forest College, 26 février 1998.

usagers de fraîche date. Par conséquent, tous ceux qui naviguaient sur le Web, même s'ils étaient relativement peu
nombreux si l'on compare avec aujourd'hui, étaient des gens
qui aimaient essayer de nouvelles choses.»[1]

En tant que principal détaillant de livres en ligne,
Amazon.com devint rapidement le site de commerce électronique le plus connu, le plus utilisé et le plus fréquemment
cité, offrant ce que l'entreprise appelait «une sélection faisant
autorité» de plus d'un million de titres à des prix compétitifs.
(Même si la société offrait toujours 1,5 million de titres sur
son site, elle prétendait n'en tenir que 1,1 million. D'après un
ancien employé, c'était dans le but de pouvoir déclarer plus
tard qu'elle venait d'ajouter 400 000 titres à son répertoire).
Durant le premier mois d'exploitation, *Amazon.com* expédia
des livres dans 45 pays et dans chacun des 50 États américains.
En octobre, la société connut sa première journée de 100
commandes. La première heure de 100 commandes vint
moins d'un an plus tard. (Et les minutes de 100 commandes
devinrent bientôt chose courante). Les clients trouvaient des
ouvrages rares qu'ils avaient cherchés pendant des années et
lorsqu'ils les recevaient, ils en parlaient à leurs amis.

Et l'activité augmenta encore plus lorsque *Netscape* inscrivit le site Web d'*Amazon.com* sur sa page intitulée «What's
New»[2].

«Je crois qu'il est important de ne pas sous-estimer la
part que la chance a joué dans tout ça», dit Nicholas Lovejoy.
«*Amazon.com* commence par la lettre "A". En 1995, un très
grand nombre de listes de bons sites Web étaient présentées

---

1. Discours prononcé devant l'American Association of Publishers, Washington,
    D.C., 18 mars 1999.

2. «Ce qui est nouveau».

en ordre alphabétique, et *Amazon.com* se trouvait en tête de liste. À mon avis, cela a énormément d'importance.»

Des 1,1 million de titres «tenus» par *Amazon.com*, les 300 000 titres en stock chez *Ingram* et *Baker & Taylor* étaient réduits de 10 %, et les vingt meilleurs vendeurs en format poche ou en grand format étaient réduits de 30 %. Et des rabais allant jusqu'à 40 % étaient consentis sur une sélection spéciale établie par le personnel. Bien sûr, les frais d'expédition de 3,95 $ par livre réduisaient ces pourcentages dans le cas de petites commandes, mais pour quelqu'un qui achetait plusieurs livres à la fois, les prix d'*Amazon* étaient compétitifs comparés aux importants rabais que l'on trouvait toujours chez *Borders*, *Barnes & Noble* et autres chaînes nationales. De plus, *Amazon.com* ne facturait la taxe de vente qu'aux résidents de l'État de Washington. Toutefois, il fallait parfois jusqu'à une semaine avant qu'*Amazon* n'expédie un livre qui ne faisait pas partie de la liste des succès de librairie, et même plus lorsqu'il s'agissait d'ouvrages très peu connus.

Ces premières commandes donnèrent lieu à quelques situations amusantes. En août, une cliente commanda une douzaine de livres dont le seul trait commun était le mot «Marsha» qui apparaissait dans chaque titre. Mais la cliente ne s'appelait pas Marsha. En septembre, à cause d'une erreur d'expédition, un très bel album rempli de photographies en couleurs représentant les différentes maladies de la peau fut envoyé au mauvais client. Ce dernier retourna l'ouvrage, mais admit dans un e-mail: «J'ai regardé ce livre avec une horreur fascinée pendant des jours.» (Quatre ans plus tard, ce même client avait passé environ une centaine de commandes chez *Amazon.com*).[1]

---

1.   Conférence donnée devant des courtiers à la Bourse, 21 juillet 1999.

Chaque semaine, les employés dressaient la liste des vingt titres les plus étranges qui avaient été commandés, et Jeff Bezos donnait un prix pour le plus amusant. Voici quelques exemples: *Dressez votre poisson rouge en utilisant les techniques de dressage du dauphin*, *Comment créer votre propre pays* et *La vie sans amis*.

Les programmeurs, Sheldon Kaphan et Paul Barton-Davis, étaient ravis du rendement du système malgré l'augmentation exponentielle du volume des ventes, et ils arrivaient facilement à repérer ce qui pouvait être amélioré. «C'est parce que nous portions une attention particulière à l'ingénierie du système et que nous tentions de faire en sorte qu'il puisse être adapté à la croissance de l'entreprise», dit Paul Barton-Davis. «Nous avons fait beaucoup d'erreurs. Plus tard, les programmeurs et les ingénieurs qui sont venus grossir les rangs de l'entreprise ont corrigé ces erreurs, car ils en savaient beaucoup plus que nous au sujet de certains programmes – *Oracle*, par exemple –, et ils pouvaient consacrer beaucoup plus de temps que nous à un problème spécifique. J'aimerais croire que les décisions que nous avons prises au tout début ont pavé la voie à la croissance fulgurante de l'entreprise.»

Au cours de ces premières semaines, la société n'était pas préparée à répondre à une telle quantité de commandes. Personne n'avait été engagé pour s'occuper de l'expédition. «Nous tentions d'imaginer un moyen d'arriver à embaucher davantage de personnel», se rappelle Jeff Bezos. «Nous travaillions jusqu'à minuit tous les soirs, expédiant 100, 200, 300 colis par jour. Tout le monde donnait un coup de main.» Pour empirer les choses, il n'y avait pas de table d'emballage et tout le monde devait se mettre à quatre pattes sur le plancher de ciment pour emballer les livres avec du *CoreSeal*, un produit cartonné autoadhésif qui colle sur lui-même et non

sur le livre. «C'était très éprouvant pour le dos», dit Jeff
Bezos. Et nous avions les genoux en sang.»

Le moment arriva bientôt où Jeff Bezos dit à Nicholas
Lovejoy: «Il faut faire quelque chose. Il faut acheter des ge-
nouillères.» Lovejoy «me regarda comme si j'étais un Martien»,
dit Jeff Bezos. «Mais j'étais sérieux. C'est la solution que
j'avais trouvée.» Nicholas Lovejoy a alors dit: «Pourquoi pas
des tables d'emballage?» «J'ai pensé que c'était l'idée la plus
brillante que j'avais jamais entendue de ma vie», se rappelle
Jeff Bezos en riant. «Ce fut une amélioration spectaculaire.»[1]

À cette époque, chacun de la poignée d'employés
d'*Amazon.com* faisait un peu de tout, que ce soit emballer des
livres ou répondre aux e-mail de la clientèle. L'ensemble du
courrier électronique était acheminé à l'unique adresse
d'*Amazon.com*, emmagasiné dans le système et quelqu'un y
répondait – souvent Jeff Bezos lui-même. «On travaillait fort
et pendant de longues heures, mais nous avions aussi une
pause de deux heures pour déjeuner», dit Nicholas Lovejoy.
Ils prenaient alors place autour d'une grande table que
Sheldon Kaphan avait rapportée de Californie (elle était trop
grande pour sa nouvelle maison de Seattle) «et nous parlions
de toutes sortes de choses d'une manière presque philosophique. Nous émettions des hypothèses sur divers aspects de
l'entreprise: le site Web, les questions de sécurité.»

Lauralee Smith se rappelle le caractère informel de ces
assemblées. Plutôt que d'acheter ou de louer un photoco-
pieur, toutes les copies étaient faites à l'atelier de *PrintMart*,
situé à plusieurs pâtés de maison du bureau d'*Amazon.com*.
«Je n'avais pas de voiture. Donc, plusieurs fois par semaine,
je traversais les voies ferrées pour me rendre à l'atelier, les

1. Allocution donnée au Lake Forest College, 26 février 1998.

bras chargés de matériel, j'attendais pendant qu'on faisait les copies et je retraversais les voies ferrées, toujours aussi chargée», se rappelle madame Smith. «C'était le genre d'entreprise où, si on avait besoin de fournitures de bureau, on les achetait soi-même et on présentait la facture à la fin du mois. Le remboursement était ajouté à notre chèque de paie. C'était une façon bien différente de mener une affaire.»

Pour étoffer le site Web, les employés passaient en revue dix nouveaux livres par semaine dans chacune d'une douzaine de catégories traditionnelles: roman, affaires, etc. Au début, toutes les descriptions étaient tirées du cédérom fourni par les distributeurs et les éditeurs pour être ensuite regroupées en un seul catalogue. Mais à part des données bibliographiques telles que le titre de l'ouvrage, le nom de l'auteur et la date de parution, peu d'informations étaient disponibles. Nicholas Lovejoy se rendait donc fréquemment à la *Elliott Bay Book Company*, cette librairie légendaire, située dans le quartier Pioneer, à environ 1,5 kilomètre du siège social d'*Amazon.com*. Il y lisait attentivement les jaquettes des livres et prenaient des notes.

Afin d'ajouter des éléments graphiques, Nicholas Lovejoy passait au scanner des couvertures de livres à l'aide de leur tout nouvel appareil *Hewlett-Packard*. Et, pour rendre la page encore plus attrayante, il empilait verticalement quelques ouvrages – et appuyait un livre sur la pile – et il en scannait les reliures. «Ces éléments graphiques étaient rudimentaires, et je suis sûr que n'importe quel infographiste aurait sursauté, mais cela ajoutait du piment au site qui, à part le logo, était entièrement composé de texte», dit-il.

Un jour, quelqu'un eut l'idée de mettre en vedette certains ouvrages dans le cadre de promotions spéciales, de concert avec un éditeur. «L'éditeur nous céderait le livre à un prix très avantageux, nous l'annoncerions à plusieurs endroits sur le site Web et nous en ferions un compte rendu détaillé. À titre d'essai, nous avons choisi au hasard un beau livre grand format intitulé *A Hundred Years of Gibson Guitars* et nous avons consacré deux semaines à la rédaction de cinq pages à son sujet, incluant une entrevue avec l'auteur. «J'ai essayé de scanner le premier paragraphe à l'aide d'un logiciel de reconnaissance de textes, mais en 1995, cela ne fonctionnait pas très bien. J'ai donc tapé le premier chapitre; c'était beaucoup de matériel pour un seul livre. Je croyais qu'il y avait plusieurs bonnes raisons pour que les gens achètent ce livre. Il était beau, contenait un grand nombre de magnifiques photographies, et nous l'annoncions partout. Nous avons vendu le premier exemplaire six mois plus tard. Ce n'était manifestement pas un succès.»

L'EXPÉRIENCE AMAZONNIENNE

En plus de donner la possibilité aux clients d'effectuer des recherches sur un ouvrage ou un auteur en particulier, la liberté de naviguer parmi des sélections spéciales et l'occasion d'acheter les plus récents best-sellers, le site d'*Amazon. com* invitait les gens à faire partie d'une communauté de clients. L'entreprise encourageait les lecteurs à lui écrire et à soumettre des comptes rendus (qu'elle publiait sur le site Web). Cette «participation du public» donnait aux lecteurs le sentiment de contribuer à l'élaboration minutieuse du site. Et les auteurs n'étaient pas tenus à l'écart; ils étaient invités à participer en ligne, en répondant à une série de questions d'entrevue. Comme nous l'avons déjà mentionné, les clients pouvaient également s'inscrire à des services personnalisés tels que *«Eyes»* et *«Editors»*, profiter de promotions et vérifier le statut de leurs commandes.

Passer une commande était un jeu d'enfant; il suffisait au client de cliquer sur un bouton pour ajouter un livre dans son panier à provisions virtuel. S'il changeait d'idée, il pouvait aisément retirer un livre du panier avant de valider son achat, tout comme il l'aurait fait dans une librairie traditionnelle. Une fois qu'il avait fait son choix, le client n'avait qu'à cliquer sur le bouton «achat», entrer son numéro de carte de crédit et choisir un mode de livraison, incluant le service «jour suivant» et diverses options de livraison internationale. L'emballage-cadeau faisait également partie des caractéristiques offertes. Ce processus de commande est courant aujourd'hui, mais au cours de l'été 1995, il était révolutionnaire par sa simplicité.

Contrairement à bien d'autres détaillants sur le Web, *Amazon.com* disposait d'un système qui enregistrait et traitait les commandes en une seule étape, en temps réel. Le client était immédiatement informé du statut de sa commande, du délai de livraison, des frais d'expédition, et du montant de la taxe de vente (pour les résidents de l'État de Washington seulement). La société envoyait sur-le-champ un e-mail confirmant tous ces détails; un autre e-mail suivait lorsque la commande avait été expédiée. En utilisant son mot de passe, le client pouvait utiliser le site Web d'*Amazon.com* pour vérifier où se trouvait son colis auprès des divers services de livraison, tels *UPS* et *Airborne*. Le système minimisait les retards et les malentendus, et contribuait à promouvoir la réputation d'*Amazon.com* en matière de service à la clientèle.

«Le site fonctionnait très, très bien; il était clair, aéré et simple», dit Craig Danuloff, le fondateur de *iCat*, un commerce électronique de logiciels. «C'est en partie à cause de sa simplicité. Les sites efficaces étaient si rares. Celui-ci faisait ce qu'il avait à faire. La simplicité excessive est de loin le plus grand défaut des sites Web commerciaux. En d'autres termes, ils ne répondent pas aux besoins du client; si on veut acheter quelque chose, on ne sait pas quoi faire.»

Amazon.com a su très vite se gagner la faveur générale des utilisateurs du Web, qui «étaient à la fois les plus indulgents et les plus impitoyables», dit Craig Danuloff. «Ils ne se souciaient pas du fait qu'un système soit lent ou défectueux parce qu'ils savaient [dans quelle condition technique se trouvait le Web à cette époque]. Mais si le service était systématiquement mauvais et que vous ne faisiez rien pour y remédier, ils participaient alors à des forums de discussion et vous dépeçaient en menus morceaux.»

Dès le premier jour, Jeff Bezos sut qu'*Amazon.com* devait se gagner la loyauté des clients. Au début, la politique de retour permettait au client de retourner un livre dans les quinze jours suivant sa réception, mais ce délai fut éventuellement porté à trente jours. En fait, Jeff Bezos insistait tellement sur la maxime voulant que «le client ait toujours raison» que cela agaçait parfois Sheldon Kaphan et Paul Barton-Davis.

Par exemple, peu après le lancement du site, l'entreprise reçut une commande d'un client vivant outre-mer. Le mandat-poste qu'il envoya à *Amazon.com* ne correspondait pas au total de sa commande. «Il annula alors une partie de sa commande, et c'est alors nous qui *lui* devions de l'argent», se rappelle Paul Barton-Davis. «Mais il décida ensuite de commander quelques livres supplémentaires. Il voulait jumeler cette nouvelle commande avec la première et payer avec le solde créditeur et un *nouveau* mandat postal.

«Jeff décréta qu'il fallait respecter la *volonté* du client. Il n'y avait pas d'exception à cette règle, sauf si c'était matériellement impossible. Sinon, nous nous arrangions pour combler les désirs des clients.»

Au début, la société n'avait pas de système pour traiter et archiver les retours. «Nous avisions Shel et il faisait la mise à jour de la base de données», dit Nicholas Lovejoy. «Du point de vue comptable, c'était un cauchemar. Shel nous aida à déterminer les modifications qu'il fallait apporter au logiciel afin de gérer les aspects comptables et physiques de l'entrepôt, tels que la gestion des retours effectués par les clients, la gestion des retours aux distributeurs, la gestion des livres endommagés ou volés. Que faire lorsqu'un livre disparaissait? Que faire lorsqu'il réapparaissait?»

Bien que toutes ces éventualités faisaient partie du quotidien des libraires, elles étaient nouvelles pour les néophytes qui dirigeaient *Amazon.com*. Chacun de ces premiers employés – qui n'avaient aucune expérience de l'industrie du livre, ou de l'entreposage et de la distribution de quelque produit que ce soit – devait donc trouver lui-même une solution. «Nous nagions dans l'inconnu et on s'attendait à ce que nous trouvions des solutions», dit Nicholas Lovejoy. «C'est faisable, avec la bonne combinaison de motivation et de ressources, ainsi que la volonté de travailler dur, d'essayer des choses, de faire des erreurs et de l'admettre. Nous avons développé une attitude de confiance en nos capacités. Et nous en avions beaucoup. Jeff connaissait bien le monde des affaires et Mackenzie apportait une attention incroyable au détail et à la comptabilité.»

Comme l'entreprise connaissait une croissance rapide, Nicholas Lovejoy fut chargé du recrutement. L'une des premières personnes qu'il embaucha était un camarade d'études du *Reed College* appelé Laurel Canan. Ce dernier travaillait alors comme menuisier chez *Saltaire Craftsman*, une entreprise de construction de Seattle. «L'apport de Laurel se doit d'être reconnu», dit Paul Barton-Davis. «L'une de ses premières réalisations fut la construction d'excellentes tables d'emballage. Il réorganisa complètement l'entrepôt pour en faire un véritable espace de travail. Il a fait preuve d'un grand enthousiasme dès le début, même s'il ne faisait qu'emballer des livres et qu'il était intellectuellement capable de plus grandes réalisations.»

Selon Paul Barton-Davis, Laurel Canan demanda la permission d'acheter des actions d'*Amazon.com*. «C'était tout un acte de foi. Jeff mit beaucoup d'énergie à le dissuader, mais en vain. Laurel Canan acheta des actions. Il était prêt à faire tout ce qui était en son pouvoir pour que ça fonctionne.» Laurel géra l'entrepôt pendant une longue période. Il n'avait aucune expérience dans ce domaine, comme d'ailleurs tous les autres employés.

Avec Laurel Canan qui prenait en main les opérations quotidiennes de l'entrepôt, Nicholas Lovejoy poursuivit ses activités de recrutement. Il engagea deux autres amis avec qui il avait étudié au *Reed College*, Fred Eiden et Knute Sears. «Même si [le recrutement] était principalement de mon ressort, c'était tout de même un travail d'équipe. Et c'est Jeff qui avait le dernier mot», dit Nicholas Lovejoy.

Jeff se fabriqua lui-même un bureau à partir d'une solide porte d'extérieur de 4 centimètres d'épaisseur et mesurant 1,5 mètre par 85 centimètres. Il fixa quatre pattes en sapin de 72 centimètres de hauteur à cette surface de bouleau recouverte de polyuréthane pesant près de 35 kilos. «Jeff construisit les deux premiers modèles et je me chargeai des quatre suivants», dit Nicholas Lovejoy. «Je dus apporter quelques améliorations structurales au plan de Jeff. Il n'avait pas le compas dans l'œil et les premières tables étaient quelque peu branlantes.» (*Amazon.com* confia plus tard à *Saltaire*, l'entreprise où Laurel Canan avait travaillé, le mandat de fabriquer tous ses bureaux; à ce jour, *Saltaire* en a manufacturé plusieurs milliers).

Le premier bureau de Jeff Bezos devint finalement un symbole de l'engagement d'*Amazon.com* à minimiser les frais (et ceci afin d'offrir des prix compétitifs à la clientèle). Il en est fait mention dans pratiquement toutes les interviews de Jeff Bezos (et une photo de ce bureau a été publiée dans *Vanity Fair*). Cela contribua à alimenter la couverture médiatique bizarre dont *Amazon.com* fit rapidement l'objet.

En avril 1999, lorsque *Amazon.com* lança son site d'enchères, ce premier bureau fut mis aux enchères dans le cadre d'un encan bénéfice au profit du *World Wildlife Fund* qui se consacrait à la préservation de l'habitat et de la faune du bassin de l'Amazonie. Les enchères en ligne furent vives. Les surenchères fusaient entre John Dœrr, de la société de capital-risque *Kleiner Perkins* et aussi directeur chez *Amazon.com*, et l'ami de Jeff Bezos, Nick Hanauer. Le bureau fut adjugé à 30 100 $. Et à qui? À Jacklyn Bezos, la mère de Jeff.

Tout au long des premières années, Jeff Bezos répéta constamment à ses employés que les clients ne se souciaient pas de l'apparence des bureaux d'*Amazon.com;* il rappelait continuellement les vertus de la frugalité. Tout le mobilier, à l'exception des «bureaux-portes», avait été acheté, entre autres, à l'encan ou lors de ventes d'objets usagés.

«À un moment donné, Jeff voulait que nous apposions de petits autocollants sur le mobilier, indiquant qui l'avait acheté et la somme qui avait été économisée. Mais nous ne l'avons jamais fait», se rappelle Gina Meyers, qui fut la première vérificatrice des comptes de l'entreprise: «Il ramenait sans cesse [l'idée] que nous n'allions pas dépenser de l'argent quand ce n'était pas nécessaire et quand ce n'était pas à l'avantage du client. Parfois, cela signifiait dépenser un tout

petit peu plus pour prouver que nous ne faisions pas de gas-
pillage. Jeff disait que si [un meuble] a l'air bon marché –
même s'il est un peu cher – nous devions l'acheter, car cela
entérinait notre culture axée sur les économies.»

«Nous faisons tous les efforts possibles pour dépenser de
l'argent uniquement sur ce qui importe au client et non pour
nous-mêmes», dit Jeff Bezos. «Notre richesse disparaît à
l'instant même où nous cessons de bien servir nos clients;
c'est une réalité. Cela est arrivé à des entreprises par le
passé... Les clients se moquent éperdument de l'apparence
de notre mobilier. Nous investissons plutôt dans ce qui a de
l'importance pour eux.»[1]

1.   *Business 2.0*, avril 1999.

À RETENIR

La préparation est évidente à chaque étape du processus qui a conduit au lancement d'*Amazon.com*. Même si Jeff Bezos orchestrait le tout, au cœur de toute cette activité se trouvait la conviction qu'il fallait engager de bons employés et les aider à prendre les bonnes décisions.

- Procédez à l'étape de vérification de votre site Web afin d'en corriger les erreurs.

- Minimisez les frais généraux. Les clients ne se soucient pas de l'aménagement de vos bureaux; ils veulent avant tout obtenir un excellent service.

- Misez sur la simplicité en concevant votre site Web.

- Offrez aux clients l'occasion de vivre une expérience fantastique.

- Créez une communauté de clients.

- Investissez dans vos systèmes et non dans des éléments que le client ne verra jamais.

- Si nécessaire, soyez prêt à puiser dans votre propre poche pour maintenir l'entreprise à flot.

- Engagez des gens brillants et souples, capables d'apporter des solutions.

- Trouvez des moyens de fidéliser votre clientèle; le client a toujours raison.

chapitre six

se propulser
vers les plus hauts sommets

« L'argent est un maître terrible mais aussi un excellent serviteur. »

– P. T. Barnum

*M*ême si *Amazon.com* réalisait régulièrement des ventes modestes, quoique prometteuses – 12 438 $, 14 792 $ et 9 548 $ les trois premières semaines – l'entreprise se dirigeait rapidement vers une pénurie de capitaux. Selon les archives de la *Securities and Exchange Commission*, du 5 juillet 1994 à la fin de cette même année, *Amazon.com* enregistra des pertes de 52 000 $; et celles-ci s'élèveraient à 303 000 $ pour l'année 1995.

À l'été 1995, Jeff était «fauché», selon Eric Dillon, qui était agent de change chez *Smith Barney*, à Seattle. «Il avait épuisé ses ressources financières personnelles, sa famille n'avait plus les moyens [de financer l'entreprise] et il serait à court d'argent dans les 45 jours.» Le spectre de la fermeture rôdait et «l'entreprise vivait une crise majeure; elle traversait une période critique.»

Malgré cette situation plus que précaire, «je ne sais pas si Jeff s'est jamais inquiété de ces problèmes de financement, car il était totalement absorbé par son plan de gestion», s'étonne Eric Dillon. «Il était tellement enthousiasmé par son projet qu'il était persuadé tout naturellement que les choses s'arrangeraient d'elles-mêmes.» Son engagement était tel «qu'il me stimulait».

Pour illustrer à quel point la confiance l'habitait, disons que Jeff Bezos était tout à fait prêt à attendre que le reste du monde se range à son avis. Il était disposé à perdre de l'argent pendant *cinq* ans avant de réaliser le moindre profit, et si jamais profit il y avait, l'argent serait immédiatement réinvesti dans l'entreprise afin d'améliorer le site Web. «Toute une série de nouvelles habitudes doivent être acquises par les gens qui souhaitent faire leurs emplettes de cette façon», dit-il. «Le paysage où évoluent ceux qui innovent et qui espèrent une rentabilité à très court terme est rapidement tapissé de cadavres.»[1]

Mais en dépit de cette confiance décontractée, il avait besoin d'argent. Il dit à son ami Nick Hanauer – qui avait voulu investir dans *Amazon.com* dès le début – que, oui, il avait besoin d'amasser des fonds et qu'il tentait de déterminer s'il s'adresserait directement à des spécialistes du capital-risque (fort probablement de Silicon Valley) ou à un groupe d'investisseurs locaux. Nick Hanauer, qui était né à Seattle et dont le cercle de connaissances personnelles et professionnelles était assez vaste, lui conseilla de retenir la deuxième possibilité. Finalement, il réussit à convaincre Jeff

1.   *Web Week*, octobre 1995.

Bezos qui, au cours des douze mois qu'il venait de passer à Seattle, n'avait rencontré que relativement peu de personnes de la région ayant les moyens d'investir.

Concentrer cette campagne de souscription dans la région de Seattle ne serait pas chose facile car, à l'époque, la communauté des investisseurs était infime comparée à celle de Silicon Valley. À quelques rares exceptions près, les nombreux millionnaires de *Microsoft* n'avaient pas encore commencé à délier le cordon de leur bourse pour venir au secours de nouvelles entreprises locales sur le point de sombrer.

«Aujourd'hui, si on veut rassembler un million ou cinq millions de dollars pour lancer une nouvelle idée bien structurée, je dirais qu'il suffit de passer une dizaine de coups de fil», dit Nick Hanauer. «Mais c'était difficile à cette époque. Personne n'avait encore créé une entreprise comme *Amazon.com*. Aujourd'hui, *Amazon.com* sert d'exemple à tous ceux qui veulent prouver qu'il est possible de gagner des millions de dollars avec une petite injection de capitaux. Il en allait tout autrement en 1995. Par conséquent, convaincre des gens de signer des chèques de 20 000 $ ou 40 000 $ ou 60 000 $ ou 100 000 $ était très, très, très difficile.»

Nick Hanauer organisa des rencontres avec des investisseurs éventuels qu'il connaissait personnellement et avec des personnalités bien nanties qui lui avaient été recommandées par des amis. La première personne à qui il téléphona fut Eric Dillon, un agent de change élancé et à la chevelure blonde, âgé d'environ 35 ans, et qui avait déjà participé à des transactions de capital-risque. D'emblée, Eric Dillon affirma qu'il n'était pas intéressé, mais devant l'insistance de Nick Hanauer, et pour lui être agréable, il accepta de rencontrer Jeff Bezos. Il était persuadé que son engagement envers Jeff Bezos et *Amazon.com* n'irait jamais plus loin.

143

Avant cette rencontre, Nick Hanauer était inquiet quant à l'attitude de Jeff Bezos car, à son avis, ce dernier ne maîtrisait pas particulièrement l'art subtil de demander de l'argent à autrui. «Il ne savait pas très bien comment se présenter», se rappelle Nick Hanauer. «Jeff a toujours été un gars convaincant. Mais ce n'était pas là quelque chose d'aussi évident pour tout le monde. Dès notre première rencontre, j'avais compris qu'il serait une star. Mais si vous aviez demandé leur avis à la plupart des gens qui l'avaient vu à Seattle en 1995, aucun n'aurait été d'accord avec moi.» Nick Hanauer croyait que Jeff Bezos ne projetait pas une image à la hauteur «de son intelligence, de son talent et de sa détermination».

Après cette première rencontre avec Eric Dillon, Nick Hanauer déclara à Jeff Bezos que sa présentation laissait à désirer sous bien des aspects. Avant tout, Jeff Bezos ne parlait pas de lui ni de ses réalisations. «Soit il manquait de confiance, soit il était intimidé, ou bien il ne savait tout simplement pas se mettre en valeur dans le but de vendre quelque chose», dit Nick Hanauer. «Mais la *seule* chose que nous avions à vendre, c'était Jeff. En 1995, personne ne savait ce qu'était l'Internet et le commerce électronique n'était pas considéré comme l'idée du siècle. On trouvait cela plutôt amusant à l'époque. Et les gens ne veulent pas investir dans des idées amusantes.»

De son côté, Eric Dillon ne fut pas particulièrement impressionné par la présentation de Jeff Bezos, qu'il décrit comme «totalement éparpillée. Par exemple: "Bonjour, j'ai une librairie en ligne et je pense que nous allons réussir."» Mais, en fin de compte, Eric Dillon jugea les lacunes de cette présentation peu significatives, et le souvenir qu'il garde de quelques autres détails diffère de celui de Nick Hanauer. «Jeff me charma», dit Eric Dillon, qui s'était rendu à cette réunion convaincu qu'aucun lien ne le lierait jamais à

Amazon.com. «Je fus dès le début fasciné par Jeff Bezos. J'avais rarement vu chez quelqu'un une telle passion et une telle intelligence. De plus, il sortait de chez *D. E. Shaw*. Et l'une des entreprises dont j'avais par le passé soutenu le démarrage était justement une entreprise spécialisée dans les opérations de couverture. Nous avions donc cela en commun. Il était l'une des rares personnes qui comprenait le type d'investissement que je pratiquais, et nous en avons donc discuté. Ma longue expérience de *Wall Street* me permettait de comprendre ce qu'avait été sa carrière au *Bankers Trust* et ailleurs.»

Pour Eric Dillon, l'élément le plus convaincant était que Jeff avait laissé un poste qui lui rapportait un salaire de sept chiffres chez *D. E. Shaw* pour risquer le tout pour le tout sur Internet. «Le fait qu'il ait abandonné [ce genre de situation] me déconcerta», dit Eric Dillon. «J'ai ressenti un besoin très, très urgent de m'associer à ce gars-là.»

Dans le cadre de sa présentation, Jeff Bezos déclara à Nick Hanauer, Eric Dillon et d'autres investisseurs éventuels qu'il avait calculé que la valeur du marché d'*Amazon.com* était de 6 millions de dollars. Lors de leur deuxième rencontre, Eric Dillon dit à Jeff Bezos qu'il jugeait ce chiffre arbitraire et sans fondement. Il demanda à Jeff comment il était arrivé à ce chiffre. «Jeff me répondit: "En fait, Eric, j'ai vraiment essayé de *réfléchir* à la façon dont je suis arrivé à cette évaluation"», se rappelle Eric Dillon.

On calcule la valeur d'une nouvelle entreprise en comparant celle-ci à des entreprises existantes, œuvrant dans le même champ d'activités. Mais à l'été 1995, cette comparaison était pratiquement impossible, car il y avait très peu d'entreprises qui faisaient du commerce de détail strictement sur Internet et qui pouvaient présenter un historique de rendement. Mais Jeff Bezos avait quelques informations sur les sommes que d'autres entreprises Internet tentaient d'obtenir auprès d'investisseurs privés. «Jeff était au courant de ce qui se passait», dit Eric Dillon. «Nous avons examiné la situation de long en large. À la fin de la conversation, la valeur d'*Amazon.com* était passée de 6 millions de dollars à 5 millions de dollars, et c'est sur cette base que se fit l'investissement initial. Jeff m'a dit: "Vous êtes un négociateur-né. Il faut que vous fassiez partie du Comité consultatif de l'entreprise."»

Même si, en soi, cette différence d'un million de dollars dans l'évaluation de l'entreprise peut sembler minime, elle était énorme car la valeur des actions des premiers investisseurs faisait un bond prodigieux de 18 %. Avec la croissance qu'avait connue l'entreprise, incluant les nombreux fractionnements de l'action, cette diminution de l'évaluation de 6 millions de dollars à 5 millions de dollars se traduisait par des gains de dizaines de millions de dollars pour ces investisseurs. L'énormité absolue de cette décision «fut probablement la plus grosse négociation relative à l'évaluation jamais faite chez *Amazon.com*», selon les dires de Eric Dillon.

Entre-temps, Jeff Bezos s'était également entretenu avec d'autres investisseurs éventuels de Seattle. Un avocat qui travaillait avec un groupe d'investissement local communiqua avec Tom Alberg, l'une des éminences grises du monde des affaires et de la politique de la ville, et lui parla de Jeff Bezos et de son idée. Diplômé de l'université Harvard et de la faculté de droit de l'université Columbia, Tom Alberg avait récemment touché à l'industrie du téléphone cellulaire, d'abord en tant que président (et directeur) de la *LIN Broadcasting Corporation*, et ensuite en tant que vice-président directeur de *McGraw Cellular Communications Inc*. (Ces deux entreprises font maintenant partie de *At&T Corp*.). Tom

Alberg, un homme posé âgé d'une cinquantaine d'années, et l'avocat qui l'avait appelé, rencontrèrent Jeff Bezos qui leur exposa son projet d'entreprise d'une vingtaine de pages, ainsi que quelques prévisions financières. Une statistique leur sauta aux yeux: le taux de rotation des stocks d'*Amazon. com* pouvait atteindre 70 renouvellements par année, comparativement à 2,7 dans les librairies traditionnelles.

Cela intéressa Tom Alberg. «L'Internet m'intriguait», dit-il. «Je commençais tout juste à me servir de *Netscape*. Et je me rappelais comment j'avais essayé de comprendre, à la fin des années 1980, de quelle façon fonctionnait l'horrible système en ligne de GE.»

L'autre avocat, qui représentait le groupe de capital-risque, «réagit avec un zèle classique», dit Alberg. «Il appela tous les intervenants dans l'industrie du livre. Il mena sa petite enquête dans toute la ville, puis dans tout le pays. Et il conclut qu'*Amazon.com* n'avait pas une chance car [il croyait que] lorsque *Barnes & Noble* lancerait son site, elle écraserait *Amazon*. *Barnes & Noble* bénéficiait de rabais importants chez les éditeurs. *Amazon* ne pourrait jamais soutenir la concurrence. Elle se ferait balayer.»

L'avocat refusa d'investir. Tom Alberg comprenait pourquoi. «Le marché du livre ne semblait pas tout à fait approprié. Je crois que la principale pierre d'achoppement pour les investisseurs éventuels se résumait au fait que nous aimons tous nous rendre dans les librairies. J'ai entendu des centaines de gens dire: "J'adore aller flâner dans une librairie. Pourquoi est-ce que j'achèterais des livres sur Internet?"»

Jeff Bezos avait une réponse à cette question. Il croyait qu'*Amazon.com* pouvait réussir car il s'agissait d'un commerce qui ne pouvait exister nulle part ailleurs que sur Internet. Voici comment il expliqua son point de vue dans le cadre d'une étude menée en 1997 par des chercheurs de la *Harvard Business School*, portant sur la création de la société:

«Le livre était l'une des rares – et peut-être la seule – catégorie de produits où l'ordinateur avait déjà joué un rôle en matière de vente. Les librairies avaient depuis longtemps un comptoir de renseignements où un préposé se servait d'un ordinateur pour aider les clients à trouver ce qu'ils cherchaient. Les ordinateurs servaient déjà à vendre des livres. On pouvait voir à quel point les fonctions de tri et de recherche pouvaient être utiles lorsque les stocks étaient considérables. Mais ce n'était pas le plus important. Le plus important, c'était qu'il était possible de fonder une librairie sur le Web qui ne pourrait tout simplement pas exister autrement. Le Web est une technologie naissante. Pour réussir à court et à moyen termes, il faut absolument offrir une incroyable valeur ajoutée aux clients, comparativement à une façon plus traditionnelle de faire les choses. Au fond, cela signifie qu'actuellement, on ne devrait offrir en ligne que ce qu'on ne pourrait offrir autrement.»

Amazon.com pouvait donc instaurer un modèle d'affaires en ligne basé sur un taux élevé de rotation des stocks à partir d'une base opérationnelle centralisée et générant peu de frais généraux. L'efficacité de ce modèle était spectaculaire du point de vue monétaire. Au jour zéro, un livre commandé serait inscrit à la liste d'inventaire d'*Amazon.com*. Dix-huit jours plus tard (en moyenne), un client achèterait ce livre. Et encore deux jours plus tard, la compagnie de cartes de crédit créditerait du montant de la transaction le compte bancaire d'*Amazon.com*, qui aurait alors 53 jours pour payer le fournisseur. Cela signifiait qu'*Amazon.com* aurait donc un cycle d'exploitation négatif de 33 jours. Par comparaison, dans une librairie traditionnelle, le client achetait en moyenne après 161 jours d'entreposage. Le magasin obtenait le paiement au jour 163 alors qu'il devait payer son fournisseur au jour 84, ce qui correspondait à un cycle d'exploitation positif de 79 jours.

Par conséquent, ce cycle d'exploitation négatif de 33 jours donnerait à *Amazon.com* un énorme avantage en termes de flux monétaire. Et, comme l'entreprise commanderait la majorité des livres après les avoir vendus, il lui serait possible de renouveler ses stocks (composés d'un nombre relativement restreint de best-sellers) 150 fois par année, comparativement à quatre fois par année pour un magasin traditionnel. Les paiements par cartes de crédit seraient rapidement versés au compte d'*Amazon.com*, ce qui générerait, pendant environ un mois, du capital disponible. Cet argent, ajouté aux dizaines de millions de dollars de revenus annuels, contribuait en grande partie au paiement des frais généraux d'*Amazon.com*.

Amazon.com ne prévoyait pas que l'augmentation du nombre de clients entraînerait une augmentation des coûts. Cela semblait sensé. Contrairement à un magasin traditionnel, un site Web pouvait être construit à peu de frais. L'infrastructure externe, c'est-à-dire les ordinateurs personnels des clients et les connexions Internet, existait déjà et permettrait à l'entreprise de rejoindre le public à l'échelle mondiale, à partir d'un lieu centralisé. La majorité de ses frais étant fixes (à l'exception des frais reliés aux commandes et au service à la clientèle), la société pourrait générer, avec ses ventes, des revenus qui permettraient de compenser les sommes consacrées aux dépenses d'exploitation.

Par conséquent, si Jeff Bezos avait raison, *Amazon.com* pourrait investir davantage en matière de systèmes et de services, tels que la promotion de la marque, le comarketing, l'amélioration des caractéristiques des produits et le service à la clientèle. (Bien sûr, ces frais variables seraient plus tard extraordinairement élevés). Et, comme les puces étaient de plus en plus abordables et la largeur de bande élargie, on pouvait espérer une exploitation plus efficace et sur une plus grande échelle. Finalement, Jeff Bezos savait qu'en effectuant le suivi des habitudes d'achat en ligne (et d'autres données pertinentes), il pourrait offrir un service à la clientèle personnalisé unique en son genre, et aussi mieux prévoir la demande.

Persuadé que plus grande serait la demande, plus il y aurait d'occasions d'améliorer le système, Jeff Bezos croyait qu'*Amazon.com* devait connaître une croissance aussi rapide que possible avant que la concurrence ne s'ouvre les yeux.

Malgré ce scénario idéal, Jeff Bezos n'avait aucune certitude quant à la rapidité avec laquelle les clients s'habitueraient à faire des achats en ligne et à se servir de ce qu'il appelait «cette technologie primitive et naissante»[1]. Il a dit, lors d'une allocution: «Le problème majeur lorsque les clients font quelque chose de totalement nouveau, c'est qu'ils ne s'adaptent pas à cette nouvelle habitude – quelle qu'en soit la commodité. Même s'ils ont accès au Web, ils ne pensent pas à s'asseoir devant leur ordinateur pour commander un livre. Ils font ce qu'ils ont toujours fait: en rentrant à la maison, ils s'arrêtent dans une librairie et y achètent un livre.» Dans son programme de financement et de gestion initial, Jeff Bezos estime qu'il faudra plusieurs années de patience pour amener les clients à se sentir à l'aise avec l'achat de livres en ligne.

Mais, à sa grande surprise, les choses se passèrent autrement. «Nous n'avions pas tenu compte du fait qu'à l'époque,

---

1.   Allocution donnée au Lake Forest College, le 26 février 1998.

tous les utilisateurs de l'Internet... étaient ce que les démographes appellent des "adoptants de fraîche date". C'étaient les premiers utilisateurs d'ordinateurs et de téléphones cellulaires. C'étaient les premiers dans *tout*. Ils étaient disposés à prendre de nouvelles habitudes. Et ils les adoptaient très rapidement.» Cette évolution est étayée par une étude menée en 1996 par l'*American Booksellers Association*, qui révèle que 28 % de tous les consommateurs de livres – presque le double de la moyenne nationale de 17 % – étaient susceptibles d'utiliser la technologie en ligne. La moitié des consommateurs âgés de moins de 50 ans dirent qu'ils achèteraient probablement des livres sur Internet. Manifestement, le marché existait bel et bien, et il n'attendait qu'un entrepreneur astucieux qui saurait tirer parti de la situation.

Même s'il n'était pas prêt à s'engager formellement, Tom Alberg était impressionné par Jeff Bezos. Ce dernier resta en contact avec Alberg en l'informant chaque semaine du chiffre d'affaires d'*Amazon.com* et des commandes provenant d'autres États ou d'autres pays. «Quand je pense à ces événements rétrospectivement, il est aisé de dire à quel point il était manifestement brillant, attaché à son but et analytique», dit Tom Alberg. «Il semblait avoir réfléchi à tous les aspects de la situation. On sait si quelqu'un a la trempe d'un directeur général uniquement lorsqu'il a occupé ce poste pendant un certain temps. Au Jour Un, les gens croyaient que Bill Gates était très intelligent, mais ils ne savaient pas qu'il serait un aussi bon directeur général.

«Il en va de même avec Jeff. Jeff savait jongler avec les chiffres, mais l'analyse financière n'était probablement pas le point fort de sa présentation, car ce n'était pas [un plan] des plus ingénieux. Toutefois, son analyse du marché était bonne, car il pouvait apporter une réponse à un grand nombre de questions. D'un autre côté, les prévisions qui

figuraient dans les premiers états financiers étaient incroyablement modestes si on les compare aux résultats réels – et
elles montraient un bénéfice. Et ce, rapidement.»

La proposition faite par Jeff Bezos en 1995 comportait
deux scénarios: une croissance modérée et une croissance rapide. Son plan de croissance modérée prévoyait un bénéfice
de 49 504 $ à la fin de l'exercice financier se terminant le
30 septembre 1997, avec des ventes de l'ordre de 11 522 584 $;
le plan de croissance rapide prévoyait un bénéfice de
142 605 $ pour des ventes totalisant 17 735 703 $ pour la
même période. Ce plan de croissance rapide ne prévoyait
pas atteindre les 100 millions de dollars de ventes avant le
30 septembre 2000. Le succès qu'allait remporter *Amazon.com*
allait bientôt rendre ces chiffres ridicules.

Mais, en privé, Jeff Bezos confia son optimisme à ses
employés. «Je me rappelle qu'il m'a dit avoir l'intention de
bâtir une entreprise qui vaudrait un milliard de dollars en
l'an 2000», dit Nicholas Lovejoy. «Je trouvais ça loufoque,
mais en même temps, j'adorais son énergie. Il y croyait vraiment.»

Bien qu'il n'en parla pas aux investisseurs éventuels,
Jeff Bezos avait toujours su qu'*Amazon.com* serait un jour
bien plus qu'un commerce de livres. «Les livres ont toujours
été le prélude à autre chose», dit Nicholas Lovejoy. «À cette
époque, je faisais un peu de kayak. Jeff me disait: "Un jour,
lorsque tu accéderas au site d'*Amazon.com*, je ne veux pas que
tu te contentes de faire une recherche sous *kayak* et de
trouver tous les livres sur ce sujet. Tu devrais également être
en mesure de lire des articles sur ce sport et de t'abonner à
des magazines spécialisés. Tu devrais être en mesure d'a-
cheter des forfaits-kayak n'importe où dans le monde et tu
devrais pouvoir te faire livrer un nouveau kayak chez toi. Tu

devrais être en mesure de discuter de kayak avec d'autres kayakistes. On devrait pouvoir y trouver tout ce qui se rapporte au kayak, et la même chose est vraie pour tout le reste." Cette vision grandiose était déjà présente, très claire et non ambiguë. Il n'y a aucun doute là-dessus. Les livres n'étaient que le point de départ.»

Mary Meeker, la célèbre analyste d'Internet chez *Morgan Stanley Dean Witter*, tapa dans le mille lorsqu'elle discuta de l'orientation future d'*Amazon.com* avec le *Wall Street Journal* en décembre 1999: «Peut-être que nous nous rendrons compte dans dix ans que les livres ne constituaient qu'un cheval de Troie.»

Optimisme mis à part, Jeff Bezos avait tout de même besoin d'argent. «Il faut que tu signes un chèque», disait un Jeff Bezos frustré à Nick Hanauer. «J'ai besoin d'argent pour agir. Personne d'autre n'agira. Et il faut faire quelques chose.» Nick Hanauer accepta de signer un chèque en échange d'une option de souscription à des actions. Peu après, vingt autres personnes investirent dans l'entreprise, dont Tom Alberg. En général, les sommes investies étaient de l'ordre de 30 000 $, selon l'un de ces investisseurs bâtisseurs. À la fin de 1995, Jeff Bezos avait accumulé des fonds de 981 000 $. «S'il lui avait fallu amasser 5 millions de dollars, il n'aurait jamais réussi», dit Tom Alberg.

La confiance qu'il affichait en privé relativement à la réussite d'*Amazon.com* est démentie par les paroles qu'il prononce en 1998 lors d'une allocution où il décrit ses activités de mobilisation de capitaux. Reconnaissant les nombreuses embûches auxquelles font face les entreprises qui démarrent, il raconte à l'auditoire du Lake Forest College: «Je pressentais un échec. J'ai dit à tous ces investisseurs de la première heure qu'ils ne reverraient certainement pas la

---

couleur de leur argent. Je crois que c'est une bonne technique lorsque vous acceptez l'argent d'amis et de parents, surtout si vous voulez qu'ils continuent à vous inviter à déjeuner le jour de l'Action de grâces.»

Comme Jeff Bezos était le seul Amazonien à avoir de l'expérience en gestion d'entreprise, il demanda, en décembre 1995, à Tom Alberg, Nick Hanauer et Eric Dillon de faire partie à titre d'office d'un Comité consultatif.

Le site Web d'*Amazon.com* accueillait alors 2 200 visiteurs par jour, ce qui était considérable en 1995 (le nombre de visiteurs atteindrait 80 000 par jour au printemps 1997). Au début de 1996, «nous expédiions de plus en plus de colis, les commandes étaient en hausse et nous commencions à avoir une bonne idée de ce qui serait la prochaine étape. Il nous fallait davantage d'espace», dit Paul Barton-Davis. En attendant qu'ils puissent déménager, le propriétaire de l'édifice *Color Tile* leur permit d'occuper temporairement une superficie de 186 mètres carrés, soit presque le double de l'espace qu'ils louaient auparavant.

Bien que ne suffisant pas à répondre à leurs besoins, «ce nouvel espace était superbement organisé, et de façon très amusante; notre centre de distribution actuel est bien différent», dit Jeff Bezos. À cette époque, les livres étaient directement acheminés vers l'entrepôt et placés dans des casiers identifiés au nom du client. On pouvait ainsi facilement trouver les ouvrages qui composaient la commande d'un client. «Il était très intéressant», dit Jeff Bezos, de constater ce que les gens achetaient. «Un jour, j'ai remarqué une commande de trois ouvrages intitulés *Comment faire l'amour tout habillé: 101 façons de courtiser votre mari, Comment faire l'amour tout habillé: 101 façons de courtiser votre femme* et *Guide de planification pour des vacances à Hawaii*. Je me suis dit: "Ce qui se prépare là est très clair."»[1]

Au début de mars 1996, *Amazon.com* déménagea pour la deuxième fois en cinq mois, cette fois à seulement deux pâtés de maisons vers le nord, au 2250 de la 1re Avenue Sud, dans un édifice à deux étages d'une superficie de 1 579 mètres carrés pourvu d'un grand espace d'entreposage. «Jeff nous dit que nous ne resterions que six mois, dix tout au plus», se rappelle Paul Barton-Davis. «Shel et moi nous demandions de quoi il parlait. En parcourant ces nouveaux locaux, nous nous disions: "Il doit plaisanter. Il est impossible qu'on remplisse tout cet espace en six mois." Personne ne trouvait ce nouvel emplacement très excitant, mais c'est ce que nous avions trouvé de mieux. C'était grand, il y avait quelques bureaux et suffisamment d'espace pour une éventuelle croissance. À tel point que, nous semblait-il, celle-ci pourrait s'étaler sur une éternité. Mais en réalité, nous avons occupé toute la place en très peu de temps. Cinq mois, en fait.»

Au début de 1996, *Amazon.com* se dirigeait vers un revenu annuel d'environ 5 millions de dollars. «Nous commencions à nous rendre compte de la vitesse à laquelle la société grandissait sans que nous ayons à remuer le petit doigt», dit Eric Dillon.

L'ARRIVÉE DES SPÉCIALISTES DU CAPITAL-RISQUE

Au début de 1996, Ramanan Raghavendran trouva le site d'*Amazon.com* alors qu'il naviguait sur le Web, qui était

---

1. Allocution devant l'Association of American Publishers, Washington, D.C., 18 mars 1999.

encore une entité assez peu connue pour quiconque ne faisait pas partie de l'élite digitale. «J'ai saisi le téléphone et j'ai
appelé Jeff Bezos sur-le-champ», dit Ramanan Raghavendran, qui était alors associé principal chez *General Atlantic
Partners*, une importante société d'investissement de capital
de risque établie à Greenwich, Connecticut. Ce fut le premier
représentant de sa spécialité à prendre contact avec Jeff
Bezos. Ramanan Raghavendran était responsable de la majorité des investissements reliés à l'Internet chez *General
Atlantic*, une société spécialisée dans le financement d'entreprises de logiciels. «J'ai eu une conversation extraordinaire
avec Jeff. Nous nous entendîmes à merveille car je partageais
entièrement sa vision.»

Ramanan Raghavendran entreprit alors de convaincre
sa société de la valeur d'*Amazon.com*. «C'était en quelque
sorte un défi puisque *General Atlantic* n'investissait que dans
des entreprises déjà bien établies et qu'*Amazon.com* était une
entreprise naissante», dit Ramanan Raghavendran.

«Cela nous étonnait que quelqu'un s'intéresse à nous»,
dit Eric Dillon. «Tout de suite, Jeff avait demandé: "Qu'est-ce
que cela signifie? Quelle est notre valeur *réelle?*"»

Ramanan Raghavendran et quelques-uns de ses collègues de la *General Atlantic* vinrent rencontrer Jeff Bezos, Tom
Alberg et Eric Dillon. «Nous avons été encore plus enthousiasmés par l'entreprise, et par Jeff en particulier», se rappelle
Ramanan Raghavendran. Peu de temps après cette rencontre, Raghavendran appela Jeff Bezos de Hong Kong et lui
exposa les conditions d'une entente entre *Amazon.com* et
General Atlantic. Autant que s'en souvienne Eric Dillon,
General Atlantic offrait d'investir un million de dollars par
tranche de 10 millions de dollars de capitalisation. Monsieur
Raghavendran, qui est aujourd'hui le directeur général

d'*Insight Capital Partners*, a refusé de confirmer ces chiffres, mais il a reconnu que «l'investissement était plus important [que ce dont se rappelait Eric Dillon], mais que la fourchette d'évaluation n'était pas très éloignée de notre proposition.»

L'offre de *General Atlantic* fut un grand tournant pour *Amazon.com*. «Nous pensions qu'il serait fabuleux d'aller chercher 20 ou 30 millions de dollars», dit Tom Alberg. Les Amazoniens arrivèrent rapidement à la conclusion suivante: «S'ils acceptent de nous donner de l'argent, alors il convient de s'en servir pour développer l'entreprise le plus rapidement possible», dit Eric Dillon. «À mon arrivée [au sein de l'entreprise], Jeff était persuadé que nous pourrions réaliser des profits immédiatement.» Mais lorsqu'ils commencèrent à recevoir des appels de sociétés d'investissement en capital de risque, les dirigeants d'*Amazon.com* arrivèrent à ce que Eric Dillon décrit comme une «voie de croisement». «Nous avons cessé de parler de bénéfices et nous avons commencé à envisager des moyens de dominer le marché» et de créer une entreprise multimilliardaire. «Nous avons compris que notre aventure nous avait menés bien au-delà de nos espérances; que nous *étions* le leader du marché et que nous ferions n'importe quoi pour maintenir notre position. Et nous étions tous d'accord pour dire: "Fonçons! Nous allons franchiser et nous le ferons bien!" Nous avons réorienté notre élan. Nous avions le vent dans les voiles et il nous fallait conserver cette allure. Il nous fallait générer des revenus. Il nous fallait être la première entreprise virtuelle à faire de la publicité à l'échelle nationale.»

La nouvelle approche d'*Amazon.com* s'inscrit très bien dans l'esprit d'entreprise qui animait les débuts de l'Internet. Marc Andreessen, le cofondateur de *Netscape*, résume succinctement: «L'une des leçons fondamentales est que la part du marché équivaut maintenant aux revenus futurs, et que si vous ne détenez pas dès maintenant une part du marché, il n'y aura pas de revenus futurs. Une autre leçon fondamentale se résume à ceci: quiconque s'approprie le volume remporte la partie. Ce sont des victoires bien évidentes.»[1]

Robert Reid, l'auteur de l'ouvrage intitulé *Architects of the Web* et publié en 1997, développe ce concept:

«Ce profil de croissance a entretenu une mentalité et un comportement artificiels chez les entreprises Internet; rejetant à peu près tous les principes confirmés par l'expérience, permettant de créer méthodiquement une affaire, les entreprises Internet ont adopté une approche basée sur la croissance-à-tout-prix, l'absence-de-profit, l'évaluation-la-plus-élevée-avant-tout-le-monde. Cette mentalité est maintenant connue sous le nom de «Get Big Fast».[2]

Elle repose sur deux éléments stratégiques: le premier étant que les occasions offertes par l'Internet – que ce soit dans le domaine du logiciel ou le domaine bancaire – sont nouvelles et non revendiquées, et donc disponibles pour qui veut s'en saisir.

Deuxièmement, ces occasions seront éventuellement très rentables pour ceux qui sauront en tirer parti.

En conséquence, les entreprises se lancent dans le marché de l'Internet les unes après les autres, dépensant de grosses sommes bien avant d'espérer réaliser des bénéfices afin de développer un marché et d'augmenter leur valeur par rapport à ce dernier. Elles se lancent dans cette nouvelle ruée vers l'or en espérant connaître un rendement sans précédent.

1. *Architects of the Web*, 1997.
2. Se propulser vers les plus hauts sommets.

Le monde de l'Internet est caractérisé par l'exagération lorsqu'il s'agit de croissance, de frénésie et d'argent.

«Se propulser vers les plus hauts sommets» devint rapidement le mantra d'*Amazon.com*. En 1996, lorsque l'entreprise organisa son premier pique-nique d'entreprise, Jeff Bezos distribua à chacun un tee-shirt sur lequel étaient gravés les mots «Get Big Fast»[1].

La notoriété de l'entreprise s'élargit lorsque, le 16 mai 1996, *Amazon.com* et Jeff Bezos firent la une du *Wall Street Journal* sous le titre: «Comment le démon de *Wall Street* a trouvé un créneau en vendant des livres sur Internet». Le journaliste s'extasiait sur le fait que le site Web d'*Amazon.com* «était devenu une sensation d'avant-garde pour des milliers d'amateurs de livres à travers le monde, qui passaient des heures à explorer sa base de données, à lire en ligne les comptes rendus amusants d'autres lecteurs – et à commander des piles de livres.» Il ajoutait également qu'*Amazon.com* avait des clients dans 66 pays, incluant la Bosnie, déchirée par la guerre, d'où plus de deux douzaines d'Américains nostalgiques avaient commandé des livres. Le lieutenant Clyde Cochrane III envoya un e-mail à *Amazon. com.*: «Cela servira à rendre ce déploiement plus supportable.»

La genèse de cet article du *Journal* remonte à une réunion de l'*American Association of Publishers* en mars 1996. Le journaliste demanda à Alberto Vitale, qui était alors président du conseil d'administration de *Random House Inc.*, ce qui était à son avis nouveau et excitant dans l'industrie. «Je lui ai dit: "Si vous voulez explorer quelque chose de vraiment nouveau et différent, allez à Seattle et penchez-vous sur

---

1.   Ibidem.

Amazon.com" », dit Alberto Vitale. «Il écrivit plus tard cet article. Et c'est ce qui mit *Amazon* au monde.»

Et quelle naissance! Cet article engendra une telle affluence sur le site qu'il s'en trouva presque débordé. «Le volume des ventes doubla ce jour-là», se rappelle Nicholas Lovejoy. «C'était un indicateur. Et le volume des ventes augmenta encore le lendemain, et le surlendemain, et le jour d'après.»

Jeff Bezos qualifierait plus tard cette histoire du *Journal* de bénédiction et de malédiction. Étant donné qu'*Amazon. com* ne faisait encore aucune publicité et qu'elle dépendait à cet égard du téléphone arabe et des relations publiques, l'article fut une bénédiction car il fit connaître l'entreprise sur une grande échelle et lui gagna un grand nombre de nouveaux clients. «Bien servis, ces gens devenaient des évangélistes pour nous», dit Jeff Bezos. Jane Radke Slade, une spécialiste du service à la clientèle chez *Amazon.com*, renchérit: «Si nous n'avions pas fait la une du *Wall Street Journal* et si les gens n'avaient pas considéré *Amazon.com* comme une entreprise solvable, ils ne nous auraient pas donné leur numéro de carte de crédit.»[1]

D'un autre côté, l'article informa la concurrence de l'existence d'*Amazon.com*.

Entre-temps, Jeff Bezos reporta sa décision quant à l'offre de *General Atlantic*. Grâce à leurs contacts à Wall Street, les Amazoniens étaient tenus au courant de ce qui se passait dans l'arène des investisseurs de capital-risques. «Nous avons compris assez rapidement qu'il nous fallait viser une capitalisation de plus de 50 millions de dollars», dit Eric Dillon.

1. *Seattle Times*, 5 janvier 1997.

En même temps, ils étudièrent des possibilités de partenariat stratégique avec des entreprises telles que TCI, le géant de la télévision par câble, et CUC International Inc., un club de vente au rabais par catalogue et téléphone qui faisait depuis peu des affaires en ligne. Mais ces pourparlers ne menèrent à aucune entente. (CUC devint plus tard *Cendant* et acheta *Books.com*.).

C'est *Kleiner Perkins Caufield & Byers* que Jeff Bezos et compagnie souhaitaient le plus ardemment approcher. C'était la société d'investissement de capital de risque dominante de Silicon Valley et elle avait financé des entreprises telles que *Netscape*, *Intuit*, *Sun Microsystems*, *Compaq*, *Marimba*, *Home* et *Macromedia*. Le plus célèbre associé chez Kleiner était un homme efflanqué et portant des lunettes appelé L. John Dœrr, que l'on avait surnommé «l'avatar du Web»[1] et qui était considéré par plusieurs comme étant la première personne à avoir reconnu le potentiel d'Internet. L'un des principes clés de la stratégie d'investissement de John Dœrr visait à créer ce qu'il décrit comme un *keiretsu* – le terme japonais pour désigner un réseau d'entreprises commerciales dont les directions et les investissements sont imbriqués et qui sont reliés à une banque centrale.

La version du *keiretsu* de Dœrr se traduisait par un réseau reliant les sociétés de *Kleiner Perkins*. Par exemple, le logiciel *Quicken* d'*Intuit* incorpora le *Navigator* de *Netscape*; et *Netscape* et *Macromedia* furent parmi les premiers à adopter le logiciel *Java* de *Microsystems*. Les directeurs de ces entreprises se réunissaient périodiquement afin de consolider leurs relations et de s'aider mutuellement. «Le *keiretsu* part du principe qu'il est très difficile de créer une importante société et que le moyen le plus sûr et le plus rapide de fonder une nouvelle

---

1. *Fast Company*, février 1997.

entreprise est de travailler avec des partenaires»[1], dit John Dœrr.

«J'ai laissé quatre messages téléphoniques à John Dœrr», se rappelle Eric Dillon. «J'ai œuvré dans le domaine de la vente toute ma vie. Je sais comment vendre. Les messages que je lui ai laissés étaient on ne peut plus accrocheurs. Mais il ne m'a pas rappelé.»

Amazon.com avait pourtant quelques liens avec *Kleiner Perkins*. Leslie Koch, son vice-président au marketing, connaissait John Dœrr car ils avaient travaillé ensemble chez *Microsoft*. Tom Alberg était membre du conseil d'administration de *Visio Corp.*, un fabricant de logiciels basé à Seattle, ainsi que Douglas McKenzie, un associé chez *Kleiner*. Finalement, peu après sa première rencontre avec *General Atlantic*, Jeff Bezos reçut un appel de *Kleiner*. «Je me trouvais dans le bureau de Jeff lorsque le téléphone sonna», dit Eric Dillon. «Jeff dit: "Nous avons reçu une offre fantastique de quelqu'un d'autre. Si vous voulez faire partie de cette entente, vous devez être prêt à ouvrir vos coffres et vous trouver dans mon bureau demain."» Jeff Bezos, Eric Dillon, et Nicholas Hanauer se sentaient tout à coup très sûrs d'eux, «car nous pouvions obtenir des fonds» de *General Atlantic*. Soudain, *Amazon.com* était la fille la plus populaire sur la piste de danse.

L'entreprise fut inondée d'appels de spécialistes du capital-risques. «Nous faisions des plaisanteries et parlions de modifier le message d'accueil de notre système de messagerie vocale pour dire: "Si vous êtes un client, appuyez sur le un, si vous êtes un spécialiste du capital-risques, appuyez sur le deux"[2], dit Jeff Bezos, qui invita John Dœrr à Seattle pour

1. *Red Herring*, février 1998.
2. *New Yorker*, 11 août 1997.

lui faire visiter les bureaux d'*Amazon.com*. Il semble qu'ils se sont tout de suite très bien entendus, mais John Dœrr dit à Jeff Bezos qu'il croyait l'évaluation de l'entreprise exagérée. Aucune entente ne fut conclue.

Entre-temps, Jeff Bezos, Eric Dillon et Leslie Koch eurent une rencontre avec *General Atlantic*, à son siège social de Manhattan. «Je nous revois, Jeff et moi, assis dans les bureaux de *GA* la veille de la rencontre, en train de revoir le modèle financier qu'il allait présenter», dit Ramanan Raghavendran. «Comme vous pouvez l'imaginer, c'était un modèle plutôt extravagant. Il parlait d'une croissante fulgurante d'*Amazon.com*, avec des revenus de 800 millions de dollars. J'ai dit: "Jeff, ce sera peut-être le cas, mais pour être crédible devant un groupe d'investisseurs raisonnables, il faut que vous soyez plus modéré dans vos prévisions." Il me répondit: "Je crois que c'est ce que nous allons faire." Avec du recul, je constate qu'il n'avait pas exagéré.»

Eric Dillon appela cette rencontre «la danse finale» avec *General Atlantic*. «Jeff me faisait jouer le rôle du dindon. J'étais heureux de le faire. Ça faisait partie de mes compétences.» Après une heure et demie de discussion, il fut question de la capitalisation de l'entreprise. «Nous avions décidé avant la rencontre que nous n'accepterions l'argent [de *General Atlantic*] que si elle consentait à nous accorder une évaluation de 100 millions de dollars. Je n'ai pas dit un mot pendant cette heure et demie. Et tout à coup, tous les regards se tournèrent vers moi.

«Je dis: "Nous estimons que nous devrions déterminer attentivement quelle est la meilleure voie pour nous en acceptant de l'argent. Nous ne signerons une entente avec vous aujourd'hui que si vous acceptez de nous donner une évaluation de 100 millions de dollars.» L'expression de tous ceux qui étaient assis autour de la table donna soudain à penser qu'on leur avait versé une bonne dose de cyanure au fond de la gorge. Ils souhaitaient ardemment conclure cette entente. Ils comprenaient Jeff et ils comprenaient son entreprise. Mais c'était vraiment aller trop loin. Nous avions retenu le chiffre de 100 millions de dollars parce qu'il était tout simplement stupéfiant et exorbitant. D'autre part, nous allions continuer à faire nos devoirs» en cherchant d'autres sociétés d'investissement de capital de risque. «Plus tard, Jeff et moi sommes allés dîner et nous avons ri toute la soirée de leur réaction. Dans l'histoire d'*Amazon.com*, c'était simplement une journée très amusante.»

Kleiner faisait toujours partie du décor. «Il fallait lutter comme des fous pour obtenir le droit d'investir dans *Amazon*», dit John Dœrr. «Jeff nous approcha le même jour que Scott Cook d'*Intuit*. Jeff dit: "Je n'ai pas l'intention de semer trente programmes de financement et de gestion tout au long de *Sand Hill Road* (où sont regroupés la majorité des spécialistes du capital-risques de Silicon Valley). Personne n'y fera attention. À la place, je vais me servir de mon réseau d'amis pour découvrir les bonnes sociétés d'investissement, celles qui conviennent le mieux à *Amazon.com*.»[1]

General Atlantic revint avec une évaluation de 50 millions de dollars. «Jeff dit: "Nous avons déjà une offre à 50 millions de dollars. Que diriez-vous de 70 ou 80 millions de dollars?"», se rappelle Tom Alberg. «Sa théorie était la suivante: "Prenons le pouls du marché." Et puis John Dœrr a dit: "Nous pouvons aller jusqu'à 40 ou 50; ce que nous offrons est considérable et vous devriez le reconnaître." Et puis *General Atlantic* proposa une évaluation de 50 à 70 millions de dollars», mais elle était basée sur ce que rapporterait éventuellement un premier appel public à l'épargne. «L'offre était

---

1. *Fast Company*, février 1997.

sur la table. Nous avions une proposition en main et tout le tralala qui s'ensuit.»

Finalement, c'est le charme de *Kleiner Perkins* qui fit pencher la balance. «En fin de compte, nous avons perdu pour deux raisons», dit Ramanan Raghavendran. «Premièrement, *Kleiner* laisse une empreinte gigantesque dans le monde d'Internet, et c'est plutôt convaincant, et deuxièmement, nous n'étions pas très à l'aise avec l'évaluation sur la base de laquelle l'entente aurait été conclue. Si l'on compare avec la capitalisation actuelle d'*Amazon.com*, cette évaluation était insignifiante. Mais c'est faire preuve de sagesse rétrospective. J'aurais accepté la transaction à une évaluation beaucoup plus élevée. La vérité c'est que *GA* se trouvait contrainte par sa propre politique d'investissement, dont je fais l'éloge, car parfois on gagne et parfois on perd.»

Jeff Bezos et compagnie choisirent *Kleiner*, qui était la crème des sociétés d'investissement de capital de risque. Mais avant de conclure l'entente, Jeff Bezos voulait régler un dernier détail: qui chez *Kleiner* se joindrait au conseil d'administration d'*Amazon.com*? Jeff Bezos demanda à Tom Alberg de lui recommander quelqu'un. «Je lui ai dit que nous devrions tenter d'aller chercher John Dœrr», se rappelle Tom Alberg. Mais Jeff Bezos dit que John Dœrr avait déjà annoncé qu'il n'était pas intéressé à se joindre à un autre conseil. «Mais j'ai insisté.» Jeff Bezos dit donc à *Kleiner Perkins* qu'*Amazon.com* accepterait son offre *uniquement* si John Dœrr consentait à être membre de son conseil d'administration.

John Dœrr commença par refuser. Jeff Bezos marchait «en quelque sorte sur des œufs», dit Eric Dillon. «Jeff était tout à fait prêt à leur tourner le dos.» À la fin de la journée, toutefois, John Dœrr accepta de devenir président du conseil d'administration. *Amazon.com* accepta l'offre de *Kleiner* de

8 millions de dollars basée sur une évaluation de 60 millions de dollars, soit une participation d'un peu plus de 13 % dans l'entreprise, ce qui porta les 3 401 376 actions ordinaires de *Kleiner* à 2,35 $ l'action.

«Une somme de 8 millions de dollars est insignifiante si on la compare à ce qui se fait aujourd'hui dans le monde de l'Internet», dit Tom Alberg. «C'était vraiment peu d'argent.» En restreignant la participation de *Kleiner* à 13 %, Jeff Bezos limitait la dilution des actions et en maintenait la valeur pour les premiers actionnaires. «Cela ressemble à l'histoire de *Microsoft*», ajouta Tom Alberg. «Ils ne se sont presque jamais procurés de capitaux [auprès d'investisseurs de l'extérieur]. C'est pour cette raison que Bill Gates détient un pourcentage si élevé de l'entreprise. Et c'est la même chose pour Jeff [au début, il en détenait 42 % personnellement, et sa famille 10 %]. *Amazon* n'a jamais beaucoup misé sur le financement par capitaux propres. Jeff a vendu très peu d'actions. Il ne retirait pas beaucoup de cartes de son jeu.»

Tom Alberg compare aussi Jeff Bezos à son ancien patron, Craig McCaw qui, après avoir vendu *McCaw Cellular* à *At&T* pour la somme de 11,5 milliards de dollars en 1994, réintégra immédiatement l'industrie des télécommunications avec des entreprises comme *Nextlink Communications* et *Nextel Communications*. «Les gens persistent à penser que Craig est sur le point de vendre, mais il ne le fait pas. C'est un véritable entrepreneur. Ce n'est pas seulement une question d'argent; il croit en ce qu'il fait et sa façon démesurée de faire les choses lui donne un sentiment d'accomplissement. Craig a une vision et c'est de répandre l'utilisation du téléphone sans fil à travers le monde. Dans le cas de Jeff, c'est la puissance de l'Internet dans le monde du commerce électronique, avec tout ce que cela entraîne.»

Jeff Bezos dit qu'il a choisi *Kleiner Perkins* parce «Kleiner et John sont le centre gravitationnel d'une très grande partie du monde de l'Internet. Être avec eux, c'est comme faire partie du gratin[1]», signifiant par là que *Kleiner* était on ne peut mieux placé en termes d'alliances stratégiques (*keiretsu*) et de recrutement de directeurs exceptionnels. L'un des premiers gestes que posa John Dœrr après avoir investi dans *Amazon.com* fut de convaincre Scott Cook, le président d'*Intuit*, de devenir également membre du conseil d'administration. «Scott est un gars très obligeant et réfléchi et Jeff souhaitait désespérément qu'il fasse partie du Conseil», dit Eric Dillon. «Il le supplia.»

John Dœrr eut moins de succès lorsqu'il fit la même proposition à Michael Dell, le fondateur et président de *Dell Computer*. Selon certaines personnes qui sont au courant des détails de leur conversation téléphonique, John Dœrr dit à Michael Dell que «Jeff Bezos était le Michael Dell de l'Internet.» Ce à quoi Michael Dell répliqua: «John, je croyais que *j*'étais le Michael Dell de l'Internet.»

Avec cette injection de capitaux au printemps 1996, *Amazon.com* pouvait voir grand. «Nous allions créer une franchise et nous allions faire d'*Amazon.com* une énorme entreprise durable qui serait un chef de file dans son secteur d'activité», dit Eric Dillon. Dès lors, «tout ce que nous ferions serait dans cette optique. Nous étions maintenant en mesure de songer à dépenser un million de dollars pour une campagne de publicité ou à nous inscrire sur *Yahoo!* Rien ne pouvait nous arrêter. Nous allions tout faire pour dominer le marché. L'argent ne serait plus jamais un problème. Tout était possible.»

---

1. *New Yorker*, 11 août 1997.

À RETENIR

Comme n'importe quel autre entrepreneur qui réussit, Jeff Bezos a fait ce qu'il fallait faire, et il a dit aux gens ce qu'ils souhaitaient entendre. Il n'a posé aucun geste immoral, mais un fait est édifiant: il a dit aux premiers investisseurs éventuels que les ventes de l'entreprise atteindraient 100 millions de dollars en l'an 2000, mais il a dit à ses employés qu'il prévoyait plutôt des ventes de l'ordre d'un milliard de dollars en l'an 2000. Il a dit à certaines personnes qu'il pensait réaliser des profits dans deux ans; à d'autres, il a dit que la société ne serait pas rentable avant au moins cinq ans.

- Soyez prêt à perdre de l'argent si vous avez foi en votre projet.

- Trouvez des moyens d'améliorer le modèle d'affaires qui existe déjà dans le monde non virtuel. Par exemple, le fonds de roulement d'*Amazon.com* est de loin supérieur à celui des librairies traditionnelles.

- Le charisme de l'entrepreneur est parfois plus important que son idée.

- Si vous n'avez pas les moyens de faire de la publicité, ayez astucieusement recours à une campagne de relations publiques pour garder votre nom de marque bien vivant dans la mémoire des gens.

- Maintenez ouvertes les lignes de communications avec les investisseurs éventuels. (Jeff Bezos les informait de son chiffre d'affaires chaque semaine).

- Dites une chose aux investisseurs, et autre chose à vos employés.

- Propulsez-vous vers les plus hauts sommets.

chapitre sept

viser encore plus haut

«Prenez mes biens – mais laissez-moi mon entre-
prise et dans cinq ans j'aurai tout récupéré.»

– Alfred P. Sloan

*A*près s'être procuré des capitaux, Jeff Bezos s'attaqua
à la croissance de son entreprise en recrutant massivement des cadres intermédiaires et supérieurs et des
commis d'entrepôt. Au milieu de l'été 1996, l'édifice situé au
2250 de la 1re Avenue Sud était rempli d'employés et de matériel. Le stationnement du rez-de-chaussée fut rapidement
transformé en bureaux, une décision qui pousserait plus tard
Jeff Bezos à dire avec esprit: «Nous sommes la seule entreprise à avoir vu le jour dans un garage pour ensuite déménager dans un autre garage.»[1]

Gina Meyers, l'employée numéro 40, se rappelle: «Tous
les bureaux étaient occupés. Nicholas Lovejoy, Mackenzie, un
ou deux employés temporaires et moi-même étions installés

---

1.   *Web Week*, 19 août 1996.

dans une pièce qui servait également de cuisine. Les "bu-reaux-portes" étaient alignés les uns à la suite des autres. C'était encombré, bruyant et il faisait chaud.»

C'est dans cette atmosphère désordonnée que l'on te-nait des réunions avec des banquiers, souvent installés au milieu d'une pièce alors que des hordes d'employés s'agi-taient autour d'eux et que plusieurs chiens couraient un peu partout, entre autres Kamala, le golden retriever de Jeff et Mackenzie, et Rufus, un corgi qui appartenait à Eric et Sue Benson, deux nouvelles recrues. (Kamala tient son nom d'une métamorphose qui a eu lieu dans un épisode de *Star Trek : The Next Generation*, intitulé «The Perfect Mate».[1]) Même si les banquiers n'étaient pas habitués à une atmosphère aussi fiévreuse et dépourvue d'étiquette, ils acceptaient de la tolérer, car ils avaient lu l'article du *Wall Street Journal* relatant l'histoire d'*Amazon.com*.

Gina Meyers avait quitté son emploi chez *Data I/O Corpo-ration*, une entreprise de Redmond spécialisée dans le trai-tement des données, pour occuper le poste de vérificatrice des comptes et libérer Machenzie Bezos du fardeau de la comptabilité. À part les programmeurs, elle était l'une des rares personnes chez *Amazon.com* à avoir une formation et de l'expérience dans son domaine. L'embauche d'une personne versée dans les chiffres constituait une étape préliminaire es-sentielle en vue d'une éventuelle cotation en Bourse; *Amazon.com* se devait d'appliquer les normes de comptabilité généralement reconnues.

S'attelant à créer une culture d'entreprise à partir de zéro, Jeff Bezos se concentra sur le recrutement des meilleurs éléments, en partie grâce à l'insistance de John Dœrr. Se

---

1. Le partenaire idéal

qualifiant lui-même d'«excellent recruteur», Dœrr déclara: «De nos jours, il y a abondance de technologie, d'entrepreneurs, d'argent, de capital-risques. Ce qui est plus rare, ce sont les bonnes équipes. Le plus grand défi sera de bâtir une équipe exceptionnelle.»[1]

Paul Barton-Davis se rappelle un exemple illustrant la ferme intention qu'avait Jeff Bezos de n'embaucher que les meilleurs. Alors que le lancement d'*Amazon.com* était imminent, «il devenait évident pour Shel [Kaphan] et moi qu'il fallait grossir nos rangs», dit Paul Barton-Davis. «Nous insistions pour que Jeff embauche du personnel et nous avons interviewé au moins une demi-douzaine de candidats. Les discussions ne furent pas virulentes, mais une authentique divergence philosophique nous opposait tous deux à Jeff quant à savoir s'il fallait embaucher l'un ou l'autre de ces candidats. Nous soutenions que nous avions besoin de personnel et que si une personne était raisonnablement qualifiée et probablement en mesure d'effectuer le travail, eh bien il fallait l'engager. Mais Jeff était intraitable: si le candidat ne répondait pas à ses critères d'excellence, il n'était pas retenu.»

Il est intéressant de noter que, à cette époque, Paul Barton-Davis et Sheldon Kaphan craignaient que l'entreprise ne réussisse pas à attirer le type de personnes que Jeff Bezos souhaitait recruter, «car nous ne pouvions pas leur offrir les défis qui les auraient séduits», dit Paul Barton-Davis.

Mais ce problème se présenta rarement. Dès le début, dit Jeff Bezos, il avait cherché des gens «énergiques, appliqués et brillants», et capables «de recruter des éléments qui leur ressemblaient. Lorsque je faisais passer une entrevue à

---

1. *Fast Company*, février 1997.

quelqu'un, je consacrais environ un tiers de la rencontre à poser des questions uniquement destinées à déterminer si le candidat serait en mesure de recruter des gens intéressants. D'une certaine façon, c'était une méta-entrevue.» Il confia au *Wall Street Journal* que les dirigeants qui n'ont pas la confiance nécessaire pour embaucher l'élite «doivent comprendre que s'ils ne les embauchent pas, ils travailleront un jour pour eux». Jeff Bezos avait fait acte de foi en décidant qu'*Amazon.com* n'irait chercher que les meilleurs. Il affirma: «D'ici cinq ans, l'employé que j'ai engagé aujourd'hui dira: "Je suis heureux d'avoir obtenu cet emploi à cette époque, car aujourd'hui ma candidature ne serait pas retenue."» Il voulait également attirer des gens qui avaient un talent ou un don – sans rapport avec le travail – comme la musique ou l'athlétisme, qui ajouterait une dimension à leurs mérites, car «lorsqu'on travaille très fort et que les journées sont longues, on veut être entouré de gens qui sont intéressants et agréables à côtoyer.»[1]

Eric Dillon recommanda quatre de ses bons amis à *Amazon*, mais aucun d'entre eux ne fut embauché. «C'était un jeu cruel», se rappelle-t-il. «Jeff exigeait l'excellence en tout. Et le candidat se devait d'être intelligent. Il partait du principe que le meilleur athlète est l'athlète le plus intelligent. Il reléguait au second plan l'expérience pertinente, car à ses yeux il n'y avait pas d'expérience pertinente. Ce qui l'intéressait, c'était l'intelligence dont un candidat avait fait preuve dans son cheminement.»

David Risher, qui devint vice-président des produits chez *Amazon.com* au début de 1997, et qui avait été un camarade de classe de Jeff Bezos à Princeton, déclara au *Wall Street Journal* qu'au lieu d'interroger les candidats à propos de leurs

---

1. *Wall Street Journal*, 4 mai 1999.

emplois précédents, Jeff Bezos discutait avec eux de leurs valeurs, de leurs intérêts personnels et de la façon dont ils ré-
soudraient un problème spécifique. Par exemple: "Comment
concevriez-vous une voiture adaptée aux besoins d'une personne sourde?» Selon David Risher, «les meilleurs candidats
répondirent qu'ils se boucheraient les oreilles et conduiraient
ainsi leur voiture afin de se mettre dans la peau de cette personne. Ils se mettraient dans la peau et dans l'état d'âme du
client afin de découvrir ses besoins.»[1]

Pour être embauché par *Amazon*,com, il fallait adhérer à
la culture de l'entreprise, c'est-à-dire être prêt à faire front et
être déterminé à changer le monde. «Je cherche des gens dévoués», dit Rick Ayre, rédacteur en chef. «Je cherche des gens
qui veulent faire des choses qui comptent, des gens qui veulent que leur vie ait un sens, qui veulent que leur carrière ait
un sens, et nous pouvons leur offrir tout cela, car notre entreprise donne à chacun l'occasion de s'exprimer et de prendre
ses responsabilités.»[2]

À cette époque, le processus d'entrevue et d'embauche
était tellement exhaustif que les directeurs – qui avaient déjà
un emploi du temps très chargé et qui travaillaient de 60 à
80 heures par semaine – devaient faire des heures supplémentaires pour interviewer des candidats, faire des recherches et les évaluer. Ils devaient rédiger un rapport relatant la
teneur de l'entrevue, leurs impressions à propos du candidat,
et tout autre commentaire digne de mention. Chaque candidat devait fournir trois références téléphoniques. Le personnel des ressources humaines consacrait environ une
demi-heure à la vérification de chacune de ces références et

1. Ibidem.
2. *New York Times Magazine*, 14 mars 1999.

transcrivait ensuite ces conversations. «C'était intense», se rappelle Maire Masco, directrice du service à la clientèle.

Ensuite, chacun des quatre ou cinq employés qui avaient interviewé le candidat recevait jusqu'à 100 pages de renseignements sur celui-ci. Un ancien directeur d'*Amazon.com* se rappelle une réunion d'embauche concernant un programmeur: la plus grande salle de conférence était remplie de tous les intervenants. (Jusqu'à une douzaine de personnes pouvaient participer au processus d'embauche pour combler un poste de programmeur). Ce dossier contenait la transcription des vérifications des références téléphoniques, le curriculum vitae du candidat, trois échantillons d'écriture (du code dans le cas d'un programmeur). Maire Masco dit que ces échantillons constituaient un «outil astucieux», car ils permettaient de mesurer l'habileté du candidat à communiquer par écrit. Ils donnaient également un aperçu de sa personnalité et pouvaient révéler des talents et des intérêts qu'une entrevue régulière n'aurait pas fait ressortir. Certains candidats à des postes de service à la clientèle soumirent de la poésie ou une nouvelle; d'autres, un plan d'affaires. Une femme présenta un court roman érotique. «Si quelqu'un était intéressant, mais quelque peu mal dégrossi, nous étions prêts à l'accueillir tant et aussi longtemps qu'il était capable de communiquer clairement», dit Maire Masco.

Les participants au processus d'embauche se réunissaient et lisaient toute cette paperasse, Maire Masco estime qu'elle passait parfois 80 % de son temps à interviewer des candidats et à participer à ces réunions de suivi. «Et alors on commençait à discuter. On exprimait d'abord notre première impression: oui ou non. On faisait ensuite un tour de table: "Ce candidat convient-il pour ce poste? Non? Pour un autre poste peut-être?" C'était un processus fascinant. Je le trouvais admirable. Mais aussi épuisant.» Bien que les quarante premiers employés du service à la clientèle furent recrutés de cette façon, la société embauchait une telle quantité de représentants qu'elle finit par en confier le recrutement à une agence locale.

À compter de la fondation de l'entreprise et jusqu'en 1997, Jeff Bezos a toujours eu un entretien avec chaque employé et c'est lui qui avait le dernier mot. C'était une façon de préserver la culture de l'entreprise. «Jeff savait repérer une qualité ou un défaut qui avait échappé à tous les autres», dit Glenn Fleishman, qui fut engagé en septembre 1996 à titre de directeur du catalogue. Mais Glenn Fleishman se rappelle d'une occasion où quelque chose a échappé à Jeff.

Glenn Fleishman et d'autres directeurs discutaient de l'embauche d'un commis qui ne nécessitait pas le concours direct de Jeff. Mais ce dernier, qui se trouvait à bord d'un avion, téléphona au bureau et se mêla spontanément du processus de révision. Le groupe recommandait l'embauche de ce candidat et Jeff donna son accord. «Après que Jeff eut raccroché, j'ai jeté un dernier coup d'œil au curriculum vitae du candidat et j'ai remarqué que certaines dates ne concordaient pas, et il y avait aussi des fautes de frappe», dit Glenn Fleishman. «Et on destinait cette personne à un poste pour lequel le souci du détail était essentiel. Nous pensions qu'elle convenait tout à fait. Mais nous avons décidé de ne pas en parler à Jeff, car il aurait refusé de l'embaucher.» Cette personne travaille toujours chez *Amazon.com*.

Par-dessus tout, Jeff Bezos recherchait des gens *intelligents*. Lorsqu'il se joignit à l'équipe d'*Amazon.com* en septembre 1996, Glenn Fleishman eut le sentiment «d'entrer dans le meilleur collège du monde. J'étais entouré de gens brillants.» On demandait à tous les candidats de fournir leurs résultats au SAT[1] et leur moyenne à l'université. Si ces résultats n'étaient pas suffisamment élevés, il était fort possible que leur candidature soit rejetée. Jeff Bezos réussit à attirer un

---

1. SAT: Scholastic Aptitude Test: examen psychométrique.

grand nombre de gens très doués: de nombreux diplômés de la *Ivy League* et deux bénéficiaires de la bourse Rhodes à l'université d'Oxford – Dana Brown, responsable des commandes, et Ryan Sawyer, vice-président de la croissance stratégique.

«Nous sommes allés à Harvard, au MIT et à Columbia et nous avons repéré les gens les plus brillants que nous avons pu trouver», dit Dana Brown qui arriva chez *Amazon.com* avec un baccalauréat en sciences politiques et en russe, ainsi qu'une maîtrise en russe et en sciences politiques d'Europe de l'Est de l'université Rutgers. En 1996, «nous avons réussi à en attirer quelques-uns, mais ce n'était pas facile car le salaire n'était pas élevé – 35 000 $ par année pour un détenteur de baccalauréat. Nous étions du menu fretin. Personne ne savait qui nous étions. Personne ne faisait la queue devant notre porte pour passer une entrevue. Si nous arrivions à recruter dix personnes, nous avions de la chance. Les agents de recrutement se montraient quelque peu sceptiques.»

Scott Lipsky, qui se joignit à l'entreprise en juillet 1996 à titre de vice-président du développement des affaires, après un passage chez *Barnes & Noble* en tant que directeur, dit: «*Amazon* mettait beaucoup d'efforts dans ses activités de recrutement, afin de soutenir la croissance de l'entreprise.»

Plus tôt, Jeff Bezos avait établi des relations avec le service d'informatique et d'ingénierie de l'université de Washington. Il prononçait souvent des allocutions devant un auditoire d'étudiants et il se servit de l'université de Washington comme d'une source d'aide technique.

L'ÉLABORATION D'UNE CULTURE D'ENTREPRISE

C'est à Jeff Bezos que revint la tâche de modeler une culture d'entreprise à l'intention d'employés ayant des antécédents professionnels très variés. «La concurrence ne peut jamais plagier une culture d'entreprise», déclare-t-il. Il disait à ses employés qu'il voulait que le lieu de travail soit «intense et amical.... En fait, si jamais il vous faut laisser tomber le "amical" au profit de l'"intense", ça ira. Et s'il nous faut être "intenses" et combatifs", c'est ce que nous ferons plutôt que d'être "non intenses".»[1]

Microsoft, qui a défini la culture d'entreprise à Seattle dans les années 1990, était un modèle pour la culture naissante d'*Amazon.com*. «C'est l'entreprise qui recrute le mieux», dit Jeff Bezos. Il fait l'éloge de Bill Gates en le qualifiant de «gars brillant» et il ajoute: «Ce qui m'impressionne, c'est l'excellence et l'intelligence de la centaine de directeurs qu'il dirige.»[2]

Mais Jeff Bezos voulait créer une atmosphère plus ouverte que celle qui régnait chez *Microsoft*. «Nous avons souvent parlé de la façon dont nous pourrions arriver à avoir une nature aussi exigeante, mais sans être aussi compétitifs à l'interne», se rappelle Nicholas Lovejoy.

Gina Meyers est d'accord: «Jeff disait: "Nous pouvons être comme *Microsoft*, mais nous n'avons pas à nous montrer aussi combatifs pour créer un milieu de travail agréable." C'était l'intention initiale.»

Bien que Jeff Bezos ait pu parler de modeler son entreprise sur une version adoucie du modèle de *Microsoft*, la réalité nous montre un Jeff Bezos doux en apparence, mais qui, dans sa hâte d'atteindre les plus hauts sommets, se montre un concurrent inflexible et toujours prêt à se battre pour les intérêts d'*Amazon.com* sur le marché et dans les tribunaux.

---

1. Allocution donnée au Lake Forest College le 26 février 1998.
2. *Seattle Times*, 27 juillet 1998.

Jeff Bezos a aussi cité le modèle de FedEx «car l'entreprise est partie de zéro et a changé la dynamique de l'industrie. C'était un exemple auquel tout le monde pouvait s'identifier. Il disait que FedEx ne perdait pas le contrôle lorsqu'elle était dans l'incapacité de livrer un colis. Il voulait que nous continuions à aller de l'avant et à ne jamais nous satisfaire de ce que nous avions.»

Jeff Bezos admirait également la vision et le génie de Walt Disney. (Il a visité Disney World au moins une demi-douzaine de fois). «C'est la puissance de sa vision qui m'a toujours étonné», dit Jeff Bezos. «Il savait exactement ce qu'il voulait construire et il s'est entouré d'une poignée de gens très intelligents pour y arriver. Tout le monde pensait qu'il échouerait, et il a dû persuader les banquiers de lui accorder un prêt de 400 millions de dollars. Mais il a finalement réussi.»

Jeff Bezos croyait que la conception initiale de l'entrepreneur en matière de culture d'entreprise devait être reprise comme un flambeau par les premiers employés. Il estimait que la culture finissait par devenir «un amalgame de 30 % de la vision initiale, de 30 % de la personnalité des premiers employés et de 40 % de hasard. Le problème avec le hasard, c'est qu'une fois qu'il est intégré, il est là pour rester. Il n'y a absolument aucun moyen de modifier une culture d'entreprise.»[1]

Dès le début, et ce n'est pas étonnant, Jeff Bezos représentait «l'âme de l'entreprise», dit Scott Lipsky. «C'est un leader qui sait inspirer les gens avec ses succès, son intelligence supérieure, ses idées – et le fait qu'il a ces idées brillantes avant tout le monde.»

---

1. *Seattle Times*, 27 juillet 1998.

Alors qu'elle se dit d'accord avec cette description, Gina Meyers, qui avait travaillé pour la plus modérée et conservatrice *Data I/O*, qualifie son arrivée chez *Amazon.com* «d'une sorte de choc culturel. C'était si chaotique et tout changeait si rapidement.»

Maire Masco, qui venait de chez *Aldus Corp.* (qui faisait partie de *Adobe Systems Inc.*), se rappelle, lors de sa première entrevue, avoir été «immédiatement fascinée par la rapidité et la vivacité» avec lesquelles le travail était effectué. «Il y avait un va-et-vient perpétuel. On sentait qu'un fort lien de camaraderie unissait les employés. Un journaliste et une équipe de cameramen suivaient Jeff. Des ouvriers entraient avec des bureaux et des ordinateurs. C'était un véritable tohu-bohu. J'ai pensé: *"C'est fantastique. Je veux travailler ici."*»

Avec un aussi grand nombre de nouveaux directeurs, *Amazon.com* – tout comme l'avait prédit Jeff Bezos – remplit les locaux du 2250 de la 1re Avenue en l'espace de sept mois. En août 1996, l'équipe de direction déménagea à quelques kilomètres au nord, dans le *Columbia Building* de la 2e Avenue. À seulement un pâté de maisons à l'est de *Pike Place Market* et à quelques pâtés de maisons au nord du corridor commercial et à l'ombre des gratte-ciels scintillants du centre-ville, c'était l'un des derniers édifices miteux du quartier. Le *Columbia Building* était situé dans le voisinage immédiat de *Wigland*, de la mission *Holy Ghost Revivals*, d'une boutique de tee-shirts pour touristes et, juste en face, se trouvait le *Seattle-King County Needle Exchange* (et je ne parle pas ici du *Space Needle*). C'était un quartier où les ivrognes se soulageaient dans les ruelles. Les bureaux qu'abritait le *Columbia Building* étaient à peine mieux que ce que l'on trouvait dans les rues avoisinantes. Le tapis était élimé et couvert de taches de café. Les murs réclamaient à grands cris une nouvelle couche de peinture.

L'entrepôt agrandi resta sur la 1re Avenue Sud jusqu'au mois de novembre, pour ensuite être relocalisé dans un lieu plus vaste sur la rue Dawson, dans le quartier sud de Seattle. En tout, l'entreprise avait occupé cinq différents emplacements en trois ans. «On pourrait parler d'une planification déficiente ou d'une croissance exceptionnelle, c'est comme on veut. Je crois que chaque entreprise devrait déménager à tous les quatre mois»[1], dit Jeff Bezos en plaisantant.

L'entrepôt développa rapidement sa propre sous-culture, distincte de celle de la direction. Il était rempli d'une armée de jeunes issus de la génération X – musiciens, poètes, artistes, étudiants – en assignation temporaire, qui montraient fièrement leurs tatouages, les nombreux anneaux dont leur corps étaient percés et des chevelures aux teintes encore jamais vues dans la nature. Il n'est pas étonnant que la directrice du service à la clientèle de l'époque, Jane Radke Slade, ait dit au *Wall Street Journal* qu'elle demandait aux agences de placement (tous les employés de l'entrepôt commençaient sur une base temporaire): «Envoyez-moi vos candidats les plus bizarres.»

Ces premières dizaines de commis à l'entrepôt «étaient une bande de musiciens de funk rock et des artistes affamés qui essayaient de joindre les deux bouts», se rappelle E. Heath Merriwether, qui faisait partie de ce premier groupe d'employés. «On pouvait voir une tête violette par-ci, une tête bleue par-là, et puis une tête verte plus loin. Nous étions tous très jeunes.» Et c'est cette jeune énergie qui fut capable de soutenir le rythme de croissance d'*Amazon*. Cette première

---

1. Cassette vidéo d'une journée de déménagement en novembre 1996.

équipe était vraiment bien soudée. Nous formions le cœur de l'entreprise. Nous *étions Amazon.*»

Jeff Bezos renforçait ce sentiment d'appartenance en répétant aux employés de l'entrepôt que les seuls aspects d'*Amazon.com* connus du client étaient le site Web et les livres qu'ils recevaient par la poste. Sans l'entrepôt, leur disait-il, l'entreprise n'existait pas. Jeff Bezos appuyait ses dires par des gestes. Avec plusieurs de ses directeurs, il venait régulièrement prêter main-forte aux commis chargés du tri et de l'emballage.

«Je me souviens de la première fois où j'ai entendu un employé de l'entrepôt l'appeler "Monsieur Bezos"», se rappelle E. Heath Merriwether. «J'ai dit: "C'est *Jeff*". Il faisait partie de la bande. Il ne s'est jamais mis sur un piédestal. À mesure qu'*Amazon* grandissait, et qu'elle prenait des allures de grande entreprise, d'autres le mirent sur un piédestal. Mais Jeff ne le fit jamais lui-même.»

Un jour de juillet 1996, Jeff Bezos entra dans l'entrepôt et Heath Merriwether et plusieurs autres se mirent spontanément à lui lancer des élastiques. Du tac au tac, Jeff Bezos ramassa quelques élastiques sur le sol et riposta. Certains des employés embauchés depuis peu furent «horrifiés de voir que je lançais des élastiques au président de l'entreprise», dit Merriwether. «Et cela les horrifia encore plus quand le président se mit à faire de même.»

Le jour suivant, Al Gore visita les bureaux d'*Amazon.com* et s'installa brièvement devant les postes téléphoniques du service à la clientèle, le temps d'une photo. Voir Jeff Bezos à la télévision en train de bavarder avec Al Gore au lendemain d'une bataille d'élastiques était «surréaliste; un épisode des *Frontières du réel*», dit Heath Merriwether. «Je vous dirai ceci à propos de Jeff Bezos : je voudrais qu'il soit de mon côté dans une guerre à l'élastique.»

Le 3 novembre 1996, *Amazon.com* déménagea son centre de distribution dans un local de 8 640 mètres carrés sur la rue Dawson. «C'était si vaste, on se serait cru à la campagne – on ne pouvait pas voir notre voisin. La salle de repos était à peu près de la taille de l'ancien entrepôt», se rappelle Heath Merriwether. «Nous nous sommes dits que jamais on n'arriverait à remplir cet espace. Nous pensions rester là pendant des années. Mais trois mois plus tard, on se marchait sur les pieds.»

Le soir du 3 novembre, la société fêta ce déménagement en offrant bière et mets mexicains à son personnel. En guise de baptême impromptu, le directeur de l'entrepôt, Laurel Canam, prit un exemplaire de la bande dessinée *Dilbert*. Le best-seller de Scott Adams était le premier titre qu'*Amazon.com* avait expédié en grande quantité, et l'entrepôt en était bondé. «Laurel prit sa bière et la versa sur le livre, le déchira et en lança les débris sur le sol», dit Heath Merriwether. «Nous les avons piétinés, car nous détestions tous ce livre, et la plupart d'entre nous n'avons pas changé d'opinion aujourd'hui.» Cet exemplaire fut retiré de la base de données. «Nous ne voulions pas léser un client.»

L'organisation du centre de distribution «était un processus continu», dit Heath Merriwether. À mesure que l'entreprise grossissait, on ajoutait de nouveaux systèmes ou bien on améliorait les systèmes existants, et «il fallait donc s'adapter très vite. Lorsque nous avons déménagé au nouvel entrepôt de la rue Dawson, il devint encore plus nécessaire pour les nouveaux employés de faire preuve de souplesse, car on apprenait quelque chose une semaine et cela changeait la semaine suivante.»

Deux mois après le déménagement, *Amazon.com* engagea enfin quelqu'un qui avait de l'expérience en logistique (jusque-là, on s'était débrouillé au jour le jour). Oswaldo-Fernando Duenas, un Américain d'origine mexicaine de 47 ans, avait travaillé pendant vingt ans chez Federal Express. Il y avait fait ses débuts comme chauffeur de camion à l'époque où l'entreprise était en pleine croissance, et il était devenu premier vice-président. Il avait contribué à créer les premiers centres d'activité régionaux et il avait coordonné la transition du centre d'activité original de Memphis. Il avait également été vice-président de la division de l'*International Service System Inc.* pour l'Amérique latine, la plus importante entreprise de services intégrés de cette région, où il avait coordonné les ventes, le marketing, l'exploitation et le service à la clientèle, en plus d'assurer la gestion de plusieurs milliers d'employés.

En tant que vice-président de l'exploitation chez *Amazon.com*, Duenas apporta ordre et organisation à l'entrepôt et au centre de distribution. «À cette époque, un grand nombre de nos employés en étaient à leur premier emploi», dit Gina Meyers. «Ils trouvaient des solutions et faisaient du très bon travail. Mais cela nous aida d'avoir avec nous quelqu'un qui savait comment faire les choses, de façon à ce qu'on n'ait pas à réinventer la roue à chaque instant. Nous avons immédiatement envisagé l'automatisation.»

Les employés de bureau travaillaient à l'écart des employés de l'entrepôt, et une rupture dans les voies de communication commençait à se dessiner, selon les dires de plusieurs anciens employés. Duenas prit sur lui de rétablir ce lien. «Fernando était capable de parler à n'importe qui», dit Nils Nordal, qui travailla brièvement au service à la clientèle. «Il pouvait parler à un fumeur de hashish de 18 ans de l'entrepôt, et il pouvait parler à Jeff Bezos. C'était le doyen de la société. Il joua un rôle pivot dans cette phase du développement de l'entreprise.»

L'embauche de Oswaldo-Fernando Duenas faisait partie d'un processus visant à créer une équipe de direction aguerrie qui obtiendrait l'assentiment de Wall Street. (À cette époque, *Amazon.com* se préparait à faire un premier appel public à l'épargne). Pendant presque toute l'année 1996, l'entreprise en plein essor n'avait pas élargi son équipe de gestion, et Jeff Bezos comptait sur Eric Dillon, Tom Alberg et Nick Hanauer pour «faire le maximum», dit Eric Dillon. «Nous faisions de notre mieux pour maintenir Jeff dans la bonne direction.» À compter de l'automne 1996 et jusqu'au printemps 1997, en plus de Fernando Duenas, l'entreprise embaucha plusieurs directeurs:

- Rick R. Ayre, vice-président et rédacteur en chef. Rick Ayre avait été rédacteur en chef (technologie) au *PC Magazine* et avait lancé le magazine sur le Web. Il avait également été responsable des services en ligne du magazine, incluant le site Web en ligne et *PC MagNet*, qui faisait partie de *ZD Net* sur *CompuServe.*

- Mark Breier, vice-président du marketing. Il avait occupé un poste similaire pendant deux ans et demi chez *Cinnabon World Famous Cinnamon Rolls*, et il avait été gestionnaire de produits chez *Dreyer's Grand Ice Cream, Kraft Foods* et *Parker Brothers*. (Mark Breier devint plus tard président et chef de la direction chez *Beyond.com*, le détaillant de logiciels en ligne. Il a quitté ce poste en janvier 2000).

- Mary E. Engstrom (ensuite Morouse), vice-présidente des affaires publiques. Elle avait été vice-présidente du marketing chez *Symantec Corporation*, le concepteur de logiciels spécialisé en gestion de l'information et en amélioration de la productivité. Auparavant, elle avait occupé plusieurs postes de gestionnaire chez *Microsoft*.

- John D. «David» Risher, vice-président du développement des produits. Au cours des six années précédentes, il avait occupé divers postes en marketing et en gestion de projets chez *Microsoft*, et il avait été chef d'équipe pour *Microsoft Access*. Il était également le fondateur de *MS Investor*, le site Web de finances personnelles de *Microsoft*, dont il avait assuré la gestion des produits.

- Joel R. Spiegel, vice-président de l'ingénierie, également un ancien employé de *Microsoft*, où il avait occupé les postes de directeur du développement multimédia de *Windows 95* et de directeur des produits pour Information Retrieval. Joel R. Spiegel, qui avait également travaillé chez *Apple Computer Inc.*, *Hewlett-Packard* et *VisiCorp.*, fut en mesure d'embaucher rapidement un grand nombre de bons programmeurs.

- Scott E. Lipsky, vice-président du développement des affaires, venait de chez *Barnes & Noble*, où il avait été directeur de l'informatique de la division des magasins entrepôts et directeur technique de la division académique. Scott Lipsky avait une grande expérience de la conception de logiciels de vente de détail et de l'intégration de systèmes.

Scott Lipsky accepta une diminution de salaire de 50 % car, dit-il: «Lorsque j'ai fait la connaissance de Jeff Bezos et de Shel Kaphan, il était tellement évident que cela allait fonctionner.» Il fut séduit pas «la combinaison d'énergie, d'intelligence et de pensée créatrice» en ce qui avait trait à la vente de détail, domaine où il avait œuvré pendant la majeure partie de sa vie professionnelle. Bien sûr, Scott Lipsky obtint une généreuse option de souscription à des actions. Mais, riposte-t-il: «Allez donc savoir ce qui peut arriver avec des actions. Il n'y avait pas de garantie.»

Bien que l'embauche de ces nouveaux directeurs était
une étape essentielle pour passer à la prochaine étape du développement d'*Amazon.com*, «il y avait beaucoup de tension
dans l'air», dit Dana Brown. «On leur avait donné des postes
bien rémunérés, mais aussi assortis de grandes responsabilités. Ils dépendaient de notre connaissance de l'entreprise
pour atteindre leurs buts. Cela en choqua plus d'un d'entre
nous. J'étais incapable de rembourser mon prêt étudiant
avec mon salaire. Je me suis quelque peu sentie offensée. Ce
n'était pas facile de joindre les deux bouts. Je travaillais
18 heures par jour. Je n'avais même pas le temps de lire un
seul des livres que j'étais censée commander.»

Également à cette époque, l'entreprise engagea une
autre directrice – Patricia Q. Stonesifer, une conseillère en
gestion indépendante qui comptait *DreamWorks SKG* parmi
ses clients. Elle avait été première vice-présidente de la division des médias interactifs chez *Microsoft*. (Amie intime de
Bill Gates, elle dirige la *Bill and Melinda Gates Foundation*).

Maryann Mohit se joignit également à l'équipe à titre de
productrice du site Web. Bien qu'elle ne fut pas vice-présidente, elle eut plus d'influence que quiconque, mis à part
Jeff Bezos, sur la conception du site et l'intégration de ses diverses composantes, selon les dires d'un ancien employé.

Mais l'apport le plus décisif consiste sans doute en l'embauche de la directrice des finances, car cela pouvait avoir
une incidence sur l'entrée en Bourse d'*Amazon.com*. Au milieu de 1996, Jeff Bezos jeta son dévolu sur Joy Covey, 33 ans,
dont il admirait les réalisations. Fille d'un médecin, Joy
Covey avait grandi à San Mateo, Californie. Bien qu'elle eut
quitté l'école secondaire à l'âge de 16 ans, elle obtint un diplôme d'équivalence à l'université de Californie à Fresno, en
1982, et un baccalauréat en administration des affaires,

summa cum laude. Après avoir obtenu la deuxième plus haute note du comté à l'examen de comptabilité, elle devint experte-comptable à l'âge de 19 ans. Elle travailla ensuite pendant quatre ans chez *Arthur Young and Co.* (maintenant *Ernst and Young LLP*) à titre d'experte-comptable. (Sa première tâche consista à effectuer la comptabilité de base des restaurants *Denny's*).

Joy Covey poursuivit ses études et obtint, en 1990, un diplôme conjoint avec mention en commerce et en droit de la *Harvard Business School* et de la *Harvard Law School*. Après avoir effectué un stage de huit mois chez *Wasserstein Perella & Co.*, l'entreprise conseil new-yorkaise spécialisée en fusions et en acquisitions, Joy Covey devint, en avril 1991, directrice des finances chez *DigiDesign Inc.*, une entreprise de systèmes et de logiciels audionumériques à accès direct, et elle aida cette dernière à faire son entrée en Bourse en 1993. Deux ans plus tard, *DigiDesign* fusionna avec *Avid Technology*, un concepteur de systèmes de télétraitement numérique ayant son siège social à Boston. Après une période de transition chez *Avid* à Boston en tant que vice-présidente du développement des affaires, Joy Covey démissionna en février 1996 avec l'intention de se joindre à une jeune entreprise de Silicon Valley.

«J'ai passé des entrevues dans près de quarante entreprises de haute technologie (dont *Excite Inc.* et *Marimba Inc.*)», raconta Joy Covey dans le cadre d'une étude menée par la *Harvard Business School*. «J'étais très sélective, même si je ne cherchais pas à occuper un poste en particulier. Je voulais participer à la création de quelque chose de significatif, je voulais travailler avec des collègues de haut calibre, je voulais contribuer à créer une entreprise ayant un modèle d'affaires solide et honnête, et je voulais que cette entreprise se trouve sur la Péninsule [région de la baie de San Francisco]»[1], car

1. Harvard Business School Study, 1997.

elle voulait également s'adonner à son autre passion: la planche à voile.

En août 1996, un recruteur de cadres demanda à Joy Covey de rencontrer Jeff Bezos. Elle refusa. Mais le chasseur de têtes était tenace et Joy Covey finit par accepter – par pure gentillesse – d'aller déjeuner avec Jeff Bezos. Même si elle reconnaît que sa curiosité a été piquée lorsqu'elle apprit son association avec John Dœrr, Joy Covey passa les dix premières minutes de la rencontre à répéter qu'elle ne souhaitait pas s'établir à Seattle. «Elle disait qu'elle ne quitterait la Baie sous aucun prétexte et qu'elle voulait que je comprenne que je perdais mon temps», déclara plus tard Jeff Bezos au *Wall Street Journal*. «Mais le reste du déjeuner fut extrêmement agréable, car la tension était tombée et nous ne tentions plus de nous impressionner mutuellement.»[1]

Après cette rencontre, «je n'arrivais plus à dormir», raconte Joy Covey, toujours dans le cadre de cette étude de la Harvard Business School. «Je ne pouvais m'empêcher de penser à *Amazon*. Il était manifeste qu'elle se trouvait en pleine phase de "catégorisation" et je voulais faire partie de l'équipe.»[2] Le jour suivant, Covey appela Bezos et lui demanda si elle pourrait faire la navette entre Seattle et sa résidence de San Francisco, et Jeff Bezos accepta. Joy Covey fut embauchée en décembre 1996 à titre de directrice des finances et de vice-présidente des finances et de l'administration. (En mars 1997, elle devint secrétaire et trésorière). Au cours des huit mois qui suivirent, Joy Covey passa ses cinq jours par semaine à Seattle et ses week-ends à San Francisco, avant de déménager à Seattle au printemps 1997, juste à temps pour lancer le premier appel public à l'épargne d'*Amazon.com*.

---

1. *Wall Street Journal*, 25 mars 1999.
2. Harvard Business School Study, 1997.

Lorsque Joy Covey arriva à la fin de 1996, *Amazon.com* employait 1560 personnes et ses ventes s'élevaient à 16 millions de dollars. Elle mit immédiatement en place des contrôles financiers rigoureux et fit par la suite l'acquisition d'un système comptable Oracle d'un million de dollars.

Gina Meyers, qui avait été engagée pour effectuer la comptabilité de base, fit partie du groupe qui interviewa quatre ou cinq des candidats pour ce poste. (Jeff Bezos en rencontra beaucoup plus).

Gina Meyers se rappelle avoir été impressionnée par l'énergie de Joy Covey. «Dans le domaine des finances, on rencontre souvent des gens qui ont peur de prendre des risques», dit Gina Meyers. «Les autres candidats considéraient qu'*Amazon.com* devrait ralentir sa croissance, qu'ils jugeaient trop rapide. Par contre, l'attitude de Joy pouvait se résumer à ceci: "Demain, nous allons faire ceci", et il était clair qu'elle avait l'intention de le faire. Joy était capable de penser plus loin que le bout de son nez et de saisir rapidement les points importants. La plupart des gens n'étaient pas habitués à ce genre d'approche.»

Nicholas Lovejoy déclare catégoriquement: «Personne n'est aussi alerte que Joy. Dès la deuxième journée chez *Amazon.com*, elle nous accrocha Shel et moi et passa trois heures avec nous à réviser l'ensemble du système. Et ce n'est pas sa spécialité. Mais elle posa des questions fort pertinentes. Elle a tout compris. Elle peut assimiler une tonne d'information en très peu de temps.» Toutefois, dit Nicholas Lovejoy, en matière de «communication interpersonnelle, Joy Covey est un bulldozer. Elle écrase littéralement les gens.»

Joy Covey instaura une discipline fiscale chez *Amazon*. Pour la première fois, les directeurs se devaient de respecter un budget. Avant son arrivée, «aucun budget n'était attribué à mon service et je n'étais absolument pas au courant de la situation financière de l'entreprise», dit Dana Brown. «On se contentait d'aller de l'avant et d'accomplir des choses. Nous étions très peu structurés. Peu de limites étaient fixées quant à ce que nous pouvions faire ou planifier. On prenait les choses comme elles venaient. Joy Covey nous imposa une perspective plus large et nous obligea à dresser des budgets et à planifier notre croissance.»

En mars 1997, Shel Kaphan, l'employé numéro un et l'architecte du système de base d'*Amazon.com*, fut nommé vice-président et directeur technique. Nicholas Lovejoy, qui travaillait en étroite collaboration avec Kaphan, le décrit affectueusement comme «ayant des idées saugrenues», mais il ajoute vivement: «Je l'aime beaucoup. Il a une grande influence sur Jeff lorsqu'il s'agit de le ramener sur terre.» Et quand il était question des idées de Jeff Bezos en matière de marketing, Shel Kaphan «lui rappelait qu'on ne pouvait pas en faire accroire aux clients». Il ne cessait de répéter: «Ils vont détester cela! C'est de la foutaise!»

Pour Gina Meyers, Shel Kaphan était «à la base de tout le système» et c'est la raison pour laquelle il était si bien conçu, fiable et souple. «Oh, bien sûr, nous connaissions de courts temps d'arrêt lorsque quelque chose flanchait, mais quand j'y repense, je trouve que ses réalisations et celles d'une ou deux autres personnes sont tout à fait incroyables.»

Les efforts de Shel Kaphan ont été largement récompensés. Dans le numéro du 19 novembre 1999 de *Forbes ASAP*, Kaphan est classé au 38e rang des millionnaires de l'Internet, avec une fortune dont la valeur nette est évaluée (sur papier) à 808,9 millions de dollars.

En fait, le système connut remarquablement peu de temps d'arrêt. Le site tomba en panne en juin 1997 lorsqu'un entretien de routine révéla un problème informatique, et ensuite deux fois en 1998, et puis trois fois en novembre 1999, lorsqu'un grand nombre de nouveaux produits y furent ajoutés. En janvier 1998, le site tomba en panne vers 11 heures et resta hors service pendant plusieurs heures. En septembre 1998, il fut fermé pendant dix heures parce qu'un problème était survenu lors de l'entretien de routine. L'entreprise offrit des certificats-cadeaux de 5 $ aux clients qui avaient accédé au site et qui n'avaient pu commander. La fiabilité du système d'*Amazon.com* était attribuable au fait que Shel Kaphan insistait pour que les choses soient bien faites. Certains qualifièrent son attitude de «pessimisme technique».

«Je me rappelle d'un tout petit détail», dit Paul Barton-Davis. Lorsque la société déménagea dans l'édifice *Color Tile*, «nous avons été soudainement envahis par le câblage réseau, qui traversait trois ou quatre pièces. Shel a beaucoup insisté pour que ces câbles soient étiquetés à chacune de leurs extrémités. C'était le genre de détails dont j'avais tendance à faire fi. Mais lorsque nous avions des problèmes avec l'une ou l'autre des machines, on pouvait la débrancher sans perdre des heures à chercher la bonne connexion. Ce pessimisme technique a bien servi l'entreprise car il s'est toujours assuré que les choses étaient faites de la bonne façon.»

L'IMPLANTATION DE LA MARQUE

«Il est très important, lorsqu'on planifie la création d'une entreprise, de s'attarder à la promesse de la marque que l'on offre aux clients», dit Jeff Bezos. «Et cette promesse doit en fait correspondre très, très étroitement à ce qu'on peut effectivement livrer. C'est une composante fondamentale, mais qui est parfois reléguée au second plan.»

Grâce à l'injection de nouveaux capitaux, *Amazon.com* pouvait enfin se permettre de faire de la publicité. Jusque-là, elle avait été dépendante du téléphone arabe et des retombées de son site Web. Au printemps 1996, l'entreprise fit appel aux services de *USWeb/CKS* de Portland, Oregon, une agence de publicité de la Silicon Valley, et lui confia le mandat de créer sa première campagne publicitaire. «Nous sommes partis du fait que ces onze personnes de Seattle voulaient damer le pion à *Barnes & Noble* et à *Borders*», dit Bernie Schrœder, qui travaillait à la campagne d'*Amazon.com* avec le directeur artistique Mahesh Murth. «Mais nous pouvions le faire d'une façon qui nous aurait fait ressembler à David affrontant Goliath. Donc, comment avoir l'air de Goliath quand on n'en a pas la réputation? Et sur quoi pouvait-elle fonder la prétention d'*Amazon.com* qui affirmait être "La plus grande librairie sur terre"? La seule chose à faire avec une marque qui a fait ses preuves est de décrire quelque chose que le client type peut comprendre.»

Si *Amazon.com* – une entreprise dont la majorité des gens n'avait jamais entendu parlé – faisait une telle affirmation, comment pouvait-elle le prouver? Après avoir étudié le projet pendant environ une semaine, Mahesh Murth entra dans le bureau de Bernie Schrœder et dit: «Elle compte 163 livres sur le mariage, 798 livres sur le divorce.» C'était une façon astucieuse de dépeindre l'étendue de la gamme de produits d'*Amazon.com*. De plus, cela ouvrait toutes sortes de voies fascinantes pour une campagne prolongée.

«Nous nous sommes immédiatement plongés dans leur base de données et nous avons examiné toutes les catégories et tous les titres qu'elles offraient», dit Bernie Schrœder. «Ces catégories étaient innombrables.»

La campagne de publicité fut menée sur un ton courtois et amusant: «16 livres sur la calvitie chez l'homme; 128 sur les chapeaux»; «859 livres sur la cuisine; 1 985 sur les régimes»; et «460 livres sur les marxistes, dont 33 sur Groucho». Des bannières publicitaires invitaient les utilisateurs à «cliquer» pour accéder au site d'*Amazon.com*. *USWeb/CKS* plaça également des devantures satellites sur environ 600 sites Web, ce qui permettait à des sites dédiés à la gastronomie d'avoir un hyperlien avec le site d'*Amazon.com* et sa sélection de livres de cuisine.

La majorité des achats médias se fit auprès de publications majeures, tels le *Wall Street Journal*, le *New York Times Book Review* et *USA Today*, de manière à rejoindre les adultes cultivés; seul un très faible pourcentage des achats fut effectué en ligne, d'après Bernie Schrœder. Bientôt, *Amazon.com* commença à nouer des alliances publicitaires avec des entités d'intérêt général telles que la National Public Radio, *Commentary*, *Salon*, le *New Yorker*, *Atlantic Monthly* et *Wired* dans le but d'ancrer dans l'esprit du consommateur qu'*Amazon.com* offrait la plus grande sélection de livres sur le Web.

BARNES & NOBLE

Avec toute l'attention dont *Amazon.com* faisait l'objet, il était inévitable que *Barnes & Noble* réagisse. Jeff Bezos prenait plaisir à narguer *B&N* et *Borders*. En 1996, il avait dit qu'il comprenait – mais ne partageait pas – la répugnance de ces deux géants du commerce de détail face à la vente en ligne. «Je crois que c'est logique. Ils ont suffisamment de poids pour percer sur le marché», dit-il.

À cette époque, Leonard Riggio, le président du conseil et chef de la direction de *Barnes & Noble*, qui avait créé une chaîne de 466 magasins, dit à Jeff Bezos qu'il était intéressé à acheter une partie ou la totalité d'*Amazon.com*, selon les dires de Tom Alberg. «Len Riggio est intelligent et subtil; c'est le typique batailleur de rues new-yorkais», dit Tom Alberg. Leonard Riggio et son frère Stephen, qui est vice-président et chef des opérations chez *B&N*, «commencèrent à appeler Jeff. Ils disaient qu'ils voulaient faire quelque chose. Mais ils ne savaient pas exactement quoi. Ils lui dirent: "Vous faites un travail fantastique, mais nous allons vous anéantir lorsque nous lancerons notre site. Ce qui ne nous empêche pas d'avoir envie de discuter avec vous.»

À la fin de l'automne 1996, les frères Riggio se rendirent à Seattle, où ils déjeunèrent avec Jeff Bezos et Tom Alberg au Dahlia Lounge, un restaurant où une scène du film *Nuits blanches à Seattle* avait été tournée.

Tom Alberg se rappelle que les frères Riggio étaient très élogieux en ce qui avait trait aux réalisations de Jeff Bezos, mais qu'ils ne cessaient de dire qu'ils «allaient l'exterminer» lorsqu'ils lanceraient leur propre site Web. Les frères firent part de leur intérêt de créer une coentreprise. Ils suggérèrent, entre autres, de créer un site Web – distinct du site d'*Amazon. com* – qui utiliserait le système d'*Amazon.com* et qui ferait si-multanément la promotion des marques de *Barnes & Noble* et d'*Amazon.com*. Pour Jeff Bezos et Tom Alberg, cela soulevait des questions épineuses. Comment s'appellerait le site? Les deux entreprises combineraient-elles éventuellement les deux sites? L'entente serait-elle exclusive ou non? Comment les marques seraient-elles traitées? Et qu'en serait-il des au-tres produits, telle la musique? Quel serait le rôle des maga-sins *B&N?* «Le style de Len est le suivant: "Concluons une entente. Vous détenez la moitié du site et nous détenons l'autre moitié. Partageons donc les profits. Vous me donnez un prix. Je veux investir. Je veux posséder 20 % de votre entreprise. Le prix m'importe peu», raconte Tom Alberg. «Je ne savais pas si ce serait le cas si jamais on en venait à des négociations. Mais c'était quelqu'un de tout à fait charmant. Et ils étaient très déterminés. Je ne crois pas qu'ils aient offert de nous acheter à 100 %; je pense qu'ils étaient davantage intéressés à se joindre à nous.»

Cette approche de *Barnes & Noble* ne mena à rien, mais la presse en eut vent. L'édition du 28 janvier 1997 du *Wall Street Journal* cite: «un membre de la direction du commerce de détail du livre» qui affirme que *B&N* «a tenté pas plus tard que la semaine dernière d'acquérir *Amazon.com*». Cette déclaration a été démentie par Len Riggio: «Je ne peux vous dire si nous serions intéressés si jamais pareille offre nous était faite.» Mais il dit également que *B&N* «prévoyait devenir le numéro un des libraires sur Internet». Et Stephen Riggio ajouta: «Nous nous devons de jouer.... La vente de livres en ligne prendra une grande ampleur.»

Il ne blaguait pas.

À RETENIR

Dès le début, Jeff Bezos a tenu à embaucher les personnes les plus brillantes et polyvalentes qu'il puisse trouver – des gens qui adhéreraient à sa vision de l'avenir et qui seraient prêts à tout donner pour y arriver.

Si un candidat ne faisait pas partie des meilleurs de sa catégorie, *Amazon.com* n'était pas intéressée.

- Embauchez des personnes motivées, qui seront prêtes à tout donner pour faire progresser l'entreprise.

- Visez toujours plus haut lorsqu'il s'agit de déterminer les compétences d'un candidat.

- Perfectionnez les techniques de communication afin de motiver vos employés.

- Entourez-vous de gens que votre culture d'entreprise mobilise.

- La culture d'entreprise est un amalgame de 30 % de la vision initiale de l'entrepreneur, de 30 % de la personnalité des premiers employés et de 40 % de hasard.

- Le leader est l'âme de l'entreprise.

- Sachez vous amuser. Jeff Bezos est reconnu pour sa capacité de jouer avec ses employés.

- Embauchez les directeurs qu'il vous faut pour passer à l'étape suivante.

- Faites participer vos directeurs au processus d'embauche.

- Commencez très tôt à implanter votre marque.

«rétention anale» à propos du service à la clientèle

«Les entreprises axées sur le service sont aptes à réussir;
celles qui sont axées sur le profit sont aptes à échouer.»

– Nicholas Murray Butler

*J*eff Bezos a souvent dit qu'il voulait faire d'*Amazon.com* «l'entreprise la plus axée sur le client» de toute la planète. Bien avant de lancer son site Web en juillet 1995, il avait fait du service à la clientèle une priorité, car il savait que le bouche à oreille influence davantage la perception du client que n'importe quelle campagne publicitaire. (De toute façon, en 1995, il n'avait pas les moyens de faire de la publicité). C'est quelque chose que *Nordstrom Inc*. a toujours compris. *Nordstrom* n'a jamais fait de publicité ou émis de communiqués de presse sur le thème du service à la clientèle. La réputation d'excellence de l'entreprise en matière de service est entièrement attribuable aux louanges des clients satisfaits. «Nous ne pouvions que constater l'efficacité du téléphone arabe au cours de cette première année et c'est ce qui nous a poussé à adopter cette attitude obsessionnelle, compulsive et de "rétention anale" à propos du service à la clientèle», dit Jeff Bezos.

La portée du téléphone arabe est encore plus grande lorsqu'il s'agit du service en ligne car, comme Jeff Bezos l'a dit à maintes reprises, dans le monde réel, si vous décevez un client, il le dira à cinq de ses amis; mais si vous décevez un client sur Internet, il le dira à 5 000 – ou peut-être à 50 000 – de ses amis. Jeff Bezos comprenait qu'il y aurait toujours des gens pour «incendier» une entreprise sur les sites de bavardage ou dans les forums de discussion du cyberespace, et qu'il lui était impossible d'engager suffisamment de personnel pour surveiller ces sites et répondre aux accusations. Mais ce qu'il *pouvait* faire, c'était se gagner la loyauté du client à un degré tel que lorsque la société commettrait un impair, il y aurait suffisamment de clients satisfaits pour la défendre. Les clients heureux deviendraient des évangélistes et ils se serviraient de l'Internet comme d'un mégaphone pour signifier leur satisfaction et augmenter l'achalandage.

Par exemple, au début de 1997, le magazine en ligne de *Microsoft*, *Slate*, fit une expérience afin de déterminer qui pouvait livrer le plus rapidement un best-seller très en demande: *Amazon.com* ou une librairie locale de Seattle. La librairie l'emporta. Mais les fidèles clients d'*Amazon.com* inondèrent *Slate* de messages électroniques et défendirent l'entreprise. Le service de relations publiques d'*Amazon.com* avait eu l'intention de répondre à *Slate*, mais ils se rendit compte que c'était inutile, car les clients l'avaient déjà fait.

Jeff Bezos n'est pas dupe lorsqu'il est question de la longévité de la fidélité du client: «Quand les gens me demandent si nos clients sont fidèles, je leur réponds: "Absolument, jusqu'à la seconde où quelqu'un d'autre leur offre un meilleur service."[1] C'est pourquoi chez *Amazon.com*, nous nous sommes donnés comme devise de devenir obsédés à propos de nos clients et non à propos de nos concurrents. Nous observions nos concurrents, nous apprenions d'eux, nous voyions ce qu'ils faisaient bien et nous les imitions de notre mieux. Mais nous n'allions jamais nous laisser obséder par eux.»[2] Ce qui explique avant tout «notre croissance et notre habileté à faire face à cette croissance, c'est cette obsession du service à la clientèle. Cela nous hantait. Je disais à mes employés de faire preuve de "rétention anale" à propos du service à la clientèle, et non de fixation orale. Je pense», dit-il en souriant, «que ce serait là aller trop loin.»

Avec toute l'information sur les produits et les prix dont disposent aujourd'hui les clients, ainsi que la liberté de passer d'un site à un autre grâce à un simple clic, la balance du pouvoir dans le domaine du commerce électronique est passée du détaillant au client. «L'Internet est un énorme ouragan», dit Jeff Bezos. «La seule constante au milieu de cette tempête, c'est le client.»[3] Donc, à son avis, les détaillants doivent réajuster l'accent qu'ils mettent sur leurs opérations. «Si la décision optimale était autrefois de consacrer 30 % de son temps, de son énergie, de sa concentration et de son argent à offrir une expérience exceptionnelle au client, et 70 % de son temps, de son énergie, de sa concentration et de son argent à le crier sur les toits, c'est aujourd'hui le contraire. Aujourd'hui, la meilleure chose à faire est de consacrer 70 % de son temps, de son énergie, de sa concentration et de son argent à offrir une expérience exceptionnelle au client, et 30 % de son temps à le crier sur les toits.»

---

1. Allocution au Lake Forest College le 26 février 1998.
2. Ibidem.
3. *Business Week*, 27 septembre 1999.

En se basant sur des anecdotes, des études effectuées auprès du consommateur et à des recherches quantitatives, *Amazon.com* découvrit que les trois choses qui importaient le plus pour le client étaient le *choix*, la *commodité* et le *prix*.

Jeff Bezos comprit que le service à la clientèle est affaire de réciprocité, et touche tous les aspects de l'interaction entre l'acheteur et le vendeur – le temps nécessaire au téléchargement de la page d'accueil, la convivialité du site (de la recherche du produit à la commande), le processus de livraison du bon produit à la porte du client, et tout le reste. Comme de nombreuses entreprises qui ont adopté une culture axée sur le service, *Amazon.com* allait s'assurer que l'expérience du client soit positive – à n'importe quel prix.

La raison d'être d'*Amazon.com* (ou de tout autre commerce électronique) est d'offrir sur Internet ce qui ne peut pas se trouver ailleurs. Dès le début, la philosophie de Jeff Bezos reposait sur la certitude que, pour réussir, un détaillant en ligne devait ajouter suffisamment de «valeur» pour convaincre les clients éventuels de modifier leurs habitudes d'achat et d'essayer un nouveau moyen de faire leurs emplettes. Cet énoncé de valeur «qu'il faut offrir au client est considérable», dit-il, car «ce n'est pas de tout repos que de naviguer sur le Web de nos jours», avec la lenteur des modems et des sites de téléchargement, les déconnexions de lignes téléphoniques et les pannes de navigateurs. «Donc, si vous voulez que les gens consultent un site Web dans les conditions actuelles, il faut leur offrir de quoi compenser de façon irrésistible cette technologie naissante et primitive.»[1]

L'ensemble de l'équation du service à la clientèle se réduit à rien de plus complexe que la règle d'or. «Jeff ne veut

---

1. Allocution donnée au Lake Forest College, 26 février 1998.

pas perdre son temps», dit Gina Meyers, une ancienne employée. «Il s'attend à ce qu'on le traite en ce sens et c'est ainsi qu'il souhaite que les clients soient traités. Sa vision globale est: "Comment voulez-vous être traité en tant que client?"»

Jeff Bezos savait que, dans la vie réelle, les gens ne se rendent pas dans des librairies *uniquement* pour acheter des livres; ils y vont parce que c'est une agréable façon de passer le temps par un samedi après-midi pluvieux. «Nous ne rendrons jamais le site d'*Amazon.com* amusant et attirant de la même façon que le sont les librairies traditionnelles», admet Jeff Bezos. «Vous ne pourrez pas entendre craquer les reliures et respirer l'odeur des livres tout en dégustant un savoureux café au lait, bien calé dans un fauteuil moelleux. Mais nous pouvons offrir des choses tout à fait différentes qui enthousiasmeront les gens et qui rendront leur expérience amusante et attirante.»[1]

LE SITE WEB: TOUTE UNE EXPÉRIENCE!

Pour l'utilisateur en ligne, l'expérience commence évidemment sur le site Web. C'est là qu'il sera séduit ou rebuté – parfois tellement rebuté qu'il n'y reviendra jamais. Peu après la naissance du Web, de nombreux détaillants déjà bien établis se contentaient d'offrir des renseignements de base tels que des descriptions de produits, des numéros de téléphone, des adresses, des situations géographiques, etc. En juin 1996, le *Wall Street Journal* qualifia l'Internet de «jeu de l'appât trompeur», où le client était attiré sur une page Web pour se faire dire de communiquer avec l'entreprise par téléphone ou par télécopieur «afin d'obtenir les véritables friandises». Le *Journal* ajoutait que le Web «n'était rien d'autre que de la

---

1.   Ibidem.

vente électronique d'objets usagés», et que le commerce en ligne «n'en était qu'à la phase du centre commercial».

Même lorsque les entreprises réalisèrent qu'elles pouvaient effectivement vendre des produits en ligne, la majorité d'entre elles voyaient toujours dans cette expérience *une vente de marchandises* et non *une transaction avec un client*. Scott Lipsky, un ancien vice-président d'*Amazon.com*, croyait que la plupart de ces entreprises en ligne «abordaient la chose de la même façon qu'ils abordaient le commerce de détail traditionnel – au lieu de réfléchir: "Qu'est-ce qui poussera quelqu'un à acheter en ligne?" Pour qu'ils achètent en ligne, il faut que cela soit facile, rapide et économique... Si vous pensez à ce qu'on ressent quand on parcourt les allées d'un magasin et qu'on examine la marchandise, vous partez du mauvais pied.»

Au milieu des années 1990, un grand nombre d'entreprises croyaient que la façon d'accroître l'achalandage sur leur site était d'y mettre tout ce qu'elles pouvaient trouver de plus fantaisiste, joli et à la mode, sans comprendre que la majorité des gens naviguaient à des vitesses de tortue de 9 600 bits par seconde et 14,4 ko par seconde et qu'ils n'avaient pas envie d'attendre que toutes ces jolies choses se téléchargent. D'un autre côté, *Amazon.com* savait que le secret d'une expérience agréable pour le client consistait en la commodité d'acheter un livre en ligne comparativement à prendre la voiture pour se rendre dans une librairie. «J'agis selon la théorie qui veut qu'au XXe siècle, le temps soit une ressource peu abondante», dit Jeff Bezos. «Si vous pouvez faire économiser temps et argent aux gens, ils aimeront cela.»[1]

1. *Washington Post*, 20 juillet 1998.

Jeff Bezos comprit que, dans l'esprit des gens, le site Web d'*Amazon.com* n'était pas une couche de pixels sur la page d'accueil du site, mais une expérience en soi. Au début, le site d'*Amazon.com* était quelque peu terne et surchargé, mais il était modifié chaque jour afin d'encourager les utilisateurs à le consulter de nouveau. Pendant les deux premières années, le site conserva ce format simple qui le rendait rapide et fonctionnel. (Deux ans après le lancement, une plus grande largeur de bande permit l'adjonction d'éléments graphiques, rendant le site plus attirant et aussi plus facile à consulter.

Mais à l'été 1996, lorsque les clients accédaient au site d'*Amazon.com*, la page d'accueil, principalement composée de texte, se téléchargeait rapidement et le message suivant apparaissait: «Bienvenue chez *Amazon.com!* Cherchez parmi un million de titres. Profitez immanquablement des plus bas prix.» Par exemple, le «Spotlight» du 8 août proclamait: «Perte de poids, mise en forme, chirurgie du cerveau et Asie du Sud-Est; livres interdits et huiles tropicales; mélatonine et TCP/IP; investissement dans Internet, voyages d'affaires; tout est réduit de 30 %!» (On ne lésinait pas sur l'utilisation du point d'exclamation!) Les deux ouvrages dont la couverture était reproduite étaient *Trader fou:* autobiographie, de Nick Leeson et *Let's Go Asia*. L'entreprise offrait chaque jour des extraits en ligne des ouvrages figurant au «Spotlight».

Les visiteurs pouvaient se servir du puissant moteur de recherche pour trouver un livre spécifique, un sujet, un auteur, ou pour parcourir la base de données qui, à cette époque, comptait 1,5 million de titres dans 23 catégories. Trois rédacteurs lisaient des critiques, parcouraient les commandes des clients et suivaient l'actualité afin de déterminer les ouvrages sur lesquels ils mettraient l'accent. Grâce à ces rédacteurs, la société donnait aux clients le sentiment de recevoir la même rétroaction littéraire que dans une petite librairie indépendante. «Si vous passez beaucoup de temps sur le site, j'espère que vous entendez une étrange petite voix qui vous parle de littérature, et que vous sentez que vous interagissez avec de véritables personnes, que ce sont des êtres humains qui s'occupent de vous, non des gens qui essaient de vous vendre quelque chose. Ma devise a toujours été de créer "le contexte parfait pour une décision d'achat"[1], dit le rédacteur en chef, Rick Ayre.

«Les gens n'achètent pas des livres uniquement parce qu'ils en ont besoin», observe Jeff Bezos. «L'envie de faire des trouvailles y joue pour beaucoup, et c'est là-dessus que nous misons.»[2] C'était le but des «présentoirs» sur la page d'accueil; ils affichaient les nouveautés, les rabais et des suggestions de cadeaux. Les clients qui savaient exactement ce qu'ils voulaient n'avaient qu'à utiliser le moteur de recherche pour accéder à une section spécifique: affaires, informatique, jardinage, etc., où ils pouvaient consulter les recommandations d'experts dans ce domaine.

Un grand nombre d'ouvrages étaient assortis d'une description, d'une recommandation de l'éditeur, d'une critique des rédacteurs d'*Amazon.com* ou tirée du *New York Times Book Review* ou du club de livres d'Oprah Winfrey. On pouvait également y trouver des transcriptions d'auto-entrevues d'auteurs, qui étaient libres de parler de leurs ouvrages ou de répondre aux commentaires des clients. Certains des auteurs les plus célèbres, dont Bill Gates (*La Route du futur*) participèrent à des séances de questions et de réponses animées par les rédacteurs d'*Amazon.com*.

---

1. *Washington Post*, 20 juillet 1998.
2. *Wall Street Journal*, 16 mai 1996.

On invitait les clients à cliquer et à rédiger leur propre critique d'un ouvrage donné. La société voulait ainsi créer un sentiment d'«appartenance à la communauté»; mais *Amazon* comblait aussi un besoin urgent: il fallait remplir tout cet espace libre et c'était une façon de générer du contenu. En invitant les clients à rédiger leurs propres critiques – positives ou négatives – *Amazon.com* était en mesure de déclencher un dialogue intellectuel et d'ajouter (gratuitement) du contenu à des pages qui, autrement, auraient été pratiquement vierges. (L'entreprise attribuait des prix en argent aux auteurs des meilleures critiques).

David Siegel, auteur de *Futurize Your Enterprise: Business Strategy in the Age of the E-Customer* et un pionnier de la conception de sites Web, décrit l'Internet, tel qu'il était en 1995, comme «une culture alternative en plein essor. C'était un jouet, c'était amusant, c'était physique. Cela renversait l'ordre établi. C'était comme aller à l'encontre du courant. Cela n'avait rien à voir avec la vente. *Amazon* contribuait à cet état de choses en affichant les comptes rendus littéraires de ses utilisateurs.»

La philosophie d'entreprise d'*Amazon.com* relativement à ces comptes rendus se résumait à ceci: «Attaquez les idées, mais pas les gens», dit Glenn Fleishman, le directeur du catalogue. Les critiques qui étaient négatives ou diffamatoires à propos d'autre chose que le livre n'étaient pas retenues. «Nous ne voulions pas prouver des faits objectifs et nous censurions les mots grossiers, mais je n'ai jamais exigé qu'on refuse un compte rendu à cause de son contenu», dit Glenn Fleishman.

Maire Masco, la directrice du service à la clientèle, se rappelle la tempête créée par une critique maison de l'ouvrage de Robert Heinlein, *Étoiles, garde-à-vous*. Le rédacteur d'*Amazon.com* qui avait été chargé de cette critique était misogyne et approuvait la fessée. «Il n'aborda pas l'ouvrage du point de vue de la science-fiction, mais d'un point de vue sociologique», dit Maire Masco. «Oh, mon Dieu! C'était comme si les portes de l'enfer s'étaient ouvertes! Nous avons été inondés de messages électroniques de protestation. J'ai cessé de les compter après que nous ayons affiché 300 commentaires de lecteurs qui condamnaient cette critique.»

Lorsque les éditeurs et les auteurs demandaient à Jeff Bezos pourquoi *Amazon.com* acceptait de publier des critiques négatives sur son site, il défendait cette pratique en affirmant qu'*Amazon.com* avait «une approche différente et essayait de vendre tous les livres. Nous voulons qu'ils soient tous disponibles – les bons, les mauvais, les affreux. Nous avons donc l'obligation de laisser la vérité s'étaler au grand jour si nous voulons créer un environnement propice aux achats. C'est ce que nous tentons de faire avec ces comptes rendus.»[1]

Mais ces critiques «civiles» sont parfois source d'embarras. En juin 1999, le *Los Angeles Times* rapporte que le site Web d'*Amazon.com* a affiché une critique négative d'un ouvrage traitant de la planification du commerce électronique, de Lynn Manning Ross. Cette critique était publiée sous le titre «Ce livre est stupide... Ne perdez pas votre temps!» et signée par Jeff Bezos, qui donnait son adresse e-mail, *Jeff Amazon.com*. Lynn Manning Ross se plaignit pendant une semaine avant qu'*Amazon.com* ne retire le compte rendu. S'il fallut tout ce temps pour corriger la situation, c'est que le système n'était pas assez souple.

L'anonymat était le volet de ces comptes rendus que les auteurs et les éditeurs détestaient, car il devenait trop facile

---

1.   Allocution donnée au Lake Forest College, 26 février 1998.

de calomnier l'œuvre d'autrui au grand jour. «Maintenant que nous avons cette communauté de lecteurs et une méthodologie de collaboration, la véritable question est : «Comment éviter la désinformation?» demanda David Rogelberg de l'agence littéraire Studio B, établie à Fishers, Indiana. David Rogelberg représentait de nombreux auteurs d'ouvrages portant sur l'informatique et l'Internet. «Maintenant que cet outil d'information joue un tel rôle dans le processus de prise de décisions, comment empêcher les gens de le tourner à leur propre avantage? Ce sera *la* question, parce que si j'avais douze employés et que je leur disais : "Tout ce que je veux, c'est que vous proposiez à *Amazon.com* de bonnes critiques des ouvrages de nos clients", cela mousserait les ventes, les redevances, la visibilité, etc. Ce serait un moyen vraiment bon marché de contourner les règles. C'est quelque chose que je ne ferais jamais, mais je ne suis pas certain que tout le monde soit aussi honnête. Il y a sur le site d'*Amazon.com* des comptes rendus d'ouvrages qui sont encore sous presse. Comment cela se fait-il?»

On invitait les auteurs à faire eux-mêmes un compte rendu de leurs livres. Une équipe d'employés examinait ces comptes rendus (qui devait inclure l'adresse e-mail de l'auteur) et vérifiait l'information auprès de l'éditeur. Il y eut occasionnellement quelques bévues. Par exemple, «Dieu» fit une critique de la Bible, et «Emily Brontë» ressuscita pour écrire : «Je ne peux tout simplement pas croire que Jane Austen a joué dans deux mini-séries et un film en une seule année.»

Les principaux concurrents d'*Amazon.com* ne restaient pas inactifs. Le *Internet Book Shop*, basé en Angleterre, qui se disait «la plus grande librairie en ligne du monde», offrait 780 000 titres, dont certains à rabais. *Book Stacks Unlimited (books.com)*, de Cleveland, avait une base de données comprenant plus de 425 000 titres et fournissait plus de 190 000 descriptions et critiques, une émission radiophonique quotidienne traitant de l'actualité littéraire et un forum de discussion en ligne. Ce site très perfectionné offrait également des livres gratuits (après des achats totalisant un certain montant) et une salle de bavardage réservée aux lecteurs et à des auteurs invités. Un service appelé *Lyric* permettait d'écouter en temps réel des auteurs faisant la lecture de leurs œuvres ou participant à des entrevues. *Book Stacks* publiait *Cook's Nook*, un magazine traitant de gastronomie et de livres de cuisine. Le site offrait également des extraits, des tables des matières et des résumés. Jeff Bezos savait que pour faire face à la concurrence, il se devait d'égaler – sinon de surpasser – ces caractéristiques.

LE CHOIX

Lors de sa première journée de travail chez *Amazon.com* à l'été 1996, Dana Brown entra dans une petite pièce située à l'arrière de l'entrepôt du 2250 de la 1re Avenue. Elle y vit deux PC 486 et un employé qui lui dit: «Ceci est le service des commandes et vous en êtes responsable.»

Entraînée dans une courbe d'apprentissage rapide, elle passa de 100 commandes par jour en juillet à 5 000 commandes par jour en décembre. Elle contribua à établir des relations avec les distributeurs dans le but de conclure de meilleures ententes et d'améliorer les services de livraison. «Souvent, nous ne recevions pas ce que nous avions commandé, et nous n'avions aucune entente écrite», dit Dana Brown. «Il nous fallait quelqu'un pour contrôler la qualité de leurs envois.» De plus, *Amazon.com* n'avait pas de service de retour. Une grande quantité de livres retournés par les clients étaient empilés sur des étagères sans rime ni raison. Souvent, on ne savait plus quel livre avait été retourné à quel fournisseur et, «à la fin de la journée, nous n'avions pas d'autre choix que d'en rembourser plusieurs.»

Le service à la clientèle «faisait partie intégrante de ce que j'essayais d'accomplir», dit Dana Brown. «Nous tentions de réduire le délai entre la commande du client et la livraison du colis. C'est sur cet aspect que nous mettions l'accent. C'est ainsi que nous mesurions la productivité.» Cet été-là, l'entreprise s'attaqua sérieusement au développement de relations avec les principaux distributeurs – *Ingram* et *Baker & Taylor* – ainsi qu'avec les éditeurs, grands et petits, dans le but d'améliorer le service.

Au début, le délai avant l'expédition était de quatre jours pour les livres que les distributeurs avaient en stock, mais *Amazon.com* tentait de ramener ce délai à 24 heures. (Jeff Bezos savait que les clients feraient preuve de réticence s'ils ne savaient pas quand ils recevraient leurs livres). «On a pu rationaliser une grande partie du processus. Même les distances parcourues par les employés de l'entrepôt. Le réaménagement de l'entrepôt permit d'augmenter la rapidité et l'efficacité de l'opération», dit Jeff Bezos. À cette époque, tous les livres étaient emballés à la main, l'entreprise ne disposait pas d'un scanner de codes à barres, et le numéro ISBN de chaque ouvrage était inscrit manuellement dans le système. La majorité des colis étaient acheminés au bureau de poste par un service de messagerie. Le volume n'était pas suffisant pour que le bureau de poste en fasse la cueillette.

Malgré ces conditions rudimentaires, la société insistait toujours sur le fait que «le produit devait être parfait lorsque le client le recevait et il devait être expédié dans les délais prescrits», dit E. Heath Merriwether, qui commença à travailler à l'entrepôt à l'été 1996. «Nous manipulions un livre de poche de 4,99 $ avec autant de soins qu'une encyclopédie.» Pour assurer la solidité de l'emballage, «*Amazon* suremballait tout. On pouvait prendre un livre [emballé] et le jeter par terre. Si on ouvrait le colis, le livre était intact.»

Scott Lipsky, le vice-président du développement des affaires, et Glenn Fleishman, le directeur du catalogue, travaillaient également à l'établissement de relations avec les éditeurs, grands et petits. Ils estimaient qu'ils arriveraient à vendre davantage de livres en obtenant de l'information sur les ouvrages. Glenn Fleishman aida les petits éditeurs à puiser dans diverses sources, incluant les distributeurs, pour apporter leur contribution au catalogue. «La page d'accueil mise à part, le contenu du site de pratiquement toutes les librairies virtuelles est identique», dit Glenn Fleishman. «La principale différence réside dans les rabais qui sont offerts et la quantité d'information», comme des tables des matières, des extraits et autres éléments de marketing. «J'ai dit aux éditeurs que plus ils me fourniraient d'information sur leurs produits, mieux ils feraient face à la concurrence. (Cela s'appliquait surtout aux ouvrages généraux). Je voulais qu'ils aient le sentiment que nous allions les aider à vendre davantage de livres. Et nous le ferionx en adoptant une attitude de non-favoritisme.

Amazon.com place sur un pied d'égalité les ouvrages publiés chez *HarperCollins* et les publications indépendantes ne générant qu'une vente par mois.»

LES ÉDITEURS INDÉPENDANTS

En février 1998, *Amazon.com* invita de petits éditeurs indépendants – qui avaient toujours été tenus à l'écart d'un grand nombre de canaux de distribution traditionnels – à participer, gratuitement, à son programme intitulé *Publisher's Advantage*. Ce programme leur permettait de figurer sur le site d'*Amazon.com* aux côtés de tout éditeur majeur. *Amazon.com* gardait en stock cinq exemplaires d'un même titre et les renouvelait à mesure qu'ils étaient vendus. Ce système réduisait le temps d'attente pour le client qui voulait commander des livres rares, car les ouvrages publiés par les participants à ce programme étaient cotés «habituellement livré en 24 heures» au lieu des quatre à six semaines de délai habituelles pour les titres devant faire l'objet de commandes spéciales. *Amazon.com* scannait également la couverture gratuitement, et incluait les détails de la page titre, des éloges de la critique, des extraits, une table des matières et des commentaires de l'auteur et de l'éditeur.

Ainsi, Internet fournissait un espace de rangement infini et pouvait stocker sur ses «rayons» des livres qui n'étaient pas distribués dans les librairies traditionnelles. Christina Crawford, l'auteure de *Cette chère maman*, un ouvrage publié en 1978 dans lequel elle parle de sa mère, la célèbre actrice Joan Crawford, profita de ce programme. L'édition du vingtième anniversaire de cet ouvrage, publié par sa propre entreprise, *Seven Hills Press*, se vendit presque exclusivement sur le site d'*Amazon.com*. «C'est très démocratique et égalitaire», dit Christina Crawford. «*Amazon.com* accepte qu'un éditeur n'ait qu'un seul titre à son actif. Cela fit d'*Amazon.com* un phénomène d'avant-garde [parmi les auteurs/éditeurs] car elle répondait soudain à un besoin dont personne ne parlait jamais. Un simple clic et une carte de crédit rendaient possibles une distribution mondiale. *Amazon.com* me commandait mon livre à l'unité. Je n'avais qu'à l'expédier à l'un de ses entrepôts et on inscrivait un numéro de bon de commande sur le colis. Je payais les frais d'expédition.» Cette façon de procéder n'entraîna «presque pas de retours. Et, contrairement aux éditeurs qui paient l'auteur à tous les six mois, *Amazon.com* me payait à tous les 30 jours.»

LE REMANIEMENT DU MODÈLE D'AFFAIRES

Comme le volume des commandes augmentait de façon spectaculaire, il devint évident que, pour fournir le type de service à la clientèle que Jeff Bezos avait en tête, *Amazon.com* se devait d'entreposer de la marchandise. C'était la fin du concept de librairie virtuelle sans stocks, qui était à la base du modèle d'affaires original. Dana Brown dressa la liste des ouvrages qui devraient être tenus en stock de façon à pouvoir être expédiés dès la réception d'une commande. Au début, cette liste d'inventaire ne comprenait que les dix meilleurs best-sellers, mais elle en compta rapidement 25, et puis 250. «Nous n'avions pas suffisamment d'espace d'entreposage», dit Dana Brown. Elle en vint bientôt à commander de 100 à 10 000 exemplaires d'un même titre, et «nous nous demandions où sur la terre nous pouvions entreposer toute cette marchandise. Où mettre tous ces livres? La réponse: n'importe où.»

Bientôt, tout le personnel clé travaillait pratiquement 24 heures par jour – ce qui n'était pas rare pour une entreprise débutant sur Internet. Les commandes étaient faites à 4 h 30 du matin. Dana Brown estime qu'elle travaillait de 15 à 18 heures par jour, et parfois plus. «J'avais également deux téléavertisseurs qui bourdonnaient sans arrêt» se rappelle-t-elle. «Jeff était toujours là. Je ne le voyais jamais rentrer à la maison.»

Gina Meyers décrit les deux années qu'elle passa chez *Amazon.com:* «C'était comme se retrouver dans une fusée et s'accrocher désespérément pour rester en vie. C'était amusant, mais après un certain temps, on en payait le prix.»

«Je crois que personne n'aurait pu prédire tous les problèmes et toutes les complications qu'entraînerait la manutention rapide de la marchandise», dit Laurel Canan, le directeur de l'entrepôt. «Nous trouvions des solutions au fur et à mesure.»[1] Ou, comme le dit un ancien Amazonien: «On partait du principe qu'on pouvait travailler dur et bien pendant de longues heures. Chez *Amazon.com*, on ne faisait pas les choses à moitié.»

À cette époque, *Amazon.com* n'avait pas toujours la priorité chez les éditeurs lorsqu'il s'agissait de best-sellers. «C'était toujours terriblement triste lorsque les gens nous écrivaient qu'ils avaient vu le dernier livre de Tom Clancy chez *Borders* et qu'ils nous demandaient pourquoi *Amazon. com* ne leur avait pas encore expédié leur exemplaire», dit Maire Masco.

Les clients n'étaient pas prêts à attendre deux jours lorsqu'ils savaient qu'un best-seller populaire se trouvait déjà sur les rayons de n'importe quelle librairie. Donc, en novembre 1996, *Amazon.com* loua à Seattle un entrepôt de 8 640 mètres carrés d'où elle pouvait emballer et expédier la marchandise au client dès réception de sa commande. Elle stocka des best-sellers en quantité suffisante pour répondre rapidement à la demande. Jeff Bezos convainquit ses deux principaux fournisseurs, *Ingram Books* et *Baker & Taylor*, de lui expédier la marchandise sur demande de façon à ce qu'il puisse minimiser les coûts d'inventaire et d'entreposage. Bientôt, 200 000 best-sellers furent entreposés à Seattle et, plus tard, dans un autre entrepôt situé à Wilmington, Delaware. Ils entreposèrent de 200 000 à 400 000 exemplaires de best-sellers obtenus auprès d'un réseau composé d'une douzaine de grossistes, et puis 400 000 à 1,5 million d'exemplaires, commandés directement auprès des 20 000 différents éditeurs. *Ingram* et *Baker & Taylor* expédiaient presque toutes les commandes le jour même et la livraison se faisait habituellement

---

1. *Seattle Times*, 5 janvier 1997.

dans les 24 à 48 heures. Mais pour obtenir ce service, le client devait payer le prix de gros, qui est de 10 à 20 % plus élevé que le prix de l'éditeur. *Amazon.com* devait également assumer des coûts d'emballage et de manutention.

Comme les rabais faisaient partie intégrante de l'idée que se faisait Jeff Bezos d'un «énoncé de valeur», *Amazon.com* coupa le prix au détail de presque tous ces ouvrages. Il a souvent dit que ce serait une grosse erreur que de ne pas offrir de rabais. (Mais, bien sûr, le client devait acquitter des frais d'emballage et de manutention de 4 $ par commande). *Amazon.com* pouvait se «permettre» d'offrir des rabais car ses frais généraux (incluant les biens fonciers et les salaires) étaient deux fois moins élevés que ceux d'un magasin entrepôt grande surface. En 1996-1997, Jeff Bezos affirme qu'*Amazon.com* généra des revenus de plus de 300 000 $ par employé, comparativement à 95 000 $ dans une librairie traditionnelle.

Au cours de cet été de 1996, «notre croissance était extrêmement rapide et nous tentions de suivre le mouvement en adaptant au fur et à mesure nos systèmes et nos procédés», dit Gina Meyers. «Il fallait être prêt à voir les affaires se multiplier par 10 en deux mois. Tout était poussé à l'extrême. Nous nous demandions: "Qu'est-ce qui va flancher?" Il fallait prévoir [les pannes] de manière à avoir une solution toute prête.» Heureusement, l'infrastructure mise en place par Shel Kaphan et Paul Barton-Davis permettait à l'entreprise de résoudre les problèmes de logistique et de répondre à la demande générée par le volume toujours croissant des ventes avec seulement un petit accrochage par-ci par-là. «Parfois, une fois rentrée à la maison, je me disais: *"Oh, mon Dieu, comment y sommes-nous arrivés?"* Le nombre de transactions que nous pouvions effectuer avec ce système maison était extraordinaire, même si nous n'étions pas des experts

de la distribution ni de la vente de détail. C'était incroyable»,
dit Gina Meyers.

Étant donné la croissance exponentielle du volume des
ventes, l'entreprise fit l'acquisition de deux systèmes *Digital
AlphaServer 2000* (alors considérés comme ce qu'il y avait de
meilleur sur le marché), créant un environnement multipro-
cesseurs à 64 bits en parallèle, avec une mémoire vive d'un
gigaoctet où les 3 millions de titres furent stockés. Cette acquisition montrait bien: «Ceci n'est pas provisoire», dit Gina
Meyers. «Nous nous équipions pour devenir les meilleurs en
matière de service à la clientèle et nous nous assurions que
tout était coordonné de manière à assurer un temps de réponse très bref.»

L'environnement logiciel était fondé sur une base de
données Oracle, qui passait pour ce qu'il y avait de mieux et
de plus robuste sur le marché. Pour ce qui est du nombre de
transactions en temps réel, *Amazon.com* était probablement
le plus utilisateur de produits Oracle parmi les détaillants en
ligne. Jeff Bezos disait que la majorité des investissements de
l'entreprise en matière de développement de logiciel était
consacrée à la logistique d'arrière-boutique, incluant le processus de commande.

LE PROCESSUS DE COMMANDE

«Au cœur du concept de "l'expérience ultime pour le
client" se trouve la faculté d'évaluer ce qui peut irriter le
client», écrit Patricia Seybold dans *Customers.com*. «Il faut
considérer le sentiment d'anxiété non exprimée qu'éprouve
le client lorsqu'il se trouve plongé dans l'inconnu.» Le site
d'*Amazon.com* contribue «énormément à apaiser les craintes
non dites du client».

Jeff Bezos adopta une approche systématique à chaque étape du processus d'achat en ligne. *Amazon.com* est considéré comme étant le premier détaillant sur Internet à subdiviser le processus d'achat en une série d'étapes spécifiques, à numéroter ces étapes et à guider le consommateur de l'une à l'autre. L'idée générale était de rendre la chose facile et agréable pour le client et d'apaiser les craintes et les tensions engendrées par ce nouvel univers virtuel.

Voici les cinq étapes:

1. Quelle est votre adresse électronique?

2. Quelle méthode de paiement souhaitez-vous utiliser (carte de crédit, chèque ou mandat postal)?

3. Est-ce votre première commande chez *Amazon.com?* (Si vous avez déjà un mot de passe, entrez-le ici).

4. S'agit-il d'un cadeau? (Si vous répondez non, passez à l'étape 5; si vous répondez oui, *Amazon.com* vous offre une sélection d'emballages-cadeaux au coût de 2 $ par commande).

5. Cliquez ici pour passer à la page suivante. Vous avez la possibilité d'annuler ou de modifier votre commande. (Cette étape affiche une page qui résume les achats du client. Un autre clic permet de confirmer la commande).

Sur le site d'*Amazon.com*, le client dépose les livres de son choix dans un panier à provisions virtuel. À cette étape du processus, le client peut modifier sa commande – en ajoutant ou en retirant des livres du panier à provisions. Si le client décide d'interrompre la transaction, de quitter le site et d'y revenir plus tard, il retrouvera son panier à provisions – contenant tous les livres déjà choisis – et il pourra passer à l'étape suivante. Le profil de chaque acheteur est mémorisé par le système d'*Amazon.com*. Il comprend des informations telles que: nom, adresse électronique, adresse postale, numéro de carte de crédit, etc. Si ces données n'ont pas changé, l'utilisateur clique sur la pastille «Achat» et le tour est joué. L'adresse postale peut être modifiée, et lors de la prochaine visite du client sur le site, le système lui donne le choix entre les adresses inscrites à son dossier.

S'il s'agit d'un cadeau, le client peut écrire une carte de souhaits et choisir parmi divers emballages-cadeaux. L'étape finale consiste à confirmer la liste d'achat, le montant de la facture, l'adresse postale et les options de livraison (UPS, poste régulière, etc.) Et encore en l'an 2000, parmi les dix sites d'achat en ligne les plus fréquentés, *Amazon.com* est le seul à offrir sur sa page d'accueil un lien menant à sa «politique de livraison» et à une grille de tarification. Les frais d'expédition sont également indiqués à l'étape finale du processus d'enregistrement et d'achat. De plus, le site d'*Amazon.com* permet au client de consulter son historique d'achat, de vérifier le statut d'une commande et de personnaliser presque tous les aspects du processus de commande.

Le service est devenu de plus en plus personnalisé à mesure que le site a été perfectionné. Les clients réguliers ont droit à une salutation («Bonjour, Robert Spector!») et on leur fait plusieurs recommandations, basées sur leurs achats précédents. «Je veux ramener la vente de livres en ligne», dit Jeff Bezos, «aux bons vieux jours où les petits libraires vous connaissaient bien et vous disaient, par exemple: "Je sais que vous aimez John Irving, et devinez quoi, il y ce nouvel auteur qui, je crois, ressemble beaucoup à John Irving."»

Le Centre de recommandation présente une liste plus détaillée de titres pertinents. Cette «personnalisation de masse» fait partie de la philosophie d'*Amazon.com*, qui adapte l'expérience aux goûts personnels du client, à ses habitudes d'achat et à sa façon de naviguer. Grâce à des logiciels relationnels sophistiqués, *Amazon.com* a été le premier détaillant en ligne à afficher un message comportant des suggestions de titres – que ce soit dans une catégorie donnée ou encore une liste d'ouvrages d'un même auteur – achetés par d'autres lecteurs ayant également choisi le livre que le client vient de sélectionner. Utilisant une caractéristique appelée *Bookmatcher*, *Amazon.com* demandait au client de classer dix livres par ordre de préférence, ce qui l'aidait éventuellement à faire d'autres suggestions aux clients.

Lorsqu'*Amazon.com* commença à diversifier ses produits, son système de recommandation était devenu encore plus sophistiqué. La caractéristique de suggestion instantanée, basée sur les achats précédents, comporte une pastille «humeur» sur laquelle le client peut cliquer et choisir entre «découragement», «danse» ou «fête». Il y a même des sous-catégories. Si on clique sur «découragement», on trouve «abandonné» et «temps maussade». (Très populaire à Seattle). En mai 1999, *Interactive Week* rapporte qu'*Amazon. com* se classe au premier rang pour ce qui est de son système de recommandation: «Ce que ce système a de remarquable, c'est qu'il recommande aussi des disques compacts et des cassettes vidéo avec une étonnante précision, même si vous n'avez toujours acheté que des livres chez *Amazon.com*.»

Sept minutes après la validation d'une commande, *Amazon.com* envoie un e-mail de confirmation au client. (*Amazon.com* est considérée comme étant la seule entreprise en ligne à le faire). Une fois le colis expédié, *Amazon.com* avise le client en lui envoyant un autre e-mail. Si certains produits ne sont pas disponibles, *Amazon* indique ce qui a été envoyé et ce qui reste en attente. Les clients réguliers ont souvent la priorité au moment de l'expédition.

À la fin de 1997, *Amazon.com* lança «*1-Click Shopping*» – une marque et un processus brevetés – une caractéristique qui ajoute à l'énoncé de valeur en permettant aux clients réguliers de commander au moyen d'un seul clic. Pour simplifier au maximum le processus de commande, l'utilisateur peut indiquer un numéro de carte de crédit, une adresse postale et un mode de livraison (régulier, 24 heures ou deux jours, par exemple) qui seront utilisés pour toutes ses futures transactions. Après avoir fait ses emplettes, il n'a qu'à cliquer une seule fois et c'est tout. *1-Click* permet à l'utilisateur de modifier son profil et lui donne l'occasion de consulter son historique d'achat.

«Lorsque nous avons dirigé des groupes de discussion et testé cette nouvelle caractéristique, nous avons constaté que les gens ne croyaient pas que la transaction était réellement terminée», dit Jeff Bezos. «Nous avons donc dû modifier le texte et ne plus écrire simplement: "Merci de votre commande", mais (entre parenthèses) "Oui, c'était aussi facile que ça".»[1] Après qu'une myriade de détaillants en ligne eurent commencé à copier ce principe d'achat en un clic, *Amazon.com* présenta une requête en cours pour protection de propriété intellectuelle. En octobre 1999, l'entreprise intenta un procès à *Barnesandnoble.com*, accusant le satellite Internet de *Barnes & Noble* d'avoir illégalement plagié son système breveté en utilisant sur son site une caractéristique appelée *Express Lane 1-click*.

Bien qu'*Amazon.com* ait commencé à utiliser la technique du clic unique en septembre 1997, elle n'avait obtenu son brevet que le 28 septembre 1999. *Barnesandnoble.com* utilisait *Express Lane* depuis le début de 1998. En décembre, un juge de la cour fédérale de Seattle, Marsha J. Pechman,

---

1. Allocution donnée au Lake Forest College, 26 février 1998.

émit une ordonnance préliminaire interdisant à *Barne-sandnoble.com* d'utiliser *Express Lane 1-click* tant que la poursuite serait en instance. *B&N* rebaptisa son système *Express Checkout*, mais jura d'aller en appel et affirma, dans un communiqué de presse: «Nous n'avons pas l'intention de rester assis les bras croisés et de laisser *Amazon.com* revendiquer la propriété d'une technologie qui est largement utilisée.»

Peu après la décision du juge Pechman, Richard Stallman, qui avait participé très tôt au développement du système d'exploitation *Linux* et qui était à la tête de la *Free Software Foundation*, réclama le boycottage d'*Amazon.com*. Il écrivit sur le site Web de *Linux Today:* «*Amazon* a intenté une poursuite pour bloquer l'utilisation de cette idée toute simple, montrant par là son intention de la monopoliser. C'est une attaque contre le *World Wide Web* et contre le commerce électronique en général.... Ce ne serait pas une question d'intérêt public s'il s'agissait uniquement d'une dispute entre deux entreprises. Mais le brevet donne à *Amazon* le pouvoir d'utiliser cette technique au détriment de toutes les entreprises américaines qui possèdent un site Web (et au détriment de tous les autres pays qui accordent des brevets similaires). Bien qu'une seule entreprise fasse actuellement l'objet d'une poursuite, la question touche l'ensemble de la communauté Internet.»

Jeff Bezos comprit qu'il était important de personnaliser *Amazon.com* en offrant aux clients une variété de services promotionnels adaptés à leurs goûts et à leur désirs. Une caractéristique appelée «*Editors*» donnait des suggestions de titres dans presque 50 genres et sujets sélectionnés par les rédacteurs d'*Amazon.com* qui en avaient lu des comptes rendus préliminaires. La caractéristique appelée «*Eyes*» avertissait le client de la publication de nouveaux ouvrages traitant d'un sujet en particulier ou signés par son auteur préféré.

Le concept de *«Eyes»* était issu du projet initial d'*Amazon.com* qui consistait à vendre des livres par courrier électronique plutôt que sur le Web, selon les dires de Paul Barton-Davis. «Nous avions pensé qu'il serait formidable pour le client de recevoir un e-mail [au sujet d'un livre] comme s'il avait lui-même fait la recherche. Le langage de recherche s'y prêtait tout naturellement.» Les clients pouvaient commander des livres avant leur publication. (*Amazon.com* les expédiait dès qu'ils étaient disponibles). Les clients pouvaient s'abonner à des bulletins traitant d'une variété de sujets et distribués par des éditeurs et des journaux indépendants.

Amazon.com fournissait également à ses clients les recommandations des éditeurs. Elle leur envoyait un e-mail personnalisé comprenant des suggestions, des articles et des transcriptions d'entrevues en fonction de leurs goûts personnels, allant de l'ingénierie électrique aux religions orientales.

Pour apaiser les craintes du client relativement au viol de son intimité, l'entreprise publia une «Chartre des droits»:

1. Pas d'obligation: les services d'avis personnels *Eyes* et *Editors* sont gratuits et aucun achat n'est requis.

2. Annulation de l'abonnement: vous pouvez annuler ou modifier votre abonnement en tout temps.

3. Vie privée: Nous ne vendons ni ne louons l'information relative à nos clients. Si vous voulez vous assurer que nous n'avons jamais vendu ou loué à une tierce partie quelque information que ce soit vous concernant, envoyez un e-mail sans texte à never *Amazon.com*.

En 1998, Jeff Bezos cessa de qualifier *Amazon.com* de «commerce électronique» pour adopter les termes «merchandising électronique», car «le commerce est simplement l'action de trouver-acheter. Le merchandising (marchandisage) électronique a davantage rapport au comportement du client en ligne», dit-il, lors d'une allocution au Lake Forest College. Jeff Bezos expliqua que bien qu'on en sache beaucoup sur le comportement du client dans le monde réel, nous avons très peu de connaissances sur son comportement dans le jeune monde virtuel, et il ajoute qu'il considère *Amazon.com* comme «un laboratoire expérimental» dont le but est de définir ce comportement. «En même temps, nous pouvons utiliser une technologie avancée non pas seulement pour comprendre nos produits sur une base individuelle de produit-par-produit, mais aussi pour comprendre nos clients sur une base individuelle de client-par-client.»

Affirmant que l'objectif d'*Amazon.com* est de «mettre en valeur le processus de découverte», Jeff Bezos dit qu'il croit qu'*Amazon.com* pourrait utiliser la haute technologie pour améliorer de façon spectaculaire les probabilités qu'un client puisse trouver un livre, «car nous ne conduirons pas seulement le lecteur vers les livres, mais nous conduirons aussi les livres vers le lecteur.»

Grâce à ses réalisations en matière de développement de logiciel, *Amazon.com* est «en grande partie une entreprise de technologie», dit Jeff Bezos. «En fait, je nous considère, sous plusieurs aspects, comme une sorte de petite entreprise d'intelligence artificielle.» Au cours des dernières années, dans ses efforts pour faire découvrir ses produits en ligne, *Amazon.com* a commencé à utiliser des techniques simples mais perfectionnées telles que le filtrage collectif, un outil analogique qui regroupe les clients ayant des affinités quant à leurs goûts et à leurs d'intérêts et qui effectue une recherche pour dresser la liste des livres que les autres membres du groupe ont achetés et qu'un client n'a pas (du moins pas encore).

En 1998, *Amazon.com* personnalisa sa page d'accueil en fonction de l'historique d'achat et des intérêts qu'avaient exprimés les utilisateurs. «On ne s'en aperçoit pas à moins d'être assis à côté de quelqu'un et de voir que sa version est légèrement différente. C'est quelque chose que nous avions toujours voulu faire», dit Jeff Bezos. «Nous n'avons pas besoin d'avoir le magasin moyen pour rejoindre le consommateur moyen mythique. L'objectif est de créer un magasin idéal pour tous.»

LE PROGRAMME DES PARTENAIRES

Au milieu de 1996, un client d'*Amazon.com* demanda la permission d'établir une liaison entre les suggestions de lecture de son site Web et celui d'*Amazon.com*. La société s'empressa d'accepter. Grâce à cette requête candide, *Amazon.com* fut la première à développer le concept d'un réseau de partenaires qui favoriserait la vente de livres et, en même temps, créerait une communauté de lecteurs partageant les mêmes intérêts. Bientôt, pratiquement toutes les entreprises possédant un site Web portant sur un sujet spécifique furent invitées à adhérer au programme. Sur son site, chaque partenaire présentait des livres reliés à son champ d'intérêt et figurant dans la banque de données d'*Amazon.com*, ainsi que des critiques, des suggestions et des commentaires. Lorsqu'un client accédait au site du partenaire et cliquait pour acheter un livre, un hyperlien l'acheminait (sans frais pour le partenaire) vers le site d'*Amazon.com* où il pouvait terminer la transaction. *Amazon.com* se chargeait du traitement de la commande, de la logistique, de l'emballage-cadeau, de l'expédition, etc., et le partenaire touchait une commission de 5 à 15 % sur la vente.

Les partenaires pouvaient évidemment se procurer des livres auprès du distributeur, sans intermédiaire, et réaliser un bénéfice brut de 40 à 50 %, comme les libraires, mais la gestion des stocks et la manutention entraînaient des coûts. *Amazon.com* leur démontra qu'il était plus avantageux pour eux de réaliser un bénéfice net de 15 %.

Ce programme (que Shawn Haynes allait éventuellement coordonner) permit à *Amazon.com* d'accroître sa crédibilité en proposant à des spécialistes de faire des recommandations. Parce qu'il possède un golden retriever, Jeff Bezos aime citer un site consacré à cette race lorsqu'il parle du Programme des partenaires. Si quelqu'un est un spécialiste des golden retrievers, il lui est impossible d'un point de vue logistique ou financier d'ouvrir une librairie qui ne vendrait que les meilleurs ouvrages consacrés au golden retriever. Mais il est tout à fait logique de vendre ces ouvrages sur un site Web spécialisé et de fournir un contexte éditorial.

«C'est une bonne chose pour le client, car il dispose maintenant d'une source de référence faisant autorité en matière de golden retrievers», dit Jeff Bezos. «C'est une bonne chose pour nous, car nous nous gagnons de nouveaux clients. Et c'est une bonne chose pour le site consacré au golden retriever, car cela lui apporte un nouvelle source de revenus et l'occasion d'offrir un nouveau service à ses clients.»

Au cours des trois premiers mois d'existence de ce programme, plus de 5 000 sites s'associèrent à *Amazon.com*. Citons, par exemple, *Yahoo!*, *Netscape*, *AT&T Business Network*, *Explore Madagascar!*, *Cigar Journal* et, le favori de Jeff Bezos, *The Meteorite Market*, qui s'affichait comme «le plus ancien mais aussi le meilleur site du Web pour acheter des météorites». (À la fin de 1999, le nombre de partenaires dépassait 350 000).

Bien sûr, la motivation d'*Amazon.com* envers le Programme des partenaires n'était pas entièrement altruiste. Le programme permit à l'entreprise d'établir astucieusement des affiliations avec d'autres sites Web, et de minimiser la concurrence engendrée par les sites spécialisés, qui n'ont pas à assumer les frais reliés à la gestion des stocks et à la manutention. *Amazon* augmenta son chiffre d'affaires, ainsi que l'utilisation du nom et de l'adresse des clients.

Bien qu'*Amazon.com* parle souvent de la «communauté» qu'elle a créée avec ses partenaires, un ancien employé dit: «Je préfère ne pas parler de "communauté", mais plutôt de "l'acquisition d'une nouvelle clientèle". L'idée n'est pas d'attirer le client à chaque fois qu'il consulte le site d'un partenaire, mais de se gagner un client et de le garder.» Si ce client ne consulte plus jamais le site du partenaire pour commander ses livres, *Amazon.com* n'aura essentiellement payé qu'une seule commission au partenaire, et c'est tout – même si ce client achète encore une centaine de livres. *Amazon.com* ne verse plus rien au partenaire, mais elle garde le client. (La majorité des partenaires avaient négligé de négocier la valeur à vie d'un client. De plus, les partenaires pouvaient déterminer lesquels de leurs clients avaient cliqué sur l'hyperlien d'*Amazon.com*, mais il leur était impossible de savoir quelle somme ils avaient déboursée).

La création du Programme des partenaires est un autre exemple de la conception du commerce électronique de Jeff Bezos. C'était la stratégie classique de «l'initiateur» qui a depuis lors été imitée par des centaines d'autres entreprises virtuelles, telles *C|Net*, *Lycos*, *Ask Jeeves* et *Goto.com Inc.*, qui paient des sites pour augmenter l'achalandage sur le leur.

«C'est comme une soirée Tupperware où tout le monde a pris des stéroïdes», dit Chris Charron de *Forrester Research*. «Sa valeur réside dans le fait que les réseaux affiliés tirent profit de la nature diffuse de l'Internet.»[1] Selon *Forrester Research*, c'est la meilleure façon d'attirer des visiteurs sur un site. Bien sûr, aujourd'hui, ces programmes sont plus perfectionnés, et les partenaires plus prudents; ils exigent maintenant le paiement de la valeur à vie de leurs clients.

LE SERVICE À LA CLIENTÈLE

L'infrastructure du service à la clientèle d'*Amazon.com*, surtout au début, était un remarquable amalgame d'hommes et de femmes brillants et très instruits qui donnèrent le ton pour tous les autres services de l'entreprise. Pour être embauché au département du service à la clientèle, le candidat devait avoir au moins un baccalauréat. «Les employés les plus brillants d'*Amazon.com* – qui n'avaient aucune formation dans un domaine spécifique relié à l'industrie du livre – travaillaient tous au département du service à la clientèle. Aucun membre de la direction ne connaissait mieux la clientèle», dit Glenn Fleishman. «Le service embaucha des employés à un taux horaire d'environ 10 $. Les premiers eurent droit à de magnifiques options d'achat d'actions.» (Ces premiers membres du département du service à la clientèle qui étaient encore présents au moment du premier appel public à l'épargne sont aujourd'hui multimillionnaires).

Richard Howard, qui relata sa courte et malheureuse carrière de représentant du service à la clientèle chez *Amazon.com* dans un article virulent et souvent cité du *Seattle Weekly*, écrit: «J'ai été assommé par la formation pédagogique et les réalisations dont se vantaient les membres de

---

1. *Bloomberg News*, 10 septembre 1999.

l'équipe de formation (un auteur publié, un ancien traducteur de la succursale russe de la *Soros Foundation*...).»

«Si vous étiez un universitaire rebelle, le département du service à la clientèle était fait pour vous», dit Maire Masco, qui se joignit à l'entreprise en février 1997, alors que ce service comptait quelques douzaines d'employés. À son départ, un an plus tard, ils étaient plus de 200. Ces gens «avaient beaucoup lu. Si quelqu'un téléphonait et demandait quelle était la meilleure édition de *L'Iliade*, il y avait de fortes chances qu'un membre du groupe fournisse la réponse. C'était surtout vrai lorsque le groupe était plus restreint. Les échanges étaient formidables. Chacun avait sa spécialité: livres pour enfants, littérature contemporaine, ou sciences.»

Il y avait deux échelons de représentants du service à la clientèle: grade I et grade II. (Depuis, un troisième grade a été ajouté). Les représentants de grade I étaient rémunérés à l'heure; ils effectuaient des recherches pour les clients et leur envoyaient les résultats. Les représentants de grade II, qui étaient salariés, «se devaient d'être créatifs, responsables et brillants, et d'être en mesure de parcourir l'ensemble de la base de données et de comprendre le fonctionnement de l'entreprise», dit Nils Nordal, actuellement professeur dans un collège et ancien représentant de grade II.

Non seulement les représentants du service à la clientèle devaient-ils apprendre le langage *UNIX*, mais ils devaient également connaître l'ensemble des opérations d'*Amazon. com* – commandes auprès des distributeurs, livraison à l'entrepôt, déchargement des camions et manutention, répartition de la marchandise en fonction des commandes, détermination des meilleures méthodes d'expédition. «Pour travailler au service à la clientèle chez *Amazon.com*, il fallait vraiment connaître chacune des étapes du processus global

afin d'être en mesure de déceler les problèmes et de les corriger, de manière à ce que le livre commandé par un client at-
terrisse sur le seuil de sa porte», dit Nils Nordal. «Lorsqu'un
client nous écrivait pour savoir où en était sa commande,
nous pouvions lui répondre: "Nous n'avons pas en stock le
livre que vous avez commandé, mais nous le recevrons sous
peu. Nous nous excusons si ce délai vous cause du désagré-
ment."»

Lorsqu'on a demandé à Jeff Bezos de définir le service à
la clientèle d'*Amazon.com*, il a répondu: «Cela signifie que
vous nous commandez un livre et que nous vous expédions
ce livre dans le délai spécifié. Si ce délai est de deux ou trois
jours, alors nous devrions expédier le livre dans deux ou trois
jours... De la même façon, si vous nous envoyez un e-mail au
sujet de votre commande, nous nous ferons un devoir d'y répondre dans un délai raisonnable. Offrir un bon service à la
clientèle, c'est respecter les promesses faites au client.»[1]

Les représentants suivaient un programme de formation complet d'une durée de trois semaines avant d'interagir
avec les clients. «Et ils étaient ensuite supervisés et guidés
pendant un certain temps; on les suivait de près car leurs tâches étaient complexes, et il était si facile d'effacer acciden-
tellement une commande ou de bousiller le mot de passe de
quelqu'un d'autre, etc.», dit Maire Masco. «Habituellement,
dans une centrale téléphonique, on verse un salaire insigni-
fiant aux employés et on leur assigne des tâches faciles, ce
qui réduit la durée de la période de formation.»

Nils Nordal dit que le service à la clientèle chez
Amazon.com «se réduisait [essentiellement] à deux choses: 1)
"Je cherche un livre sur tel sujet. Je ne sais pas comment me

---

1.   Harvard Business School Study, 1997.

servir de votre site Web. Pouvez-vous m'aider à le trouver?";
et 2) "Où est mon livre?" Nous guidions donc le client tout
au long du processus de commande: "Cliquez sur ceci et cliquez sur cela; entrez maintenant le numéro de votre carte de
crédit, et puis cliquez encore." C'est ce genre de questions ba-
nales et répétitives que nous recevions par e-mail ou par téléphone.»

Maire Masco note que, au fur et à mesure que la clientèle s'élargissait, «les clients téléphonaient et disaient: "Bon,
j'ai maintenant un ordinateur et je veux acheter des livres
sur le site d'*Amazon*. Où est-ce que je dois brancher la
souris?" Ils avaient fait l'acquisition d'un ordinateur uniquem-
ment pour avoir accès au site d'*Amazon*. Nous les aidions à se
familiariser avec cette technologie. Si un client nous demandait un livre, nous ne nous contentions pas de lui dire où il
pouvait le trouver, mais nous lui expliquions comment il aurait pu effectuer la recherche et le trouver lui-même. Nous
faisions donc aussi de l'enseignement. C'était là un autre
avantage pour nous que de compter dans nos rangs autant
de rebelles universitaires. Un grand nombre d'entre eux
étaient professeurs et se sentaient très à l'aise dans ce rôle.»

Tous les messages que recevait *Amazon.com* étaient emmagasinés, par ordre d'arrivée, dans ce qu'on appelait une
«queue». Il y avait une queue «commandes» et une queue
«information». Tous les nouveaux employés commençaient
avec la queue «information» et leurs tâches consistaient à
trouver des livres, des éditions ou des auteurs. Lorsqu'ils se
débrouillaient bien et qu'ils s'étaient familiarisés avec les
protocoles et les procédures, ils passaient à la queue «commandes», où ils devaient s'occuper de commandes perdues
et de cas problématiques.

La logique qui sous-tend cet imposant processus de service à la clientèle est basée sur le fait que l'achat en ligne est

un acte impersonnel. Jamais le client ne voyait un employé d'*Amazon.com*. La transaction se faisait entre le client et le serveur qui hébergeait le site Web; le client était relié à des moteurs de recherche et à des formulaires créés par ordinateur. Il n'y avait là aucun contact humain qui puisse fidéliser le client. Dans une entreprise comme *Amazon.com*, c'était le département du service à la clientèle qui témoignait de l'aspect humain des relations avec le client. Par conséquent, le représentant du service à la clientèle devait se surpasser. L'approche d'*Amazon.com* était claire: si un client avait un problème, elle devait réagir de manière à lui montrer son engagement envers lui. Les représentants effectuaient donc des recherches pour les clients et leur transmettaient les résultats par e-mail avec des directives: «Si vous entrez le texte suivant, vous trouverez ce que vous cherchez.»

Nils Nordal se rappelle: «On nous posait parfois des questions telles que: "En 1944, lorsque j'étais une petite fille fuyant la Seconde Guerre mondiale à bord d'un navire se dirigeant vers les États-Unis, j'ai lu un livre dont le personnage principal s'appelait Mary et voici l'histoire." Cette requête faisait le tour du service par e-mail et le nombre de fois où quelqu'un répondait qu'il savait de quel livre il s'agissait était étonnant. Le degré d'instruction et l'expérience variée des employés étaient tels qu'ils connaissaient les ouvrages les plus insolites. Un grand nombre des réponses à ces questions – qui avaient d'abord traversé le royaume du moteur de recherche – étaient en fait apportées par les représentants. S'ils n'avaient pas été aussi instruits, ils n'auraient pas réussi à trouver tous ces livres. Ou encore, quelqu'un pouvait écrire: "Dans le film *Le patient anglais*, l'un des acteurs a toujours un livre sous le bras. De quel livre s'agit-il?" Deux secondes plus tard, un employé envoyait la réponse par e-mail.»

Alors que l'entreprise connaissait une croissance exponentielle, l'obligation de répondre presque instantanément au courrier des clients commença à faire des victimes chez les employés déjà surmenés. «On avait toujours le sentiment qu'il nous fallait travailler davantage», se rappelle Maire Masco. «Je me souviens qu'un jour Jeff m'a appelée parce que nous avions une semaine et demie de retard. Nous arrivions à mener à terme nos tâches quotidiennes, mais c'est l'arriéré de travail qui nous tuait. C'était terrible parce tout le monde travaillait dur, au moins 12 heures par jour, jamais moins de dix, sept jours par semaine, et cela durait depuis des mois.

«Jeff me dit: "Je veux que vous travailliez plus fort."

«Je lui répondis: "Jeff, il n'y a que sept jours dans une semaine. Je ne peux pas leur en demander plus. En fait, la chose la plus intelligente à faire serait de les renvoyer chez eux et de leur dire d'aller dormir 24 heures. Mais c'est impossible."

«Il resta silencieux pendant un moment. Puis il dit: "D'accord, que penses-tu que nous devrions faire?"

«Nous avons fini par organiser un concours. Au point où nous en étions, la seule motivation ne pouvait être que financière. La pizza ne fonctionnait plus. Nous avons décidé de prendre 48 heures pendant un week-end et de vider les queues [de courrier électronique]. Chacun devait travailler au moins 10 heures durant ce week-end – en plus de son horaire régulier. Il ne s'agissait que de répondre au courrier. Les employés acceptèrent et ils furent payés en fonction du nombre de messages [auxquels ils avaient répondu]. Ceux qui répondaient à mille messages durant le week-end recevaient 200 $. Nous avons rattrapé notre retard et avons pu souffler un peu pendant quelques mois.»

Bien qu'*Amazon.com* essayait de limiter les contacts avec les clients au courrier électronique, les représentants communiquaient souvent avec eux par téléphone, surtout lorsqu'il s'agissait de modifier un mot de passe ou d'obtenir le numéro de carte de crédit d'un client trop craintif pour l'envoyer par Internet. «On ne pouvait pas éviter ces appels téléphoniques», dit Maire Masco. «Mais le e-mail était beaucoup plus efficace pour de nombreuses raisons. On pouvait y répondre 24 heures par jour. Si une personne laissait un message téléphonique, il fallait parfois faire deux ou trois tentatives avant de la joindre. Avec le e-mail, on pouvait répondre directement.»

Alors qu'*Amazon.com* développait son approche vis-à-vis du service à la clientèle, elle se constitua soigneusement une base de données de réponses types qui pouvaient aisément être modifiées et personnalisées. Certaines requêtes étaient parfois insolites. Par exemple, un client pouvait demander dans quel ordre il fallait lire une série d'ouvrages de science-fiction d'un même auteur. «On ne savait pas nécessairement s'il existait une réponse type à ce genre de questions; ça ne faisait pas partie de la formation régulière», dit Maire Masco.

«Mais c'est probablement l'uniformité de ces réponses types qui les rendaient si intéressantes», ajoute-t-elle. Un jour, un client commanda un livre tôt le matin et nous écrivit plus tard pour ajouter un autre livre à cette commande, mais c'était impossible. En cherchant un moyen d'expliquer cela au client, «nous avons rédigé une réponse type très professionnelle, mais aussi quelque peu badine: "Cette fois, nous sommes allés trop vite. Nous sommes désolés, mais nous ne pouvons fusionner vos deux commandes." Cette combinaison de professionnalisme et de réponses pouvant être personnalisées était l'une des forces de ce système. Même si on pouvait ajouter un commentaire personnel, l'ensemble était homogène et nous faisions preuve de cohérence aux yeux des clients. À l'occasion, nous établissions des relations personnelles avec un client qui, pour une raison quelconque, avait beaucoup de contacts avec nous. Nous pouvions prendre un peu plus de liberté avec ces clients.»

Dès le début, *Amazon.com* utilisa la rétroaction des clients pour concevoir son site Web et conserver la qualité de son service à la clientèle. «L'avantage d'être en ligne, c'est que les clients nous aident à déterminer ce que nous faisons de travers et à trouver des moyens de nous améliorer», dit Jeff Bezos. «Le e-mail est un moyen fantastique pour recevoir de la rétroaction, car il désactive cette petite partie du cerveau qui force les gens à être aimables... Avec le e-mail, les gens font preuve d'une sorte de bravoure, et ils vous disent la vérité à propos votre service.»

Jeff Bezos a cité publiquement quelques exemples de procédures qui ont été modifiées suite à la rétroaction des clients. Au cours de la première année d'existence d'*Amazon.com*, ses méthodes d'emballage rendaient le colis difficile à ouvrir. L'entreprise reçut un e-mail d'une dame âgée de 80 ans : "J'adore votre site. Je l'utilise sans arrêt. Mais je dois attendre de voir mon fils pour lui faire ouvrir les colis. Il faut un pied-de-biche pour y arriver. Pouvez-vous faire quelque chose?»[1]

À une autre occasion, un client insatisfait écrivit qu'il avait passé des heures et des heures à remplir son panier à provisions mais qu'il n'était pas tout à fait prêt à confirmer son achat. Comme son compte était resté inactif pendant 30 jours, la société avait vidé le panier à provisions. Le client

---

1. Allocution donnée devant l'Association of American Publishers, Washington, D.C., 18 mars 1999.

estimait qu'il s'agissait d'une politique stupide. «C'était probablement une politique stupide», dit Jeff Bezos. «Nous avons changé cela. Le client ajoutait que nous aurions au moins pu l'avertir: "Ce n'est pas poli, je vous l'assure."»[1] Les techniciens d'*Amazon.com* cherchèrent dans la base de données et trouvèrent le panier à provisions sous un format de données brutes et ils l'envoyèrent au client.

Amazon.com créa un climat d'entraide entre ses employés du département du service à la clientèle. Maire Masco se rappelle d'une cliente qui avait écrit à l'entreprise parce qu'elle avait perdu son livre de cuisine favori. Les seules indications qu'elle était en mesure de donner étaient la couleur de la couverture, rouge, et qu'il avait été publié par un organisme américain appelé *Telephone Pioneers*. «Pour m'amuser, je décidai de le trouver», dit-elle. «Trouver des livres avec aussi peu d'information devint un sorte de défi personnel.» Elle chercha sous «*Telephone Pioneers*» et «livre de cuisine» et le trouva. De plus, il figurait sur la liste d'inventaire d'*Amazon. com*, même s'il avait été publié par un organisme sans but lucratif dans le but d'amasser des fonds: il avait un numéro ISBN et il était donc inscrit au catalogue.

Maire Masco estime qu'*Amazon.com* faisait toute la différence pour les clients qui vivaient dans des régions rurales où il n'y avait pas de librairie, ou encore pour les gens malades ou qui étaient confinés à la maison. «Les gens nous écrivaient pour nous dire à quel point leur monde s'était élargi depuis qu'ils pouvaient commander des livres avec Internet», dit Maire Masco.

Masco ajoute que le département du service à la clientèle «se différenciait des autres car nos employés avaient le

---

1. Allocution au Lake Forest College, 26 février 1998.

pouvoir de prendre des décisions. Par exemple, si un client nous envoyait un message tel que: "J'ai commandé un livre il y a trois jours. J'ai demandé qu'il soit livré le lendemain et je ne l'ai toujours pas reçu", le représentant lui garantissait immédiatement que les frais de livraison lui seraient remboursés. Tous les représentants avaient le pouvoir d'évaluer les situations et de prendre des décisions.»

Ce sont souvent les petits détails qui laissent l'impression la plus durable. Dans *Customers.com*, Patricia Seybold raconte une anecdote personnelle à propos d'*Amazon.com*: «L'été dernier, lorsque j'ai ouvert le colis que je venais de recevoir d'*Amazon.com*, j'ai trouvé un feuillet autocollant sur l'un des livres. Il y était écrit: "Nous savons que vous avez commandé ce livre en format de poche, mais il est actuellement épuisé. Nous vous envoyons donc le grand format pour le même prix." Cette petite note manuscrite consolida l'histoire d'amour qu'il y avait entre *Amazon.com* et moi.»

C'est ce type de sentiment qui fait dire à Jeff Bezos qu'*Amazon.com* n'est pas une entreprise qui vend quelque chose, mais plutôt une entreprise qui «aide les gens à prendre des décisions d'achat. C'est davantage... une façon de voir le monde du point de vue du client. Nous allons semer la confusion dans l'esprit d'un grand nombre d'experts» qui tentent de décrire ce que fait l'entreprise. «Je crois que la meilleure façon de nous décrire, c'est de dire que nous n'essayons pas d'être une entreprise de livres ou une compagnie de disques – mais que nous essayons d'être une entreprise de clients.»[1]

---

1. *Business Week*, 16 septembre 1999.

À RETENIR

Le service à la clientèle se trouvait au premier plan de la stratégie de Jeff Bezos dès la naissance d'*Amazon.com*. En retirant une page du livre de jeu des entreprises qui offraient le meilleur service à la clientèle, il a compris que les commentaires positifs des clients, véhiculés par le téléphone arabe, auraient beaucoup plus d'impact que n'importe quelle campagne publicitaire. (De toute façon, à cette époque, il n'avait pas les moyens de faire de la publicité). Il a également compris que le service à la clientèle touche tous les aspects du processus de vente en ligne – allant de la minutie apportée à la conception du site Web et à sa convivialité à la livraison de la marchandise dans les délais promis.

- Prenez le service à la clientèle très à cœur.

- Mettez l'accent sur le choix, la commodité et le prix.

- Faites économiser temps et argent à vos clients.

- Investissez massivement dans la création d'une expérience hors du commun pour le client.

- Créez le contexte parfait pour une décision d'achat.

- Ajoutez un énoncé de valeur à l'aventure en ligne que vit le client.

- Mettez l'accent sur l'interactivité de cette aventure en ligne.

- Créez une «communauté» en encourageant les clients à fournir de la rétroaction.

- Travaillez dur et bien pendant de longues heures. Chez *Amazon.com*, on ne faisait pas les choses à moitié.

- Faites en sorte que le processus de commande soit aussi simple que possible.

- Mettez sur pied un Programme de partenaires pour accroître votre clientèle et élargir votre communauté.
- Écoutez vos clients.
- Prenez le service à la clientèle très à cœur.

chapitre neuf

coqueluche de la ville... ou *Amazon.toast?*[1]

> «*J'achète des livres chez Amazon.com parce que le temps est précieux, qu'ils ont une importante liste d'inventaire et qu'ils sont fiables.*»
>
> – Bill Gates, dans une entrevue de l'édition en ligne du *PC Week*, 30 mai 1996

G râce à des clients tels que le président de *Microsoft*, *Amazon.com* termina 1996, sa première année complète d'activité, avec un chiffre d'affaires net de 15,7 millions de dollars – un bond remarquable de 3 000 % par rapport à des ventes nettes de l'ordre de 511 000 $ en 1995. Les autres chiffres étaient également renversants: les ventes avaient augmenté de plus de 100 % par trimestre, du premier au quatrième. Presque 180 000 comptes-clients. Environ 50 000 visites (non pas uniquement des scores) par jour en décembre comparativement à 2 200 l'année précédente.

---

1.   N. de la T.: Jeu de mots: Coqueluche de la ville: *toast of the town*.

Plus de 40 % des commandes avaient été passées par des clients réguliers.

D'un autre côté, *Amazon.com* fit ce que Bill Gates n'a jamais fait: elle dépensa à flots – 5,8 millions de dollars en 1996, comparativement à 303 000 $ en 1995. Une partie de cet argent fut consacrée au recrutement rapide de personnel – à la fin de 1996, *Amazon.com* comptait 151 employés, ce qui représentait une augmentation de 357,6 % en un an. Selon les archives de la *Securities and Exchange Commission*, les ventes et les frais de marketing – publicité en ligne et imprimée, relations publiques et autres dépenses promotionnelles – passèrent de 200 000 $ en 1995 à 6,1 millions de dollars en 1996; et les dépenses reliées au développement des produits (principalement pour améliorer les systèmes informatiques) passèrent de 171 000 $ en 1995 à 2,3 millions de dollars en 1996. Et pourquoi pas? Comment Jeff Bezos aurait-il pu faire autrement pour se propulser vers les plus hauts sommets?

Même si les ventes de presque 16 millions de dollars d'*Amazon.com* ne représentaient qu'un grain de poussière dans l'industrie du livre de 26 milliards de dollars aux États-Unis, la performance de l'entreprise montrait bien que le commerce électronique était en train de devenir une tendance qu'on ne pourrait plus ignorer.

Le synchronisme était parfait.

Premièrement, les entreprises et les consommateurs étaient plus conscients de la présence de l'Internet, et ils avaient maintenant à leur disposition des ordinateurs personnels (et des modems) plus rapides et plus efficaces, à la maison comme au travail. L'infrastructure du réseau était sans cesse améliorée et il était plus facile et plus économique d'avoir accès à la Toile.

À la fin de 1996, le Web comptait environ 35 millions d'utilisateurs, selon la *International Data Corporation*, qui estimait que la valeur totale des marchandises achetées en ligne était passée de 318 millions de dollars en 1995 à 5,4 milliards de dollars en 1996. Plus de la moitié des utilisateurs réguliers du Web détenaient un diplôme collégial ou universitaire, et plus de 62 % d'entre eux avaient un revenu annuel d'au moins 40 000 $. En 1996, *Créer des sites Web spectaculaires: Design des sites de 3ᵉ génération* de David Siegel a été le titre le plus vendu par *Amazon.com*, preuve qu'elle attirait un public particulièrement raffiné et averti.

À la fin de l'année, Jeff Bezos fit une apparition à *The News Hour*, l'émission d'actualités de la chaîne de télévision PBS. Il discuta de l'impact de l'Internet avec Esther Dyson, éditrice du bulletin d'informatique *Release 1.0*, et Clifford Stoll, astronome et auteur de *Silicon Snake Oil: Second Thoughts on the Information Superhighway*. Tout en affirmant que «c'était une année fantastique pour l'Internet», Jeff Bezos compara la condition du médium aux dix premières secondes du Big Bang, et il dit que «l'explosion était loin d'être terminée». Tout en admettant qu'il y a eu beaucoup d'exagération à l'égard du Net, il ajoute qu'il y a également eu beaucoup de substance. Il se dit optimiste car l'Internet est «omniprésent» et que «c'est quand les réseaux deviennent omniprésents que les choses décollent vraiment et connaissent une croissance toujours exponentielle.»

Avec ce formidable potentiel de croissance, il n'était pas étonnant de voir une nouvelle concurrence poindre à l'horizon. Dès le début, un grand nombre d'investisseurs éventuels s'étaient préoccupés des capacités d'*Amazon.com* d'affronter la concurrence des grandes librairies traditionnelles. Cette préoccupation s'amplifia en janvier 1997, lorsque *Barnes & Noble* signa une entente d'exclusivité avec

America Online, où elle pourrait rejoindre plus de 8 millions d'abonnés. Comme *Amazon.com*, *B&N* se vantait de posséder une banque de données de plus d'un million de titres, de garantir une livraison rapide pour environ un demi-million de livres et des rabais de 30 % sur les grands formats – un rabais beaucoup plus élevé que dans ses magasins. *B&N* annonça également qu'elle allait lancer son propre site Web au début du printemps 1997 après avoir embauché 50 employés.

Vers la même époque, *CUC International*, une entreprise de services aux consommateurs de 2,3 milliards de dollars, développait *NetMarket*, un service en ligne qui vendrait à ses membres une vaste gamme de produits, dont des livres. Plusieurs éditeurs et détaillants majeurs avaient un site Web, ou prévoyait en avoir un. *Random House Inc*. vendait déjà des livres en ligne et, au début de 1997, Viacom Inc., qui appartenait à *Simon & Schuster*, lança «*The Super Site*». *Borders Group Inc*., le deuxième plus grand propriétaire de magasins entrepôts au États-Unis, se préparait également à ouvrir une librairie virtuelle. *Borders* avait déjà un petit site où les clients pouvaient commander des livres en envoyant un e-mail ou une télécopie à Ann Arbor, Michigan, où *Borders* avait son siège social. «Nous pensions», dit Marilyn D. Slankard, vice-présidente du marketing chez *Borders*, «qu'il était grand temps qu'*Amazon.com* ait un peu de concurrence.»[1]

Bien que *Barnes & Noble* avait la quasi-certitude de devenir le prochain grand détaillant en ligne, c'est *Borders* qui représentait la menace la plus sérieuse aux yeux des Amazoniens. «Le lancement d'un site par *Barnes & Noble* n'inquiétait personne, car nous étions certains qu'ils ne feraient pas du bon travail et que cela leur prendrait quelque temps pour s'ajuster», dit Glenn Fleishman. «Mais nous avions le

---

1. *Wall Street Journal*, 28 janvier 1997.

sentiment que *Borders* avait une culture d'entreprise similaire à celle d'*Amazon.com*. Ils donneraient le plein pouvoir à leurs employés, placeraient du personnel qualifié sur le front et consacreraient des sommes et des ressources informatiques significatives à leur projet.»

Jeff Bezos l'a d'ailleurs dit plus tard: «*Barnes & Noble* ne se lance pas dans cette aventure parce qu'elle le veut. Elle le fait à cause de nous. C'est tout.»[1]

En attendant le lancement du site de *Barnes & Noble*, Jeff Bezos demanda à Glenn Fleishman d'ajouter quelque chose de nouveau aux activités d'*Amazon.com*. «Jeff ne voulait pas "exterminer" *Barnes & Noble*, il voulait tout simplement jouer une carte maîtresse», se rappelle Fleishman. Jeff Bezos lui demanda de créer une catégorie de livres épuisés. Bien sûr, la recherche de livres épuisés n'était pas nouvelle en soi, mais c'était idéal pour l'Internet. «Soudain, je me retrouvai avec une liste d'un million de titres épuisés – ou du moins avec des bribes d'information à leur sujet.»

Plutôt que de faire payer des frais de recherche au client, *Amazon.com* haussait le prix du livre et promettait au client qu'elle ne cesserait jamais de le chercher. Aujourd'hui, il y a une myriade de sites Web qui peuvent effectuer de telles recherches, mais l'arrivée d'*Amazon.com* dans cette catégorie au début de 1997 était un signe que l'entreprise continuerait d'aller de l'avant et d'ajouter de nouvelles caractéristiques à son site.

LE PREMIER APPEL PUBLIC À L'ÉPARGNE

Amazon.com se devait d'élargir son champ d'activité en ajoutant, par exemple, cette caractéristique de recherche de

---

1. *New York Times Magazine,* 12 avril 1999.

titres épuisés, car Jeff Bezos avait passé la moitié de la dernière année à préparer le terrain afin de lancer un premier appel public à l'épargne. À l'été 1996, il commença à rencontrer de façon informelle des banquiers en valeurs afin de se familiariser avec leurs styles et leurs cultures.

Mais c'est l'embauche de Joy Covey, en décembre 1996, qui accéléra le processus. Joy Covey, qui dit s'être jointe à l'entreprise dans le but de la faire coter en Bourse «dès qu'elle serait prête»[1], consacra les premiers mois de 1997 à entretenir des relations avec les banquiers en valeurs tout en mettant en place l'infrastructure et les systèmes d'information financière requis. En février 1997, elle estima qu'*Amazon.com* était prête à entreprendre des pourparlers avec les banquiers.

«Alors que Jeff et moi étions pleinement conscients des avantages d'une entrée en Bourse, la décision d'aller de l'avant ne fut pas un "vote contre"»[2], dit Joy Covey. À cette époque, *Amazon.com* n'avait pas besoin de faire un appel public à l'épargne pour trouver des fonds. Même si l'entreprise n'avait que 7 millions de dollars à sa disposition, son cycle d'exploitation n'exigeait pas d'énormes capitaux. De plus, les investisseurs se bousculaient pour financer *Amazon.com* à titre privé. Mais l'attrait de tout cet argent qu'apporterait un appel public à l'épargne, qui créerait entres autres une marque identifiable était trop tentant pour être ignoré.

D'un autre côté, Jeff Bezos et Joy Covey voulaient diriger une entreprise cotée en Bourse à leur manière, c'est-à-dire: «... nous nous engagions à ne pas céder aux pressions à court terme comme le font souvent les entreprises cotées en Bourse», dit Joy Covey. «Nous nous engagions à nous concentrer sur la valeur à long terme de l'entreprise et sur l'énoncé de

---

1.   Harvard Business School Study, 1997.

2.   Ibidem.

valeur offert aux clients, ce qui, d'après nous, était la meilleure approche si nous voulions bâtir une entreprise durable.»[1] Cette philosophie controversée – augmentation des ventes et part du marché *versus* bénéfices et gains – serait le mantra d'*Amazon.com* pour les années à venir.

En février 1997, Joy Covey demanda des propositions à huit banquiers en valeurs très en vue, qui avaient une bonne réputation en matière de souscription d'appel public à l'épargne pour des entreprises de technologie: Alex Brown, Deutsche Morgan Grenfell, Goldman Sachs, Hambrecht & Quist, Montgomery Securities, Morgan Stanley, Robertson Stephens et Smith Barney. Elle leur dit: «Ceci n'est pas un concours officiel, mais nous désirons vous rencontrer les 26 et 27 février. Amenez votre équipe, car il se peut que les choses aillent très vite lorsque nous aurons pris notre décision et que nous ne fassions pas une seconde série de rencontres.» Comme d'habitude, Jeff Bezos et Joy Covey n'avaient pas l'intention de dévoiler les détails de leur trésorerie interne. Ils étaient, disaient-ils, «moins préoccupés par l'évaluation d'*Amazon.com* que par la compétence, le jugement et l'engagement du banquier, ainsi que par ses aptitudes en matière de placement et d'analyse.»[2]

Joy Covey, qui habitait toujours dans la région de la Baie, rencontra chacune des équipes (incluant les analystes et les courtiers) aux bureaux de *Kleiner Perkins Caulfield & Byers*, sur Sand Hill Road, à Menlo Park, Californie. Jeff Bezos ne prit pas part à ces rencontres, car John Dœrr leur avait fait la recommandation suivante: «Le directeur des finances devrait devenir président dans le processus d'appel public à l'épargne.»[3]

---

1. Ibidem.
2. Harvard Business School Study, 1997.
3. Ibidem.

Elle s'envola vers Seattle le lendemain et proposa au conseil d'administration de jeter leur dévolu sur *Deutsche Morgan Grenfell* (DMG) pour le lancement de l'appel, avec *Hambrecht & Quist* et *Alex Brown* agissant comme cogestionnaires. «L'approche de *DMG* nous plaisait», dit Joy Covey. «Nous avions l'esprit d'entreprise, nous visions la valeur à long terme et nous voulions une banque qui partage notre approche. Nous voulions également une banque qui avait autant à gagner ou à perdre que nous. *DMG* était un organisme relativement jeune et nous étions leur premier client très en vue. Nous savions que nous aurions toute leur attention.»[1]

Même si l'équipe de *DMG* était constituée depuis peu, elle était composée de banquiers connus et estimés et dirigée par Frank Quattrone, qui avait joint les rangs de *DMG* après une carrière de 17 ans chez *Morgan Stanley*. Il était considéré comme le John Dœrr des banquiers en valeurs spécialisés dans les entreprises de technologie. Frank Quattrone était le fondateur et le directeur délégué du *Global Technology Investment Banking Group* de Morgan Stanley, et il avait participé à plus de 100 appels publics à l'épargne, des prospectus d'émission d'actions ordinaires et d'actions convertibles, et à des fusions et acquisitions pour des entreprises telles que *3Com*, *Adobe*, *America Online*, *Apple*, *Cisco*, *H-P* et *Netscape*.

Le célèbre analyste d'Internet, Bill Gurley, qui avait fait partie du groupe de recherche de l'*Institutional Investor* en 1995, était également membre de l'équipe de *DMG*. Bill Gurley, qui signe la chronique *Above the Crowd* (actuellement publiée par le magazine *Fortune*), avait vigoureusement défendu *Amazon.com*, en janvier 1997, dans son bulletin bimensuel après que *Slate*, le magazine en ligne de *Microsoft*, ait

---

1. Ibidem.

blâmé l'entreprise dans un article intitulé «*Amazon.con*». Bill Gurley écrivait: «Notre estime pour *Amazon.com* ne devrait pas surprendre les habitués d'*Above the Crowd*. Après tout, nous avons consacré plusieurs numéros de ce bulletin aux avantages intrinsèques du canal de distribution direct par *PC*, et les similarités entre les avantages d'*Amazon.com* et ceux de *Dell* et de *Gateway* sont importants.»

Dès le début, Jeff Bezos et Joy Covey considérèrent le premier appel public à l'épargne «simplement comme une autre étape dans le processus de développement de l'entreprise», dit Joy Covey. «Nous y voyions l'occasion d'accéder aux marchés publics tout en consolidant notre marque.»

Ayant une confiance absolue dans leur plan d'affaires, ils firent clairement comprendre aux investisseurs éventuels qu'ils ne se préoccuperaient pas de la rentabilité à court terme et des attentes traditionnelles en matière de profit. Ils voulaient plutôt adopter une perspective à long terme, ce qui entraînerait des investissement continus et substantiels dans les activités de marketing et de promotion, la technologie, l'infrastructure d'exploitation et le développement du site Web. «Nous espérions que ces investissements nous aideraient à étoffer notre énoncé de valeur aux yeux du client et nous permettraient de grandir plus rapidement», dit Joy Covey. «Nous pensions que la bonne chose à faire pour nos clients et pour le développement à long terme de l'entreprise, et par conséquent, pour nos actionnaires, était de consolider la position de notre marque et d'atteindre un volume de ventes suffisant pour réaliser des économies à l'échelle.»[1]

Armés de cette ferme conviction, Jeff Bezos et Joy Covey «décidèrent de rester fidèles à cette approche et d'espérer que

---

1.   Ibidem.

suffisamment d'investisseurs approuveraient notre philosophie stratégique. Nous nous rendions compte que dans cette sphère en pleine évolution, la souplesse serait également très importante et que des attentes trop précises seraient une source de problèmes.»[1]

Même s'ils ne voulaient pas dévoiler certains détails financiers et certaines données sur la concurrence, ils partagèrent avec les banquiers en valeurs leur vision de la prise de décisions et des initiatives stratégiques. Par exemple: «La société prévoit encourir des pertes d'exploitation substantielles dans un proche avenir, et le pourcentage de ces pertes ira croissant.»

Y a-t-il une façon plus claire de dire: «Nous avons l'intention de perdre beaucoup d'argent pendant longtemps»?

Et de l'argent, ils en perdirent – 2,97 millions de dollars au cours des trois premiers mois de 1997, et un total de 9 millions de dollars depuis la fondation de l'entreprise au milieu de 1994. Mais jetez un coup d'œil au chiffre d'affaires! Les ventes grimpèrent à 16 millions de dollars au cours du premier trimestre de 1997 – ce qui dépassait le total des ventes de toute l'année 1996 – et elles doublèrent à chaque trimestre pendant six trimestres consécutifs. La banque de données comptait 340 000 clients de plus de 100 pays. La moyenne de visites quotidiennes monta en flèche de 2 200 en décembre 1995 à 80 000 en mars 1997, et 40 % des commandes étaient effectuées par des clients réguliers.

Jeff Bezos et Joy Covey durent défendre ces chiffres lorsqu'ils prirent la route pour faire la tournée des investisseurs, une expérience que Joy Covey qualifie de «brutale». Cette tournée commença à la fin d'avril dans quatre villes

---

1. Ibidem.

248

européennes – Zurich, Genève, Paris et Londres – où le duo fit près de cinq présentations par jour pendant trois jours devant des investisseurs institutionnels. De Londres, ils se rendirent à San Francisco pour assister à la *Hambrecht & Quist's Technology Investor Conference*, où ils bavardèrent avec des douzaines d'investisseurs et d'analystes spécialisés dans les entreprises de technologie. Ils terminèrent leur tournée américaine en faisant 48 présentations dans 20 villes en 16 jours.

Jeff Bezos et Joy Covey furent malmenés par des investisseurs sceptiques qui mettaient en doute la viabilité même de l'entreprise en tant que modèle d'affaires (n'ayant pas encore fait ses preuves). Quels étaient certains de leurs arguments ? Tous ceux qui ont suivi de près *Amazon.com* le savent : une concurrence tenace, l'absence de profits, et la réticence de la direction à divulguer des détails stratégiques.

Un autre problème se présenta au début de 1997 sous la forme d'une soudaine faiblesse du marché des premiers appels publics à l'épargne pour les entreprises de technologie. Cela représentait un fort contraste par rapport aux 24 mois précédents, pendant lesquels plusieurs appels publics à l'épargne avaient connu du succès dans des entreprises reliées à l'Internet, telles que *Netscape* en 1995 et *Yahoo!* en 1996.

Dans la première moitié de 1996, un nombre record de 104 entreprises de technologie furent cotées en Bourse, mobilisant des capitaux de l'ordre de 8,6 milliards de dollars. Par comparaison, au cours des quatre premiers mois de 1997, seulement 40 entreprises de technologie furent cotées en Bourse, mobilisant des capitaux de l'ordre de 1,2 milliard de dollars, et les trois seules sociétés Internet de ce groupe se partagèrent 52 millions de dollars. La situation ne fit qu'empirer en mars, compte tenu de la faible performance des entreprises Internet qui, pour la plupart, négociaient sous le cours de l'action. *Auto-By-Tel*, un service de vente en ligne d'automobiles et de camions bien connu, renonça à son appel public à l'épargne, plutôt que de voir chuter son évaluation sur le marché.

Au terme de sa tournée européenne, Joy Covey prit l'avion à Londres. Pendant le vol, en feuilletant le *Financial Times*, son attention fut attirée par un article intitulé: «Les investisseurs sont sceptiques vis-à-vis du financement des entreprises Internet» dans lequel on pouvait lire ce commentaire d'un analyste américain: «*Wired* est tombée de haut, *Auto-By-Tel* n'a pas percé, et *Amazon.com*, même avec les meilleurs banquiers en valeurs, connaîtra probablement des jours sombres.»

Faux. Jeff Bezos et Joy Covey firent fi de la faiblesse du marché en ne démordant pas de leur plan d'investissement et en préservant «la confidentialité de nombreuses données malgré les demandes de renseignements des investisseurs», dit Joy Covey. «Ils voulaient des détails sur notre type de clientèle, sur leurs habitudes d'achat et sur nos programmes de marketing qui avaient donné de bon résultats. Nous comprenons pourquoi les investisseurs s'intéressent à de tels détails, car ils constituent le fondement de notre modèle d'affaires.»[1] Malgré la réticence d'*Amazon.com* à dévoiler son intimité, Jeff Bezos et Joy Covey arrivèrent à convaincre les investisseurs qu'il valait mieux garder certains détails secrets pour des raisons de concurrence et de stratégie. Les investisseurs comprenaient – et approuvaient – la stratégie d'investissement à long terme de l'entreprise. En fait, Frank Quattrone, le banquier en valeurs d'*Amazon.com* chez *Deutsche Morgan Grenfell*, avait dit à Jeff Bezos qu'il n'avait jamais

---

1. Harvard Business School Study, 1997.

été témoin d'une telle affluence lors d'une tournée des investisseurs. (Frank Quattrone dirigea plus tard le groupe spécialisé en technologie du *Credit Suisse First Boston*).

L'accueil favorable des investisseurs «fut vraiment un soulagement pour moi», dit Joy Covey, qui estime que l'expérience acquise chez *DigiDesign*, qu'elle aida à faire son entrée en Bourse, a «éclairé sa perspective» concernant l'appel public à l'épargne d'*Amazon.com*. «Roger McNamee me donna un précieux conseil. [Monsieur McNamee est bien connu pour ses investissements dans des entreprises en plein essor, et il est associé commandité chez *Integral Capital Partners*.] Roger m'a dit: "Il n'est pas nécessaire de convaincre tout le monde en un seul jour – mais juste assez pour conclure une entente. Faites des choix judicieux en fonction de votre stratégie à long terme."»[1]

Amazon.com devait offrir 2,5 millions d'actions ordinaires de 12 $ à 14 $ chacune, mais la tournée des investisseurs s'était bien déroulée et l'offre était déjà sursouscrite. Eric Dillon se rappelle le jour où Jeff Bezos s'était rendu à New York pour discuter du cours de l'action avec *DMG*. Au terme d'une longue séance, Jeff Bezos s'excusa et alla faire une promenade dans les rues de Manhattan. Tout en marchant, il composa le numéro de Eric Dillon sur son téléphone cellulaire. Voici le souvenir que Dillon garde de cette conversation:

Jeff Bezos: «Eric, je sais que notre appel est sur la bonne voie. Ces types veulent fixer le cours de l'action à 17 $. Qu'est-ce que je devrais faire?»

Eric Dillon: «Demande 20 $.»

Jeff Bezos: «Je ne peux pas aller si haut.»

---

1. Ibidem.

Eric Dillon: «Alors, demande 19 $.»

Jeff Bezos: «Eric, je *savais* que tu dirais ça... Je vais demander 18 $ ou rien.»

L'action serait donc offerte à dix-huit dollars.

«Ce fut une étape amusante», dit Eric Dillon. «Je pouvais imaginer Jeff, étourdi comme il peut l'être, arpentant les rues de New York.» Et comme il déambulait vers le centre-ville de Manhattan, Jeff Bezos ne se rendait pas compte que *Barnes & Noble* était sur le point de frapper.

Le 12 mai 1997, *B&N* dévoila les plans de son site Web, *Barnesandnoble.com*, qui «était conçu de manière à devenir la destination de prédilection de tous les amateurs de lecture du monde»[1], et qui aurait *Microsoft* et *Hewlett-Packard* comme partenaires, entre autres.

Toujours le 12 mai, trois jours avant le lancement du premier appel public à l'épargne d'*Amazon.com*, et quelques jours avant le lancement de son *propre* site Web, *B&N* intenta un procès à *Amazon.com* devant la cour fédérale, à Manhattan. *B&N*, qui allait bientôt s'afficher comme étant «le plus grand libraire en ligne du monde», accusait *Amazon.com* de se proclamer faussement dans sa publicité et sur son site «la plus grande librairie sur terre», alors qu'elle n'était «pas du tout une librairie... C'est un courtier en livres qui utilise l'Internet uniquement pour générer des ventes auprès du public.» La poursuite dénonçait l'affirmation d'*Amazon.com* voulant qu'elle «offre plus d'un million de titres, cinq fois plus que dans le plus grand magasin de *Barnes & Noble*, car l'entrepôt d'*Amazon.com* à Seattle n'abritait que quelques centaines de livres... Les stocks de *Barnes & Noble* sont beaucoup

1. *Wall Street Journal*, 13 mai 1997.

plus imposants et il n'y a pas un livre qu'*Amazon.com* peut obtenir que nous ne pouvons aussi offrir.»

La poursuite, qui portait également sur des dommages non spécifiés, demandait à *Amazon.com* de retirer immédiatement sa publicité et d'émettre des «correctifs». *B&N* prétendait également que le 28 janvier 1997, elle «avait demandé qu'*Amazon* retire ces fausses affirmations. *Amazon.com* a refusé de le faire jusqu'à maintenant.» (Il est intéressant de noter le commentaire que fit Jeff Bezos, en 1999, relativement au fait que *Barnes & Noble* ne considérait pas *Amazon. com* comme une librairie: «Lorsque nous avons créé *Amazon. com*, nous avons eu des discussions très sérieuses au sujet du fait que nous n'étions pas une librairie, mais un service spécialisé dans le domaine du livre. Je pense que c'est la meilleure façon de voir la chose. C'est trop se contingenter que de se qualifier de librairie. Le service est une notion beaucoup plus large»).[1]

«Je me rappelle avoir ri de tout ça avec Jeff», dit Nick Hanauer. «Nous disions: "Vous avez peur de *nous?*"» Ils riaient encore lorsque, ce même mois de mai, le pontife de l'Internet, George Colony, chef de la direction chez *Forrester Research*, se pencha sur la bataille que se livraient les deux entreprises et qualifia l'entreprise d'«*Amazon.toast.*»

Amazon.com fut malgré tout cotée en Bourse le 15 mai 1997 à 18 $ l'action. Jeff Bezos, âgé de 33 ans, et qui détenait 9,88 millions d'actions, valait maintenant sur papier 177,8 millions de dollars. Et cela moins de trois ans après son arrivée à Seattle. Et il ne vendit que 10 % de l'entreprise. Il en détenait personnellement 42 %; sa famille – son père Miguel, sa mère Jacklyn, son frère Mark S. Bezos, sa sœur

---

1. *Business Week*, 16 septembre 1999.

Christina Bezos Poore et le trust familial Gise – en possédait 10 %, donnant ainsi aux Bezos environ 52 % du pouvoir délibératif de l'entreprise.

Après cinq jours de négociation, l'action atteignit un sommet de 30 $ avant de retomber à 18 $ lorsque les investisseurs à court terme commencèrent à s'en défaire. Ce cinquième jour, 1,5 million d'actions changèrent de mains, soit la moitié des actions qui avaient été émises. À la fin de 1997, l'action d'*Amazon.com* connut une hausse de 235 % et plafonna à 52 $. Elle connaîtrait dès lors des hauts et des bas, comme si elle s'était engagée dans les montagnes russes. (Pour en savoir davantage, voir le chapitre 10). Quoi qu'il en soit, nous n'en étions pas encore à la moitié de l'année 1997 et, pour Jeff Bezos, dont le salaire annuel était de 64 333 $, c'était déjà une très bonne année.

Il n'était pas le seul à bénéficier du rendement de l'action d'*Amazon.com*. *Kleiner Perkins Canfield & Byers* détenaient 11 % de l'entreprise grâce aux actions privilégiées obtenues lors de la transaction de capital-risques de l'année précédente qui avaient été converties en plus de 3 millions d'actions ordinaires. Ces actions furent plus tard distribuées parmi les associés passifs, dont Andrew Grove d'*Intel*, Scott McNealy de *Sun Microsystem*, Stephen Case d'*America Online*, Mitchell Kapor de *Lotus Development*, Thomas Jermoluk de *Home*, les magnats de la télévision par câble, Ralph et Brian Roberts, et l'ancien éditeur, William R. Hearst III.

LA GUERRE S'INTENSIFIE

En plus des nombreux procès en cours, une guerre des prix en ligne éclata. *Barnesandnoble.com* commença à offrir des rabais de 30 % sur les grands formats et 20 % sur les livres de poche. En juin, *Amazon.com* amena le taux d'escompte à un minimum de 20 % sur les livres de poche, de 30 % sur les grands formats, et de 40 % sur des sélections spéciales.

«Nous avons toujours eu les plus grandes sélections spéciales et, avec ces prix, *Amazon.com* offrait les plus bas prix du monde – en ligne ou non», déclara Jeff Bezos, qui était maintenant pleinement engagé dans cette guerre. Il avait décidé plus tôt que «nous n'allions pas nous laisser entraver par le pouvoir d'achat [de *Barnes & Noble*]. Nous allions financer tout écart. Nous offririons les mêmes prix, même si notre marge de profit s'en trouvait diminuée. Et nous adopterions une stratégie de croissance rapide de manière à éventuellement niveler le terrain en termes de pouvoir d'achat.»[1]

Dans ses déclarations publiques, Jeff Bezos faisait constamment la distinction entre le commerce purement électronique d'*Amazon.com* et les activités hybrides de *B&N* et de *Borders*. «Premièrement, ces activités sont totalement indépendantes l'une de l'autre», disait Jeff Bezos. «Je ne voudrais pas diriger une librairie traditionnelle, car je ne sais pas comment le faire. Je crois que notre habileté à orienter nos activités nous procurera un très grand avantage. Nous nous concentrerons exclusivement sur la vente de livres en ligne, alors que *Borders* et *Barnes & Noble* devront se préoccuper de deux choses: la vente de livres dans leurs librairies traditionnelles [comme s'ils ne l'avaient pas déjà fait], ce qui n'est pas facile en soi, et la vente de livres en ligne.» Et, pour ajouter à l'insulte, il dit: «Franchement, deux gars dans un garage m'inquiéteraient davantage.»[2]

Au mois d'août, *Amazon.com* prouva qu'elle pouvait frapper elle aussi. Elle intenta un procès à *Barnes & Noble*

---

1. *Wall Street Journal*, 28 janvier 1997.
2. *Entrepreneurial Edge*, volume 2 (Printemps) 1997.

devant la cour fédérale, à New York. *Amazon.com* accusait *B&N* de concurrence déloyale en omettant de facturer la taxe de vente sur les livres écoulés par le biais de Barnesandnoble. com. La controverse se résumait à ceci: les détaillants en ligne, telles les entreprises de vente par catalogue, n'étaient pas tenus de facturer la taxe de vente sauf lorsque l'acheteur vivait dans l'État où ils étaient établis. (C'est pourquoi seuls les résidents de l'État de Washington paient la taxe de vente lorsqu'ils achètent des livres chez *Amazon.com*). Dans sa poursuite, *Amazon.com* affirmait que *B&N* devrait facturer la taxe de vente aux résidents de chacun des 48 États où elle avait des magasins, car la taxe était bel et bien facturée dans ces derniers. En omettant cette taxe, disait *Amazon.com*, *Barnes & Noble* était «en mesure de facturer beaucoup moins que ne l'exige la loi», ce qui lui donnait donc un «avantage illégal» sur *Amazon.com*.

Heureusement, cette polémique prit fin en octobre lorsque les deux parties retirèrent leurs plaintes, n'admettant ni l'une ni l'autre leurs torts et ne payant pas de dommages et intérêts. Elles annoncèrent qu'elles «avaient tout simplement décidé de s'affronter sur le marché plutôt que devant un tribunal».

Et c'est ce qu'elles firent. À l'automne 1997, *B&N* lança un programme de réseaux affiliés (similaire au Programme des partenaires d'*Amazon.com*) qui offrait des commissions et autres primes afin de permettre aux visiteurs de ces sites d'acheter des livres à rabais. *B&N* annonça que son programme regroupait trente membres. À cette époque, le Programme des partenaires d'*Amazon.com*, qui avait été mis sur pied en juillet 1996, comptait déjà 15 000 membres. «Nous nous attendions à ce que *B&N* réagisse ainsi», dit Shawn Haynes, le coordonnateur du programme. «Nous nous demandions pourquoi ils avaient mis tant de temps à le faire.»

Avec *B&N* qui faisait jouer ses muscles, certains membres de la communauté financière se préparaient à assister à l'effondrement d'*Amazon.com*. Un long article paru dans *Fortune*, le 29 septembre 1997, est intitulé: «Pourquoi *Barnes & Noble* pourrait écraser *Amazon*». Malheureusement, cet article révèle un manque de compréhension radical des attributs de la réussite d'un détaillant en ligne. L'auteur suppose que: «On dirait qu'il suffit d'avoir un site Web qui présente un visage, salue le client et prend sa commande. Les autres parties s'occupent de stocker de la marchandise à grands frais», et il ajoute que «si *Amazon.com* peut le faire sur Internet, *Barnes & Noble* le peut donc également». Ce à quoi Steve Riggio réplique: «Il y avait une mystique entourant les difficultés inhérentes au lancement d'une entreprise sur Internet, mais elle s'étiola rapidement.» L'article décrivait également comment *B&N* avait embauché «des concepteurs vedettes de Silicon Valley» pour créer «une devanture Internet aussi invitante et efficace que celle d'*Amazon*.»

Transcendant les sites Web, *Fortune* écrit que *B&N* pouvait livrer des livres à ses clients *a)* plus rapidement parce qu'elle disposait de stocks importants et avait des ententes avec les éditeurs depuis fort longtemps, et *b)* à moindre coût parce que les éditeurs lui consentaient de meilleurs prix.

Publiquement, Jeff Bezos restait imperturbable. Tout en admettant que *Barnesandnoble.com* pouvait techniquement reproduire ce qu'*Amazon.com* avait accompli, il estimait que la question suivante était plus pertinente: «*Amazon.com* peut-elle établir sa marque à l'échelle mondiale avant que *Barnesandnoble.com* n'achète, ne construise ou n'acquière les compétences requises pour devenir un excellent détaillant en ligne?»[1]

---

1. *Fortune*, 29 septembre 1997.

Pendant tout le reste de 1997, *B&N* continua à exercer de la pression. En octobre, *Barnesandnoble.com* obtint l'exclusivité sur les sites les plus achalandés de *Microsoft*, dont *MSNBC*, *Expedia* et le site de finances personnelles *Investor*. *Barnesandnoble.com* conclut une entente de quatre ans avec *AOL*, ce qui lui permettait d'afficher de la publicité et des promotions sur une myriade de sites appartenant à *AOL*, dont des sites consacrés à la finance, aux voyages et aux loisirs.

Mais *Amazon.com* avait elle aussi des ententes de plusieurs années avec pratiquement tous les sites Web extrêmement achalandés, comme *Yahoo!*, *Excite*, *Netscape*, *GeoCities*, *Alta Vista*, *Home*, *Prodigy* et, surtout, une entente de 19 millions de dollars (davantage si les quotas de ventes étaient dépassés) avec *AOL.com*. (*Barnes & Noble* avait conclu une entente avec le réseau propriétaire d'*AOL* et non avec *AOL.com*.) Lorsqu'un client faisait une recherche sur un sujet – n'importe lequel – un portail faisait apparaître sur la page résultante le logo d'*Amazon.com*, ainsi que des suggestions de livres sur ce sujet. À cette époque, Robert Pittman, président de *AOL Networks*, compara ces ententes à une «période d'appropriation de terrains qui seraient situés à Malibu».

Jeff Bezos dit que le partage des revenus n'était pas un problème: «Je serais inquiet si nous distribuions une grande part de nos revenus, mais ce n'est pas le cas.» *AOL.com* permettait à *Amazon.com* d'attirer les utilisateurs d'Internet à domicile, et *Yahoo!* et *Excite* de rejoindre les utilisateurs au travail.[1]

Le défi lancé par *Barnes & Noble* ne ralentit pas *Amazon. com*. En septembre, le nombre de comptes-clients augmenta de 54 %, soit 940 000, si l'on se fie aux états financiers de

1. *The Wall Street Journal*, 28 janvier 1997.

l'entreprise pour le troisième trimestre de 1997. En octobre, le millionième client fut un Japonais qui commanda un ouvrage sur *Windows NT* et une biographie de la princesse Diana. Jeff Bezos, le maître des relations publiques, se rendit au Japon et livra les livres en mains propres. À la fin de l'année, les comptes-clients avaient enregistré une hausse de 738 %, passant de 180 000 à 1 510 000, les revenus avaient augmenté de 838 %, passant de 15,7 millions de dollars à 147,8 millions de dollars. Les pertes étaient également impressionnantes, passant d'un maigre 5,8 millions de dollars à la somme fabuleuse de 27,6 millions de dollars.

B&N n'était pas intéressée à s'engager dans une lutte qui entraînerait des dépenses toujours plus importantes. Steve Riggio dit: «Nous ne voulions pas payer la victoire trop chèrement» en perdant de l'argent dans nos activités en ligne.[1]

LES ÉDITEURS S'OUVRENT LES YEUX

Les éditeurs, qui étaient plongés dans une dépression qui allait durer deux ans, en raison d'une diminution des ventes et d'une avalanche de retours, commencèrent à réaliser qu'*Amazon.com* était en train de devenir l'un de leurs plus importants clients, et sans doute la solution qui les aiderait à sortir du marasme. À cette époque, environ 38 % de tous les livres expédiés par les éditeurs leur étaient retournés comme marchandise invendue – comparativement aux 4 % de retours chez *Amazon.com.*

En 1997, *Amazon.com* se fit remarquer lors de la foire commerciale *BookExpo America* et lors du congrès de l'*American Booksellers Association.* Un grand nombre d'éditeurs ne

---

1. *Fortune,* 29 septembre 1997.

participèrent pas à ce dernier événement à cause des procès intentés par des libraires indépendants, qui les accusaient de violer la loi antitrust. Toutefois, les libraires indépendants y étaient très bien représentés. En arrivant dans le hall d'exposition, ils constatèrent que les bannières publicitaires qui se trouvaient à chaque extrémité des allées avaient été achetées par *Amazon.com* (pour la modique somme de 10 000 $). Cela ne leur plut pas que les organisateurs de la foire aient toléré qu'une entreprise qui se dessinait comme leur plus sérieux concurrent ait une telle visibilité. Et pour comble, une horde d'Amazoniens – menés par Jeff Bezos lui-même et tous vêtus de pantalons kaki et de chandails rouges marqués du logo d'*Amazon.com* – déambulaient dans les allées, faisant office de publicité ambulante.

Avant la fin de 1997, presque tous les éditeurs majeurs avaient fait le pèlerinage des canyons de Manhattan aux bureaux d'*Amazon.com*, dont les tapis étaient toujours couverts de taches de café, les murs toujours aussi défraîchis et où trônaient les fameux bureaux-portes, sans parler de l'entrepôt qui n'en était pas vraiment un. Ce fut le cas de Michael Lynton, le directeur général de *Penguin Putnam*. Et aussi d'Alberto Vitale de *Random House*, de Jack Romanos de *Simon & Schuster*, et *John Sargent* de *St. Martin's Press*. Tous réalisèrent qu'*Amazon.com* pouvait générer des ventes régulières d'ouvrages non récents et que le public en ligne faisait office de téléphone arabe.

En effet, une partie de ce public démontra ses talents d'écrivain à l'été 1997 quand *Amazon.com* organisa un «concours» dans le cadre duquel elle demandait aux utilisateurs de rédiger des phrases ou des paragraphes d'un roman meurtre et mystère qui serait publié dans «*Murder Makes the Magazine*». L'écrivain John Updike écrivit la première et la dernière lignes et 400 000 personnes envoyèrent leur contribution par e-mail pour constituer le corps de l'ouvrage. Chaque semaine, pendant un mois et demi, on choisissait un gagnant à qui on remettait 1 000 $ en argent. Un grand prix de 100 000 $ fut attribué par tirage au sort. Le concours bénéficia d'une formidable publicité dans le *New York Times* et d'autres publications nationales).

John Sargent dit qu'*Amazon* attira son attention lorsque certains de ses clients rédigèrent des critiques enthousiastes d'un ouvrage publié par *St. Martin's* et intitulé *Dans les coulisses du musée*, le premier roman de l'écrivaine britannique Kate Atkinson. Ces lecteurs firent augmenter les ventes de la version de poche de 300 %.

Après sa visite aux bureaux d'*Amazon.com*, Michael Lynton confia au *New York Times* qu'il s'était rendu compte que le commerce électronique «pouvait être très avantageux, car sa raison d'être n'est pas de vendre des quantités phénoménales de best-sellers. Il s'agit plutôt de vendre nos stocks non écoulés, et des occasions pareilles se présentent très rarement.»[1]

Les éditeurs constatèrent que les clients en ligne manifestaient souvent une préférence pour les ouvrages non récents et les auteurs peu connus. Jack Romanos dit qu'en novembre 1997, les clients d'*Amazon.com* achetèrent au moins un exemplaire de 84 % des 10 000 titres constituant les stocks non écoulés de *Simon & Schuster*, et de 90 % des 15 000 ouvrages non récents de *Penguin Group*. «C'est grandement significatif», dit Jack Romanos. «J'ai été abasourdi par le phénomène. Nous nous étions souvent demandés pourquoi nous conservions tous ces livres, et maintenant nous avons une très bonne raison de le faire.»[2]

---

1. *New York Times*, 5 janvier 1998.

2. Ibidem.

Kent Carroll, de la maison d'édition new-yorkaise *Carroll and Graf*, put juger de l'impact d'*Amazon.com* avec l'édition spéciale du 40ᵉ anniversaire de *Endurance*, d'Alfred Lansing, relatant la tragique expédition en Antarctique en 1914 de Sir Ernest Shackleton, qui avait été publiée en 1989. Une année, 8 100 exemplaires de *Endurance*, avaient été vendus en librairie, mais aussi 7 100 exemplaires par le biais d'*Amazon.com*. Le livre continua à se vendre, grâce à la clientèle toujours croissante d'*Amazon.com* et à ses commentaires élogieux. *Amazon* «ne fait pas que répondre à la demande, elle crée la demande», dit Kent Carroll.

Mais les éditeurs étaient *particulièrement* intéressés par toute cette information détaillée qu'*Amazon.com* avait accumulée sur un million de clients (et sur leurs habitudes d'achat). «*Amazon* a conçu une banque de données qui n'existe nulle part ailleurs», dit Alberto Vitale. Mais Jeff Bezos évitait soigneusement de nuire à ses clients en vendant des renseignements les concernant; il savait qu'un tel acte détruirait immédiatement le sentiment d'appartenance d'une communauté qu'il avait mis tant d'efforts à susciter.

Pour dépendre un peu moins d'*Ingram*, *Amazon.com* commença à assurer de plus en plus sa propre distribution. En agrandissant l'entrepôt de Seattle de 70 % et en louant un centre de distribution de 18 766 mètres carrés à New Castle, Delaware, l'entreprise multiplia par six sa capacité d'entreposage, ce qui lui permit de stocker de 200 000 à 300 000 titres et d'acheter en grande quantité directement et à moindre coût auprès des éditeurs. Avec des centres de distribution à chaque extrémité du pays, *Amazon.com* pouvait considérablement réduire les délais de livraison.

En août 1997, *Amazon.com* embaucha Richard Dalzell et lui confia les rênes de son nouveau système de distribution.

Richard Dalzell est l'un des vice-présidents les plus respectés de l'entreprise. Au cours des sept années précédentes, il avait travaillé chez *Wal-Mart*, où il avait occupé plusieurs postes de direction, incluant celui de vice-président des services informatiques. Auparavant, il avait été directeur du développement des affaires chez *E-Systems Inc.* et, sept ans plus tôt, il avait été officier de téléinformatique dans l'armée américaine.

Lorsqu'une entreprise va chercher le vice-président des services informatiques chez *Wal-Mart*, on devine qu'elle a de grands projets. «*Amazon* avait besoin d'une personne très expérimentée tant en matière de vente qu'en matière de consommation», dit Glenn Fleishman. «On s'était jusque-là débrouillés avec les moyens du bord. Mais ce n'était pas conforme aux exigences du système de la vente de détail.»

Nicholas Lovejoy, qui travaillait sous les ordres directs de Richard Dalzell, dit que ce diplômé de West Point «était une espèce encore inconnue d'*Amazon.com* – un directeur qui était persuadé que ses employés en savaient plus que lui sur ce qu'ils faisaient. Il obtenait davantage de ses troupes car il leur faisait confiance. Rick est très dynamique, et il canalise ce dynamisme sur la tâche à accomplir. Tout le monde veut jouer dans l'équipe de Rick car il gagne à tout coup. C'est lui qui négociait les contrats pour *Amazon.com*. Il était coriace.»

Richard Dalzell était certainement une prise de choix pour *Amazon.com* (une prise qui attirerait l'attention de *Wal-Mart* sur l'entreprise). Il faut aussi mentionner l'arrivée de George T. Aposporos, en mai 1997, à titre de vice-président chargé des relations stratégiques. Aposporos était le fondateur de *Digital Brands*, dont il avait également assuré la présidence. Cette firme conseil spécialisée en stratégie et en marketing interactif comptait parmi ses clients *Starbucks Coffee*, *Sybase* et *American Express*.

Ces démarches faisaient partie d'un processus lent et continu. Jeff Bezos formait graduellement une équipe de direction des plus compétentes qui lui permettrait d'atteindre les sommets dont il rêvait. Certains directeurs qui n'adhéraient pas au plan furent évincés. Jeff Bezos avait réellement à cœur de créer un groupe solidaire. Il estimait qu'à la fin de l'année 1997, l'entreprise atteindrait un «carrefour». Jusque-là, la majorité des risques étaient venus de l'extérieur, «et nous avons eu besoin d'énormément de chance pour arriver où nous sommes», dit-il. Mais maintenant, les risques se trouvaient à l'intérieur «sous une forme décisionnelle... Maintenant, il nous fallait une vision claire et cohérente, ainsi que l'habileté de la concrétiser rapidement.»

L'avenir d'*Amazon.com* dépendait «d'un grand nombre d'employés talentueux ayant à leur tête des directeurs disposant de suffisamment de latitude pour les guider... Nous avons formé une équipe de direction fantastique et nos troupes sont formidables. Et si on se penche sur des entreprises comme *Microsoft*, on ne peut que constater que c'est ainsi qu'elles ont réussi. Elles ne disposent pas seulement d'un Bill Gates, elles ont aussi 40 directeurs intelligents, dévoués et durs à la tâche. Et si on examine les échelons inférieurs, on y trouve de jeunes loups qui attendent qu'on leur confie de telles responsabilités. C'est le modèle que nous essayons de recréer chez *Amazon.com*.»

Et tout en formant son équipe de direction, Jeff Bezos soignait son image publique. Comme nous le verrons, la «promotion» de Jeff Bezos constituait un autre élément essentiel du plan stratégique d'*Amazon.com*.

À RETENIR

Alors que Jeff Bezos étoffait son équipe de direction, il élabora une stratégie d'entrée en Bourse, de concert avec la directrice des finances, Joy Covey. Solidement épaulée par des spécialistes du capital-risques et sollicitée par des investisseurs privés, *Amazon.com* n'avait pas un besoin urgent de faire un premier appel public à l'épargne et demeurait solide. Jeff Bezos avait suffisamment confiance en Joy Covey pour lui confier la responsabilité des négociations avec les banquiers en valeurs. Parallèlement, *Amazon.com* se préparait à repousser l'assaut de la concurrence. Les gens continuaient à prendre position pour l'un ou l'autre des deux camps: on penchait soit pour la coqueluche de la ville, soit pour « *Amazon.toast* ».

- Armez-vous face à la concurrence et soyez prêt à riposter.

- Ajoutez continuellement de nouvelles caractéristiques à ce que vous offrez.

- Faites le nécessaire pour bâtir une entreprise durable.

- Consacrez une grande partie de vos investissements à la consolidation de la marque.

- Si vous disposez d'un soutien financier, ne vous préoccupez pas de la rentabilité à court terme.

- Efforcez-vous d'orienter votre commerce électronique vers la réalisation d'économie et de profits.

- Participez à la guerre des prix si vous avez suffisamment de munitions (financières).

- Élargissez les rangs de vos directeurs talentueux.

chapitre dix

l'enfant prodige du commerce électronique

« Un leader est un marchand d'espérance. »

– Napoléon Bonaparte

« *L* es grands leaders sont de grands communicateurs», dit John Dœrr. «Ils possèdent une intégrité incroyable: ils sont habituellement les premiers à reconnaître leurs erreurs. Ils sont impitoyablement, absolument honnêtes intellectuellement. Ce sont de grands recruteurs: ils tissent inlassablement la toile de leur réseau de gens talentueux. Et ce sont d'excellents directeurs des ventes: ils ne vendent jamais autre chose que l'énoncé de valeur de leur entreprise.»[1]

Même si elles ne font pas directement référence à Jeff Bezos, les paroles de John Dœrr décrivent bien le président d'*Amazon.com*, surtout en termes de recrutement et de communication. «Jeff comprit intuitivement, et à un très,

---

1. *Fast Company*, février 1997.

très jeune âge qu'il devait se concentrer sur deux choses: le recrutement et la presse», dit Nick Hanauer. «Je crois que c'est dans ces activités qu'il a investi la majeure partie de son énergie jusqu'à aujourd'hui. Jeff savait dès le début ce que devait devenir *Amazon.com: l'enfant prodige du commerce électronique*. Nous avons beaucoup employé cette expression. Et il savait que le premier [détaillant en ligne bien connu] hériterait de ce titre. Il n'y en aurait pas deux; il serait unique.»

Il avait raison. L'histoire d'*Amazon.com* est la rencontre d'une vision, de l'intelligence, de la technologie, de l'argent et du synchronisme, mais aucun de ces éléments n'aurait été significatif sans le charme de Jeff Bezos, qui gagna l'amour du public et de la communauté des investisseurs à travers l'une des plus grandes et astucieuses campagnes de relations publiques de l'histoire du monde des affaires moderne. Depuis la fondation de l'entreprise, Jeff Bezos a dirigé cette symphonie de relations publiques avec maestria. Même lorsque l'entreprise avait mauvaise presse, il a toujours su arrêter l'hémorragie rapidement. Il existe aujourd'hui de nombreux milliardaires du commerce électronique qui sont beaucoup plus prospères – on pense à Michael Dell et à Steve Case – mais Jeff Bezos est probablement le mieux connu du public. Combien de personnes sauraient reconnaître dans la foule Jerry Yang et David Filo, les cofondateurs de *Yahoo!*, ou Marc Andreessen, le fondateur de *Netscape*, ou Meg Whitman, celui de *eBay?*

Voici quelques exemples de descriptions flatteuses dont la presse gratifia Jeff Bezos:

- «Un génie de la programmation... il est sans prétention.» – *Wall Street Journal*

- «Jeff Bezos réagit bien au succès. C'est véritablement un bon gars qui a su garder son sens de l'humour face à d'énormes pressions. C'est aussi l'un des gars les plus intelligents dans son champ d'activité.» – *Forbes*

- «Un leader bien de sa personne qui se laisse aller à manger un burrito sur le pouce entre deux réunions et le travail de bureau.» – *Seattle Times*

- «C'est avec génie qu'il se présente comme l'improbable nabab du commerce électronique. Il ne semble pas avoir fait de faux pas jusqu'à maintenant.» – *Business Week*

- «Il est presque impossible de se trouver dans la même pièce que Jeff Bezos sans s'amuser. Il est détendu, il est amusant, et il est d'une modestie désarmante.» – *Fortune*

- «L'homme numérique de 1998.» – *Time Digital Magazine*

- «Incontestablement le roi du commerce électronique.»
  – *Time*

Comme beaucoup de personnes très en vue, il s'est créé un double personnage qui le sert bien. Le Jeff Bezos maître de soi, un peu étourdi, au rire dément et au sourire facile est un être attachant, sans prétention et dont l'ego semble peu présent. Et puis, il y a le Jeff Bezos impitoyable, combatif, le Sam Walton du *World Wide Web*, qui peut faire un exposé sur la complexité des affaires avec la clairvoyance d'un CPA[1], ou verser dans la poésie en parlant de ce que nous réserve l'avenir avec la passion d'un visionnaire.

Alex Gove, rédacteur au *Red Herring*, se rappelle du jour où il fit la connaissance de Jeff Bezos alors que ce dernier faisait la tournée des journaux et des magazines pour promouvoir sa nouvelle entreprise. «Lorsqu'un président d'entreprise se présente à nos bureaux pour la première fois, il y a souvent avec lui une personne responsable des relations publiques

---

1. *CPA: Certified Public Accountant:* comptable dont le titre n'a pas d'équivalence hors des frontières américaines.

qui fait interférence», dit Alex Gove. «On peut mesurer le
degré de confiance d'une société au nombre de personnes
qui se déplacent. Moins le groupe est nombreux, plus le président est habituellement confiant. Jeff se présenta seul. Il
n'a pas fait de présentation en tant que telle. Je crois qu'il
nous a présenté quelques diapositives avec *PowerPoint*. Son
attitude n'était absolument pas théâtrale. Il semblait nettement maître de lui. Il n'était qu'un modeste entrepreneur,
mais il croyait néanmoins fermement en ce qu'il faisait. Je
me souviens avoir pensé: *"Hé!, c'est une petite entreprise amusante."*»

Le 16 mai 1996, un article paru dans le *Wall Street Journal*
ouvrit le bal médiatique dont allaient faire l'objet Jeff Bezos
et *Amazon.com*. À la fin de l'année, *Fortune* leur consacrait un
article de fond: «La prochaine grande mode: une librairie?»
Le *Time* classa *Amazon.com* parmi les «10 meilleurs sites Web
de 1996». Et ce n'était que le début. En 1998, Jeff Bezos bénéficiait du genre de publicité réservée à des personnalités
telles que Bill Gates (avant le procès de *Microsoft* relativement
à la loi antitrust), Jack Welch de *GE* et Michael Dell.

Mais ces derniers dirigeaient des entreprises floris-
santes. Pour sa part, Jeff Bezos reportait à plus tard la réalisation de bénéfices dans ses efforts pour créer une entreprise
qui – comme il l'a souvent dit – allait changer le monde. Et
c'est la raison pour laquelle il tenait à cacher son jeu lorsqu'il
était question de la gestion financière de son entreprise.
Lorsqu'on lui demanda combien de temps il estimait pouvoir
rester en affaires et maintenir une courbe de croissance rapide tout en enregistrant des pertes, il répondit: «Nous ne
faisons pas de pronostics quant à notre rentabilité, à notre
chiffre d'affaires critique, etc. – nous ne faisons aucune pré-
vision.»[1] Il préfère donner des réponses telles que celle-ci:

1. *Upside Today*, 8 juin 1999.

«Les profits constituent le sang (l'élément de vie) d'une entreprise, mais non sa raison d'être. Nous ne vivons pas pour notre sang, mais nous ne pourrions pas vivre sans lui. Notre entreprise a été rentable pendant environ un heure en décembre 1995, mais il s'agit sans doute d'une grosse erreur.»[1]

Au cours du premier trimestre de 1999, le même mécanisme de relations publiques fut actionné pour mettre en valeur la directrice des finances, Joy Covey, lorsqu'elle parcourut le pays pour convaincre les analystes du marché boursier et les investisseurs de la pertinence de la stratégie d'*Amazon.com*: un chiffre d'affaires et un déficit importants maintenant, en retour d'un chiffre d'affaires et de bénéfices importants plus tard. Le 25 mars 1999, le *Wall Street Journal* publia un long article sur Joy Covey alors que, presque simultanément, *Forbes* retraçait son cheminement professionnel et personnel (avec une photographie en couleurs d'une demi-page). Six mois plus tard, *Fortune* classa Joy Covey au 28e rang des femmes d'affaires les plus influentes aux États-Unis, citant l'exploit qu'elle avait accompli en convainquant Wall Street qu'une entreprise qui ne réalisait pas de profits pouvait valoir 22 milliards de dollars.»

Jeff Bezos et ses conseillers visualisèrent rapidement ce que les talents de meneur de celui-ci pourraient apporter à l'entreprise. Eric Dillon se rappelle qu'ils en eurent une première démonstration peu de temps après la participation de Jeff à une émission de télévision japonaise: une avalanche de commandes en provenance du Japon déferla sur *Amazon. com*. «Nous avons dit: "C'est énorme. Jeff, tu seras dorénavant notre porte-parole." C'était la chose à faire, car nous évoluions dans un monde où l'image de marque est capitale. C'est la raison pour laquelle nous avons dès le début passé du

---

1. *Business 2.0*, août 1999.

temps avec les analystes de Wall Street, qui parlèrent aux médias [de Jeff et de la société], et Jeff bénéficia immédiatement d'une vaste couverture médiatique», dit Eric Dillon.

Mais il n'était pas vraiment fait pour ce rôle. Dana Brown, une ancienne employée, remarqua que les techniques de présentation de Jeff Bezos «s'améliorèrent au cours du processus entourant le premier appel public à l'épargne. C'est à ce moment-là qu'il devint un orateur. Nous avons été témoins de cette évolution. Il avait dû participer à un séminaire où l'on vous enseigne à faire une pause au moment stratégique. Il espaçait ses phrases en ménageant de longs silences. Il finit par se corriger et faire preuve de plus d'aisance. Il apprenait petit à petit.»

Paul Barton-Davis, l'employé numéro deux, dit: «Jeff a le don de vous donner l'impression qu'il met son cœur à nu, qu'il vous dit ce qui se passe vraiment. Cela peut sembler ostentatoire, mais cela fait néanmoins partie d'un tout. Je ne veux pas paraître péjoratif. Je ne crois pas que ce que fait Jeff est nécessairement mauvais. Il utilise tout simplement les outils dont il dispose.»

Selon Glenn Fleishman: «Jeff oppose une façade au monde. Mais la personne qui se cache derrière n'est pas tellement différente. Sa conception des affaires est très rigoureuse, il y consacre énormément d'énergie, et il essaie de tirer le maximum de ce qu'il en reste.»

Jeff Bezos est devenu l'un des symboles du nouveau magnat de la finance. À la fin de 1999, *Forbes* publia un article sur le festival *«Burning Man»*, une rencontre amicale (mais alimentée à la testostérone) d'ingénieurs, de concepteurs de logiciels, d'artistes du traitement numérique, d'avocats et de professeurs enseignant dans le désert du Nevada. Jeff Bezos assista à ce festival. Dans un encadré où on comparait *Burning Man* à *Bohemian Grove* (un rassemblement d'industriels, de politiciens et de leurs semblables), la quintessence de *Bohemian Grove* était personnifiée par David Rockefeller; celle de *Burning Man* par Jeff Bezos.

Un article paru dans *Forbes ASAP* – et portant sur les meilleurs orateurs dans le domaine de la technologie – encensa Jeff Bezos et Michael Dell «qui n'ont peut-être pas la longue expérience d'Andy Grove d'Intel, mais qui sont devenus célèbres par leurs réflexions sur le commerce électronique et la vente directe. Jeff Bezos est reconnu pour son rire chaleureux et ses allocutions éclairées.»

Ce rire; ce rire maintenant légendaire. «Explosif», dit *Business Week;* «Contagieux», écrit *Fortune;* «Un long braiment qui ne peut que faire sursauter le non-initié», déclara *Wired;* «C'est un AHHHHHH ha ha ha ha de fanfare», nota *Newsweek;* «Un coup de klaxon qui fait penser à un vol d'oies sauvages qui auraient avalé de l'acide nitreux», trompeta le *Time*. «Son rire l'habite en entier et sa mère dit qu'il "part du petit orteil et remonte"», écrit le *Seattle Times*. «En fait, il rit si souvent que son rire semble plutôt provoqué par son sens interne du rythme que par la conversation en cours.»

Ceux d'entre nous qui l'avons entendu sont d'accord pour dire que c'est un rire déconcertant par sa profondeur et son intensité. C'est un rire qui a un caractère propre; un rire si amusant en tant que tel qu'il semble rire de lui-même, presque dissocié de Jeff Bezos lui-même.

Ce rire devint rapidement un important symbole dans la culture d'entreprise d'*Amazon.com*. Lorsque les employés l'entendaient, «ils savaient que Jeff était de retour», dit Glenn Fleishman. «Nous faisions des blagues en disant que lorsque nous aurions *RealAudio* sur notre site Web, c'est le rire de Jeff que nous enregistrerions en premier.»

Scott Lipsky, dont le bureau était juste à côté de celui de Jeff Bezos, dit: «C'était toujours réconfortant de l'entendre rire, surtout durant la phase de croissance intense que nous avons traversée. Il était bon de savoir qu'il était là et qu'il travaillait aussi fort que nous. Son rire représentait en quelque sorte l'âme de l'entreprise.»

Jeff Bezos prenait également plaisir à faire le clown. Lors d'un bal masqué organisé par l'entreprise, il s'habilla en maître d'hôtel. Tenant un faux plateau sur lequel il avait collé des flûtes à champagne vides, il dansa toute la soirée avec sa femme, Mackenzie, déguisée fort à propos en femme de chambre.

Son apparence et ses manies sont une autre facette de la mystique entourant Jeff Bezos. Par exemple, sa montre s'ajuste automatiquement à l'horloge atomique 36 fois par jour. Son uniforme est toujours le même: chemise Oxford bleue et pantalon brun roux. Il ne lui manque qu'un protecteur de poche. Jeff Bezos, son père, sa mère, son frère et sa sœur aiment se prendre pour des Navy SEALs[1] en s'affublant de mini-téléphones portables, de radios avec écouteurs et microphone épinglé sur un revers de veste, et pour se rendre au marché d'alimentation acheter un litre de lait comme s'ils participaient à une furtive attaque nocturne contre les Viêtcongs. «C'est complètement fou»[2], dit l'homme qui ne se sépare jamais de son téléavertisseur de e-mail, de son téléphone cellulaire, de sa caméra ELPH et d'un couteau suisse d'une épaisseur de cinq centimètres qui comprend une lame pour écailler le poisson, un mini-tournevis pour réparer des lunettes de soleil et un minuscule stylo à bille.

---

1. *Navy SEALs:* célèbre unité antiterroriste créée par le Pentagone lors de la crise de Cuba.

2. *60 Minutes II*, 3 février 1999.

Son petit bureau vitré dans l'édifice de la 2ᵉ Avenue était un méli-mélo composé d'une pile de livres, d'un canard en plastique jaune, de blocs Lego, de pistolets à eau, d'une caisse de bouteilles d'eau embouteillée, et d'une enseigne peinte à la bombe aérosol où on pouvait lire «*Amazon.com*», que Jeff Bezos avait réalisée lui-même à main levée en guise d'arrière-plan pour le tournage d'une entrevue par une équipe de télévision japonaise. En participant à *NewsHour* sur la chaîne PBS, Jeff Bezos et le journaliste économique Paul Solman s'amusèrent (et amusèrent probablement les téléspectateurs) en lançant des objets de caoutchouc qui, en principe, devaient rester collés au mur, le rire de Jeff Bezos ponctuant chaque lancer.

Dans le compte rendu le plus sceptique qui ait été fait d'*Amazon.com*, le journaliste Peter DeJongue dépeint parfaitement Jeff Bezos dans un article du *New York Time Magazine*, le qualifiant de «brillant, charmant, énergique et de génie moins fou qu'il n'en a l'air». Peter DeJonge écrit que Jeff Bezos comprend l'importance qu'il y a à créer une mythologie de l'entreprise qui alimente une atmosphère de mystère – la traversée du pays vers Seattle, la création de l'entreprise dans un garage. Autre symbole, son bureau-porte qui devint l'emblème de sa frugalité et qui était mentionné dans pratiquement toutes les couvertures médiatiques majeures dont Jeff Bezos faisait l'objet. Cette déclaration de l'écrivain Dinesh D'Souza est caractéristique: «De nos jours, un grand nombre de milliardaires semblent fanatiquement déterminés à ressembler à la classe moyenne. Bill Gates aime qu'on le voit portant un chandail trop grand, Jeffrey Bezos travaille derrière un bureau déglingué qu'il a fabriqué avec une vieille porte.»[1]

---

1. *Forbes*, 11 octobre 1999.

Au début, cette frugalité s'appliquait également à sa vie personnelle. Lorsque Mackenzie et lui quittèrent Bellevue, ils louèrent un modeste appartement de 84 mètres carrés au centre-ville de Seattle, dans le quartier Belltown, à peu distance de marche des bureaux d'*Amazon.com*. Même après être devenu multimillionnaire, Jeff continua de rouler en Honda Accord.

Mais au-delà des remous médiatiques et du symbolisme, ce sont son intelligence et sa polyvalence qui lui servent. «Il s'ajuste automatiquement et va directement au cœur des problèmes techniques les plus complexes», dit Eric Dillon, qui ajoute que Jeff Bezos n'a jamais cessé de s'amuser tout au long du processus. «Il peut se tourner vers la droite et parler d'informatique avec Shel Kaphan; et puis il se tourne vers la gauche et discute avec David Risher des pratiques de marketing néerlandaises; et puis, droit devant lui, il s'adresse à Joy Covey et lui parle de la note de bas de page numéro 82 des états financiers. Et un éclat de rire ponctue chacune de ces interventions. C'est charmant.»

Bien qu'il soit de petite taille, frêle et atteint d'une calvitie naissante, il possède ce qui ne peut que s'appeler (même si je déteste le mot) du *charisme*. Il est charmant et bien de sa personne, son intellect est fascinant et il maîtrise l'art de se concentrer sur la personne à qui il s'adresse. «Il aurait pu être un gourou (certains diront qu'il l'est déjà); il possède une aura», dit Glenn Fleishman. «Il ne donne pas l'impression de dominer, mais l'ascendant qu'il exerce sur autrui est énorme.»

En tant que gestionnaire, Jeff Bezos est «très concentré et résolu», dit le directeur Tom Alberg. «Il est capable de prendre rapidement des décisions et de les mettre en application. Il estime que s'il faut faire quelque chose, mieux vaut le faire sans tarder. Il y a une bonne part d'analyse dans tout ça, mais il est avant tout orienté vers l'action. S'il a une idée, il est capable de l'imposer.» Tom Alberg cite en exemple la décision prise en juillet 1998. Il s'agissait d'ajouter une caractéristique pour classer les livres (en fonction des ventes des 24 dernières heures), avec une mise à jour à toutes les heures. «Tout le monde pensait que c'était ridicule. Jeff dit: "Nous pouvons y arriver en 48 heures. Je veux qu'on le fasse. Alors, faisons-le."». Ce système de classement généra énormément de publicité, particulièrement dans les pages éditoriales du *Wall Street Journal* et du *New York Times* où les auteurs se plaignirent du rang qu'occupaient leurs ouvrages sur cette liste des meilleurs vendeurs. Aujourd'hui, il y a beaucoup d'auteurs et d'éditeurs qui consultent cette liste plusieurs fois par jour.

L'EXPANSION EUROPÉENNE

Jeff Bezos avait toujours voulu déployer les activités d'*Amazon.com* à l'extérieur des frontières américaines. En 1998, il envisagea une expansion européenne avec l'aide de *Bertelsmann AG*, le colosse allemand des médias. *Bertelsmann* offrait un service de vente de livres en ligne sous le nom de *Bertelsmann Online*, ou *BOL*. Thomas Middlehoff, le président de *Bertelsmann*, fit preuve d'une telle persistance qu'il réussit à faire venir en Allemagne, dans son jet privé, Jeff Bezos et Mackenzie qui étaient en vacances en Turquie. Thomas Middlehoff souhaitait conclure une entente stipulant que chaque partie détiendrait 50 % d'un commerce de livres en ligne. Jeff Bezos et Thomas Middlehoff se rencontrèrent à quatre reprises, mais «nous n'arrivions pas à nous entendre», dit Jeff Bezos. Thomas Middlehoff crut que Jeff Bezos hésitait parce qu'il était «nerveux à l'idée de perdre le contrôle»[1]. Tom Alberg est d'accord et dit: « Jeff a décidé de ne pas

---

1. *Fortune*, 9 novembre 1998.

s'associer, car il était persuadé que nous pouvions aussi bien y arriver seuls.»

Peu de temps après que Bezos eut rejeté son offre, *Bertelsmann* annonça qu'elle achetait une participation de 50 % dans *Barnesandnoble.com*, au coût de 200 millions de dollars. «Nous avons un but: faire concurrence à *Amazon* aux États-Unis», dit Thomas Middlehoff.

Entre-temps, en avril 1998, *Amazon.com* avait acquis *Bookpages*, une librairie virtuelle britannique qui lui donnait accès à 1,2 million d'ouvrages imprimés en Angleterre, ainsi que *Telebuch (Telebook) Inc.*, une importante librairie en ligne allemande. *Bookpages* avait été fondée à la fin de 1996 par Simon Murdoch, détenteur d'un doctorat en informatique et gestionnaire de logiciels auprès d'une entreprise britannique. *Telebook*, qui était exploitée par *ABC Bucherdienst*, avait un catalogue de près de 400 000 titres en langue allemande. Les deux entreprises furent rebaptisées *Amazon.co.uk* et *Amazon.co.de*, et le lancement eut lieu en octobre. Elles furent dotées de la technologie et de toutes les caractéristiques d'*Amazon.com*. Un centre de service à la clientèle se trouvait également dans chacun des deux pays. Les centres de distribution, qui entreposaient en grande quantité les ouvrages américains les plus populaires, étaient situés à Slough en Angleterre, et à Regensburg en Allemagne.

À la fin de 1998, *Amazon.co.uk* et *Amazon.co.de* étaient devenues les principales librairies en ligne dans leurs marchés respectifs. Bien sûr, leurs chiffres d'affaires n'étaient pas particulièrement élevés. Par exemple, les ventes d'*Amazon.co.uk* ont été évaluées à environ 60 millions de livres, alors que l'ensemble des achats effectués en ligne au Royaume-Uni représentait moins de 0,2 % de la vente de détail, si l'on se fie à une étude du *Financial Times*. À cette époque, sur l'ensemble du continent européen, le nombre de consommateurs qui étaient abonnés à Internet était plus de deux fois moins important qu'aux États-Unis. L'Allemagne, avec une population de 80 millions (dont 8 millions d'utilisateurs d'Internet), représentait un défi particulier, car les commerçants de ce pays étaient protégés par une loi qui interdisat la vente à rabais. Par contre, *Amazon.uk.de* était présente 24 heures par jour, 7 jours par semaine, alors que les librairies allemandes traditionnelles étaient tenues par la loi de fermer leurs portes le dimanche. (Avant le lancement officiel du site, la curiosité des consommateurs allemands fut piquée par une campagne publicitaire avec des slogans tels que «Kama Sutra 24 heures par jour»).

Même avant son débarquement en Europe, *Amazon.com* et d'autres libraires virtuels menaçaient la vénérable institution du marketing territorial et des droits d'édition. En général, un éditeur américain détient les droits nord-américains ou de langue anglaise pour un ouvrage donné et peut vendre les droits d'édition en langue étrangère à différents éditeurs dans différents pays. Mais l'Internet n'a pas de frontières nationales. La publication *de Harry Potter et la chambre des secrets*, la suite du best-seller mondial *Harry Potter à l'école des sorciers*, provoqua une dispute entre *Amazon.com* et l'éditeur américain *Scholastic Inc.*, qui avait versé 100 000 $ pour acquérir les droits d'édition américains du premier ouvrage.

Ce livre de l'écrivain écossais J. K. Rowling avait été publié en Angleterre en 1997 par *Bloomsbury Children's Book*. La demande pour la suite était tellement grande aux États-Unis que les clients, ne voulant pas attendre plusieurs mois pour acheter l'édition américaine, commandaient l'ouvrage par le biais d'*Amazon.co.uk*. Les feux du désir furent alimentés par plus de 80 critiques de lecteurs enthousiastes, affichées sur le site américain d'*Amazon* aux côtés de directives pour commander la version britannique chez *Amazon.co.uk* pour moins de 14£, soit environ 23 $ US, avec un délai de livraison de moins de huit jours.

Un porte-parole d'*Amazon.com* dit ne pas vouloir faire de commentaires sur les différends qui opposèrent *Amazon.com* et *Scholastic* ou d'autres éditeurs, mais que l'entreprise «prit au sérieux les préoccupations des éditeurs et s'efforça de trouver une solution.»

Ceci soulève la question suivante: quand un client de Seattle commande un livre publié à Londres, la transaction a-t-elle lieu aux États-Unis ou en Grande-Bretagne? D'après Jeff Bezos, un Américain qui achète un livre sur le site d'*Amazon.co.uk* n'est pas différent d'un Américain qui achète un livre à Londres alors qu'il y est en vacances, le met dans sa valise et rentre chez lui. Dès que l'on touche aux institutions établies, on est certain d'importuner quelqu'un.»[1]

La loi américaine sur les droits d'auteur interdit l'importation de livres sans la permission du détenteur de ces droits, mais elle permet à un individu d'en acheter un exemplaire pour son usage personnel, sans intention d'en faire la distribution. Toutefois, il y a une lacune dans la loi en ce qui concerne l'achat de plusieurs livres par un consommateur, ou encore par un libraire qui acquiert plusieurs exemplaires d'un même titre dans le but de les revendre aux États-Unis. C'est un débat qui n'est pas encore réglé.

Les questions de droits d'auteur mises à part, les acquisitions européennes étaient une décision logique, car l'entreprise brassait déjà des affaires à l'échelle internationale, expédiant régulièrement des livres dans plus de 160 pays, ces ventes représentant plus de 20 % de son chiffre d'affaires.

---

1. *New York Times*, 1er avril 1999.

Quelques-unes des anecdotes les plus intéressantes dans l'histoire de l'entreprise sont justement attribuables à ces relations avec des clients étrangers, particulièrement du Tiers-Monde et des pays du bloc de l'Est. «Les gens sont parfois prêts à tout pour avoir accès à l'information et au matériel qui leur permet de s'instruire», dit Jeff Bezos, dans une allocution qu'il prononça en 1998 et au cours de laquelle il raconta les circonstances plutôt inhabituelles entourant une commande provenant de Roumanie. Le client, qui n'avait pas de carte de crédit, avait envoyé deux billets de cent dollars pliés en deux et glissés à l'intérieur d'une disquette. Il posta le petit colis à *Amazon.com* avec une note sur laquelle il avait inscrit: «Les douaniers volent l'argent, mais ils ne lisent pas l'anglais. L'argent se trouve à l'intérieur de la disquette.»[1]

Amazon.com vendit de nombreux ouvrages techniques difficiles à trouver à des clients d'outre-mer. Maire Masco, directrice du service à la clientèle, se rappelle avoir reçu un e-mail d'un géologue du Sri Lanka qui cherchait des livres qui le renseigneraient sur la façon de prévenir l'érosion d'un coteau qui menaçait de s'affaisser. «Il m'écrivit pour me remercier de lui avoir trouvé ces trois ouvrages qu'il ne pouvait pas commander directement chez l'éditeur, à Oxford. De plus, ils lui avaient coûté moins cher. Ce sont dans des cas comme celui-ci qu'on a réellement l'impression de faire la différence.»

Un organisme de charité international fit également une commande mémorable. Il venait de recevoir une subvention pour la construction d'une bibliothèque en Zambie et voulait acquérir 2 000 ouvrages. «J'ai réuni quelques employés du département de service à la clientèle et je leur ai demandé: "Voulez-vous participer à un grand projet?"», dit Maire Masco. «Deux employés commandèrent tous ces livres.

---

1. Allocution au Lake Forest College, 26 février 1998.

Nous avons coordonné le tout avec les employés de l'entrepôt, car les livres devaient être livrés à un moment précis à l'aéroport Kennedy, à New York, avant d'être embarqués à bord d'un avion-cargo. Nous n'étions pas censés faire tout ça, car c'était totalement à l'encontre de notre philosophie de productivité, mais nous avons pris un réel plaisir à participer à la création de cette bibliothèque africaine.»

Les expéditions outre-mer entraînaient bien sûr quelques problèmes. D'après Maire Masco, l'Espagne et le Portugal étaient les «trous noirs de l'Europe», car un grand nombre de colis y disparaissaient, fort probablement volés, et devaient être remplacés gratuitement. Finalement, *Amazon.com* embaucha du personnel supplémentaire qui se consacra uniquement aux cas de fraude, qui se produisaient surtout dans les pays de l'ancien bloc de l'Est et en Amérique du Sud. «Ils arrivaient parfois à relier des cas de fraude à certaines villes», dit Maire Masco. «Ils vérifiaient l'identité des gens par téléphone.»

La société ouvrit plus tard d'autres filiales dans plusieurs pays d'Europe et d'Asie, se joignant grâce à *Yahoo!* à l'un des plus importants réseaux globaux de vente de détail en ligne. Selon cette entente, *Amazon.com* devint le principal détaillant de livres sur un grand nombre des sites mondiaux de *Yahoo!*: Asie, Royaume-Uni et Irlande, France, Allemagne, Danemark, Suède, Norvège, Canada, Australie et Nouvelle-Zélande, Japon et Corée.

Grâce à toute cette visibilité, un an après le lancement de ses sites européens, *Amazon.com* arrivait au 57e rang des marques les plus valorisées au monde, avant *Hilton, Guinness* et *Marriott*, et juste après *Pampers*, si l'on se fie à un rapport d'une agence de marketing britannique.

EXPANSION ET DIVERSIFICATION

Il était évident depuis le début qu'*Amazon.com* ne pouvait rester confinée à l'industrie du livre et réaliser des bénéfices dont tous seraient satisfaits à long terme, dit Glenn Fleishman. Ce point de vue se concrétisa dès décembre 1996, lorsque Jeff Bezos invita tous les Amazoniens à participer à une retraite à la station de villégiature rustique mais de technologie de pointe *Sleeping Lady*, à Leavenworth, à l'est des monts Cascades et au centre de l'État de Washington.

«Cette retraite avait pour thème la diversification et les moyens de la réaliser», se rappelle Maire Masco. «Nous avons commencé à parler de DVD, de CD, de vidéocassettes. C'était la première fois que nous parlions d'autre chose que de livres. Cela est venu tout seul. Je ne sais pas si c'était l'intention première de Jeff ou s'il nous a guidés dans cette direction. Il nous a demandé vers quoi nous pensions nous diriger et comment nous nous imaginions dans un an, deux ans, trois ans, etc. Nous avons tous vu une solution dans la diversification – même avant de réaliser qu'il n'y avait pas d'avenir dans l'industrie du livre à cause des marges de profit trop faibles.»

Jeff Bezos voulait créer un effet de levier relativement à la clientèle, aux compétences et à la marque en se lançant dans la vente de nouveaux produits tels les vidéocassettes et les disques, ce qui était une continuité logique. Il le dit clairement en 1997: «Notre stratégie est de devenir une destination de commerce électronique. Lorsque quelqu'un songe à acheter quelque chose en ligne, même si c'est quelque chose que nous n'offrons pas, nous voulons qu'il accède à notre site. Nous aimerions faciliter la vie à tous les consommateurs, même si nous ne vendons pas ce qu'ils cherchent.»[1]

---

1. *Independent*, 12 mai 1998.

En avril, en même temps qu'elle faisait l'acquisition de *Bookpages* et de *Telebook*, *Amazon.com* fit sa première incursion hors du commerce du livre en achetant *Internet Movie Database*, une source de référence britannique, complète et sérieuse, et portant sur plus de 150 000 films et émissions de divertissement, et 500 000 acteurs et artisans, de la naissance du cinéma en 1892 à aujourd'hui. Cela représentait également le premier pas d'*Amazon.com* dans la vente de vidéocassettes en ligne.

La musique était la prochaine étape logique; les disques avaient figuré au second rang des produits retenus par Jeff Bezos lorsqu'il avait effectué une recherche sur la vente en ligne pour le compte de *D. E. Shaw*. Publiquement, Jeffrey Bezos déplorait que, dans le domaine du disque, *Amazon.com* n'avait pas l'avantage de l'initiateur – qui appartenait à *CDNow*, *N2K's Music Boulevard* et *Tower Records*. *CDNow* bénéficiait d'ententes exclusives avec *Yahoo!*, *Excite's Web Crawler* et avec trois services: *Mr. Showbiz*, *Celebsite* et *Wall of Sound*. De son côté, *N2K* était le partenaire exclusif d'*America Online Inc.* (par le biais des réseaux d'*AOL* aux États-Unis, en Europe et au Japon), de *Netscape's Netcenter* et de *Ticketmaster Group*. Mais en privé, Jeff Bezos se préparait tranquillement à faire une entrée remarquée dans cette industrie. Au cours des mois précédents, la société avait formé une équipe composée d'experts en musique, et elle avait dirigé des douzaines de groupes de discussions avec des clients. Ces derniers indiquèrent qu'ils achèteraient des disques auprès d'*Amazon.com*.

«Nous traversons une période critique, une période de catégorisation», disait Jeff Bezos. «Nous investissons aujourd'hui dans la technologie, dans le marketing et dans la consolidation de la marque, en espérant avoir une plus grande entreprise plus tard.» Étant donné que les frais fixes reliés au commerce électronique sont élevés, «il est logique de les amortir en les répartissant sur un plus grand nombre de clients.» La stratégie d'expansion de Jeff Bezos était simple: donner un effet de levier à sa clientèle de plus de 2,25 millions de gens – la plus grande communauté de clients de tous les détaillants en ligne – ainsi qu'à la marque. «Nous avions travaillé très fort pour qu'on associe *Amazon.com* à l'excellence du service, à ses bas prix, et à la convivialité (pensons à *1-Click*) et au choix qu'elle offre.»

Le 10 juin, l'entreprise annonça son entrée dans le domaine de la musique, avec 130 000 titres en stock. Toutefois, la liste d'inventaire ne tarderait pas à s'allonger. Jeff Bezos utilisa la même formule qu'avec le livre en offrant des rabais allant jusqu'à 30 % sur certains CD. (*Amazon.com* achetait les disques auprès d'un grossiste et utilisait son entrepôt pour l'expédition. Donc, si un client achetait à la fois des livres et des disques, il économisait sur les frais d'expédition). Tout comme sur son premier site, *Amazon* offrait de l'information sur les produits et des caractéristiques spéciales, dont des extraits de critiques tirées de plusieurs publications, des commentaires de la clientèle et des primeurs pour ceux qui voulaient en apprendre davantage sur certains genres de musique ou leurs interprètes. Plus de 225 000 chansons pouvaient être échantillonnées au moyen de *RealAudio*. Les listes de best-sellers étaient compilées de diverses façons: par artiste, par genre ou par instrument. Le client pouvait effectuer des recherches dans 14 genres et 280 sous-genres. Et, pour celui qui cherchait à en savoir davantage sur un nouveau genre de musique, le site donnait la liste des 10 CD «essentiels» dans cette catégorie.

Quand on lui a demandé si la liste de CD «essentiels» était subjective, Jeff Bezos répondit: "Bien sûr qu'elle est subjective. Mais laissez-moi vous dire quelque chose au sujet du monde virtuel: si nous avons mal choisi et que, disons, un stupide album de jazz figure sur notre liste, nous recevrons tellement de courrier en peu de temps que nous serons en mesure de réagir rapidement, et tout sera parfait. C'est l'un des avantages d'être en ligne.»[1]

Le *New York Times* classa le volet de recherche par titre du site d'*Amazon.com* au premier rang de tous les détaillants de musique en ligne, citant à titre d'exemple le fait que seul le site d'*Amazon.com* avait pu relier le mot «*corner*» à la chanson «Down the Corner» de Creedence Clearwater Revival.

Jeff Bezos décrivait le site comme n'étant «pas seulement un magasin. C'est un endroit où l'on peut apprendre quelque chose sur la musique.» La deuxième semaine d'octobre – 120 jours plus tard – *Amazon.com* était devenue le plus grand vendeur de disques en ligne, et employait le slogan «Livres, musique et plus» pour décrire ses activités. Un an plus tard, *CDNow* et *N2K* fusionnèrent sous le nom de *CDNow*. Plusieurs mois plus tard, *Time Warner Inc*. et *Sony Corp*. achetèrent *CDNow* et l'intégrèrent à *Columbia House*, leur entreprise conjointe de marketing directement axée sur le disque et la vidéocassette. Et voilà pour l'avantage de l'initiateur.

Pendant ce temps, l'action d'*Amazon.com* grimpait, passant d'environ 40 $ l'action le 1ᵉʳ juin à plus de 80 $ trois semaines plus tard. Elle atteignit 100 $ le 24 juin et 139,50 $ le 6 juillet, ce qui représentait un rendement de 1 450 % depuis le premier appel public à l'épargne de mai 1997. On peut en partie attribuer cette hausse à la diversification, et en partie à l'engouement général que suscitaient les actions Internet, comme le montre l'achat d'*Infoseek* par la *Walt Disney Company*.

---

1. *Upside Today*, 8 juin 1999.

Les investisseurs, enthousiasmés, étaient à l'affût de la prochaine acquisition qui ferait fureur.

Cette hausse eut même une incidence sur l'action de *K-tel International*, qui distribuait de vieux disques par le biais d'une ligne 1-800 lors d'émissions de fin de soirée à la télévision. En juin, l'action valait 6 $, mais lorsque *K-tel* annonça qu'elle avait l'intention de vendre ces mêmes disques sur le Web, elle monta en flèche pour atteindre 65 $.

Les investisseurs toujours plus nombreux à vendre à découvert contribuaient au cours très variable de l'action d'*Amazon.com*. Ces spéculateurs empruntaient des actions pour les revendre dans l'espoir de réaliser un profit. Si le cours de l'action baissait, ils vendaient, remplaçaient les titres empruntés et empochaient la différence. Mais ce n'était pas une stratégie rentable avec l'action d'*Amazon.com*. Lorsque le cours de l'action montait, les spéculateurs étaient contraints de choisir entre un pari risqué ou le rachat à perte, et ce choix n'était pas facile en ce sens qu'*Amazon.com* avait un nombre relativement restreint d'actions en circulation. (La majorité des actions d'*Amazon.com* étaient détenues par des initiés qui ne les négociaient pas publiquement). De plus, l'évaluation de l'action et les fluctuations en dents de scie de l'action étaient aussi le fait de «spéculateurs d'un jour» – des investisseurs en ligne inexpérimentés qui achetaient à la hausse et tentaient de vendre le plus rapidement possible dès que le cours de l'action chutait.

L'action d'*Amazon.com* était très active. Il fut une époque où il ne passait pratiquement pas plus de plus de sept jours avant qu'elle ne fut vendue. Par comparaison, l'action de *Yahoo!* pouvait être détenue pendant huit jours et celle de *Coca-Cola* pendant 26,4 mois.[1]

---

1. *Business Week*, 13 septembre 1999.

Au mois d'août, *Amazon.com* profita d'une hausse du cours de ses actions pour faire deux acquisitions stratégiques qui ébranlèrent la communauté Internet et déclenchèrent la sonnette d'alarme: l'entreprise serait désormais bien plus qu'un fournisseur de livres et de disques.

La première de ces acquisitions fut *PlanetAll*, une entreprise basée à Cambridge, Massachusetts, qui offrait des services de planification personnelle, tels que des mises à jour automatisées de listes d'adresses, des calendriers, des rappels de prise de contact avec des amis, des connaissances et des associés, une organisation automatique de l'information puisée sur le Web, et un accès à plus de 100 000 associations. *PlanetAll*, qui avait été lancée en novembre 1996 et qui comptait 1,5 million de membres, avait «dégagé le passage en réussissant à garder le sens des réalités», dit Jeff Bezos, en ajoutant que *PlanetAll*, fondée par Warren Adams et Brian Robertson, était «l'utilisation de l'Internet la plus novatrice que j'aie vue.» Le service était gratuit et l'utilisateur n'avait qu'à entrer ses coordonnées et la liste des personnes avec qui il voulait rester en contact. *PlanetAll* demandait la permission à ces dernières de fournir leur e-mail et leur adresse postale aux membres du groupe auquel ils appartenaient. Tous ces renseignements étaient emmagasinés dans la banque de données de *PlanetAll*, qui mettait automatiquement à jour celle du client, à la maison ou au travail. Par exemple, un client pouvait demander de recevoir un e-mail lui rappelant une occasion spéciale pour laquelle il lui fallait acheter un cadeau.

En achetant une entreprise qui accumulait des renseignements personnels sur ses clients, Jeff Bezos amorçait une transformation qui permettrait éventuellement à *Amazon.com* d'offrir à sa clientèle une expérience d'achat personnalisée et en une seule étape, tenant compte de ses goûts spécifiques, de la date de son anniversaire, de son numéro de carte de crédit, de son adresse postale, etc. *PlanetAll* coûta 800 000 actions à *Amazon.com*. Toutes ses activités et son personnel furent relocalisés à Seattle au début de 1999.

La seconde acquisition, en échange de 1,6 million d'actions, fut *Junglee Corp.*, de Sunnyvale, Californie, un moteur de recherche qui permettait à l'utilisateur de faire une comparaison de prix. Tout comme d'autres services similaires, *Junglee* dispersait des agents ou des «araignées» pour scruter les banques de données des détaillants et dresser des listes de prix sur pratiquement tout, du chandail de cachemire aux disques de Keith Sweat. *Junglee*, que l'on considérait comme une sorte de «robot», faisait la promotion de quatre sites: *Compaq Computer Corp.*, *Lycos's Hotbot*, *DealFinder* et *Snap!*. Il pouvait scanner des centaines de sites Web en seulement quelques secondes.

Junglee rentabilisait ses activités en exigeant des droits d'inscription et en vendant des bannières publicitaires. *Junglee* fournissait à *Amazon.com* un outil qui lui permettait de jouer avec les comparaisons de prix, mais Jeff Bezos dit au *Wall Street Journal* qu'il serait insensé de truquer la banque de données de *Junglee* de manière à ce que les prix des livres et des disques d'*Amazon.com* semblent toujours les plus avantageux, car «les clients s'enfuiraient.» Il ajoute que, de toute façon, les clients sont davantage portés à comparer les prix d'articles plus coûteux, comme des ordinateurs ou des téléviseurs. (Bien sûr, Jeff Bezos ne mentionna pas que son entreprise vendrait aussi un jour des articles aussi coûteux). «Notre vision à long terme pouvait se résumer ainsi: le site d'*Amazon.com* devait permettre à quiconque de trouver ce qu'il voulait acheter», dit Dave Risher, vice-président du développement des produits et du marketing.

Quelques mois plus tard, au début de décembre, *Amazon.com* effectua un remaniement total de *Junglee*. Dorénavant, lorsqu'un utilisateur accédait au site de *Junglee*, il était immédiatement acheminé vers «*Shop the Web*», un service entièrement nouveau qui se voulait «l'endroit où l'on peut trouver tout ce qu'on désire acheter»: appareils électroniques, vêtements, voyages, ordinateurs, jouets et autres marchandises, mais pas de livres ni de disques. («Si quelqu'un trouvait un livre offert à meilleur prix sur un autre site, il l'achetait tout de même chez *Amazon.com* à cause de sa réputation et de la confiance qu'elle inspirait, dit Bill Curry, un porte-parole d'*Amazon.com*, dans une entrevue avec le *Wall Street Journal*. Des hyperliens acheminaient les utilisateurs vers des détaillants tels que *Gap* pour les vêtements, et *Cyberian Outpost* pour les ordinateurs.

Jeff Bezos comprit qu'agir à titre d'intermédiaire dans la transaction commerciale était l'une des façons de faire des profits sur le Web. Avec «*Shop the Web*», *Amazon.com* touchait une commission pour chaque client qu'elle envoyait chez d'autres détaillants au moyen d'hyperliens. (*Amazon.com* toucha plus tard une commission sur chaque vente). C'était la première de plusieurs acquisitions et décisions stratégiques.

Au début, *Amazon.com* éprouva l'efficacité de «*Shop the Web*» en le plaçant en un endroit discret sur chaque page, mais une fois les bogues éliminés, la société lui attribua un onglet similaire à ceux qui existaient déjà pour les livres, les disques, les films et les cadeaux.

Junglee et *PlanetAll* donnaient à *Amazon.com* cette qualité d'homogénéité tant recherchée qui donne aux utilisateurs l'envie de s'attarder sur un site. Et en ajoutant un contenu aussi stratégique et polyvalent, *Amazon.com* proclamait clairement son intention de devenir *le* portail commercial du *World Wide Web*. Même avant ces acquisitions, *Amazon.com* était le seul commerce électronique à faire partie des sites les plus achalandés aux États-Unis, selon la maison de sondage

Media Metrix. Amazon.com démontra également que, pour rester viable, un détaillant en ligne doit sans cesse se renouveler en se remettant en question et en tenant compte des commentaires de sa clientèle.

ON PREND PARTIE

Le 7 septembre, l'action d'*Amazon.com* avait chuté de 41 % depuis le sommet record atteint en juillet. À cette époque, Jonathan Cohen, analyste chez *Merrill Lynch*, recommanda aux actionnaires de réduire leurs participations dans un article intitulé: «Le leader mondial du commerce électronique coûte trop cher». Il écrivait: «*Amazon.com* n'est pas une entreprise de technologie ni de logiciel, et elle ne devrait pas jouir d'une évaluation même reliée de loin» à celle d'entreprises qui réalisent de gros bénéfices.

Ron Ploof, de *Ice Group*, une entreprise conseil spécialisée en commerce électronique, établie à Wakefield, Massachusetts, ajoute au concert de protestations en calculant ce que coûtait à *Amazon.com* l'établissement de sa marque et son processus de commande de plus en plus complexe: gestion des stocks, expédition, manutention, etc. En adoptant ce qu'il appelle le «point de vue de monsieur Tout-le-monde» pour effectuer son analyse financière, il estima qu'il en coûtait 55,91 $ à *Amazon.com* pour traiter une commande moyenne, alors que celle-ci ne touchait que 48,76 $ pour la même commande – en d'autres termes, l'entreprise enregistrait une perte de 7,15 $ par commande.

Toutefois, le cours de l'action recommença à grimper en novembre. Le 10 de ce mois, elle se négociait à 131¾ et, une semaine plus tard, à 148½, quand *Amazon.com* annonça qu'elle diversifiait encore davantage ses produits en offrant, entre autres, des vidéocassettes et des cadeaux-souvenirs, des jouets, des jeux électroniques et des DVD. Cette déclaration fit passer la valeur des actions de Jeff Bezos de 440 millions de dollars à environ 2,9 milliards de dollars. Le 20 novembre, l'action connut une nouvelle hausse, passant de 27$^2/_3$ à 180$^5/_8$. (L'année précédente, l'action avait été négociée à un cours aussi bas que 22$^5/_8$.) La valeur de l'entreprise sur le marché passa à 9,12 milliards de dollars. Par comparaison, *Goodyear Tire & Rubber Co.*, le plus grand fabricant de pneus aux États-Unis, valait 8,71 milliards de dollars. Au cours du troisième trimestre, *Amazon.com* enregistra des ventes de 153,7 millions de dollars, comparativement à 3,2 milliards pour *Goodyear*. (En passant, l'action de *K-tel International*, qui avait rechuté à 5 $ en octobre, rebondit à 39,125 $ en novembre lorsque souffla un autre vent de folie).

Ce même mois, *Amazon.com* commença à vendre des vidéocassettes VHS et DVD. Quarante-cinq jours plus tard, elle était au premier rang des détaillants de vidéocassettes sur le Web. À ceux qui s'acharnaient à dire qu'*Amazon.com* ne serait pas rentable avant longtemps, Jeff Bezos rétorquait fermement que l'entreprise était tout simplement en train de réaliser son objectif de base: «Se propulser vers les plus hauts sommets».[1]

À la mi-novembre, *Barnes & Noble* acheta, au coût de 600 millions de dollars, la *Ingram Book Company*, le principal distributeur de livres du pays, auprès duquel *Amazon.com* se procurait environ 60 % de sa marchandise. Le président de *Barnes & Noble*, Leonard Riggio, dit que cette acquisition de 11 centres de distribution stratégiquement répartis «était très avantageuse pour ce qui était du commerce électronique». Cette nouvelle fut bientôt suivie par l'association de *Bertelsmann AG*, le conglomérat allemand, avec la division de vente

---

1. *New York Times*, 9 mars 1998.

en ligne de *Barnes & Noble*, *Barnesandnoble.com*. Chaque entreprise investit 100 millions de dollars, ce qui leur donnait une participation égale. *Bertelsmann*, le plus grand éditeur à l'échelle mondiale (et entre autres le propriétaire de *Random House*, le plus grand éditeur américain), continua à développer parallèlement son propre commerce de livres en ligne, *Books Online*, en Angleterre, en Allemagne, en France, en Espagne et aux Pays-Bas.

L'entente conclue entre *Barnes & Noble* et *Ingram* permit à Jeff Bezos de faire encore une fois preuve de sarcasme envers Leonard Riggio. Dans un communiqué de presse, Jeff Bezos annonça à ses clients: «Ceux qui font des choix dans le but de véritablement servir les intérêts des clients, des auteurs et des éditeurs l'emporteront. Goliath est toujours à portée d'un bon lance-pierres.»

Ce à quoi *Barnes & Noble* répondit:

«Barnes & Noble Inc. trouve amusante la sortie de Jeff Bezos où il se décrit comme un libraire indépendant. Eh bien, M. Bezos, avec une capitalisation de 6 milliards de dollars et plus de 4 millions de clients, nous supposons que vous reconnaissez un Goliath lorsque vous en voyez un. Votre entreprise vaut maintenant davantage que *Barnes & Noble*, *Borders* et tous les libraires indépendants réunis. Pouvons-nous vous suggérer de retirer le lance-pierres de votre arsenal?»

Ravie que *B&N* ait mordu à l'appât, *Amazon.com* répliqua avec un communiqué de presse fort succinct: «Oh.»

À cette époque, *Amazon.com* exprima sa surprise devant cette transaction, une réaction que ceux qui sont dans la confidence décrirait comme déloyale. Une source bien placée dans le milieu de la distribution observa: «N'allez pas imaginer que le *Ingram Book Group* n'a pas été offert à *Amazon*. Si la vente d'*Ingram* a été confiée à une banque en valeurs, vous pouvez être certain que celle-ci a fait le tour de tous les acheteurs éventuels, incluant *Amazon*. *Amazon* n'aurait pas été surprise par l'annonce de la vente.» (En fait, la vente n'eut jamais lieu. Devant une opposition probable de la *Federal Trade Commission*, les tollés de protestation des libraires indépendants et les menaces d'une audition devant le Congrès, *B&N* retira son offre en septembre 1999).

À travers tout ça, un autre procès fut intenté à *Amazon. com*, en octobre 1998, par *Wal-Mart Stores Inc*. Ce géant du détail d'Arkansas accusa *Amazon.com* de vol de secrets de fabrication suite à l'embauche, en 1997, de son ancien employé Richard Dalzell. En juillet 1998, *Amazon.com* avait engagé un autre vétéran de *Wal-Mart*, Jimmy Wright, à titre de vice-président et directeur de la logistique. Jimmy Wright, qui avait quitté *Wal-Mart* en 1998, y avait travaillé neuf ans comme vice-président de la distribution. *Wal-Mart* soutint qu'en attirant Dalzell, Jimmy Wright et d'autres employés, l'intention de l'entreprise de Seattle était de copier les systèmes de *Wal-Mart* en matière de ventes, de mise en marché, de distribution, de gestion des stocks et des données sur les fournisseurs.

Kleiner Perkins Caufield & Byers, *Dalzell* et *Drugstore.com* étaient également nommés dans la poursuite. *Drugstore.com*, une pharmacie en ligne, était en partie financée par *Kleiner Perkins* (et le serait plus tard par *Amazon.com*). Après plusieurs mois de poursuites et de contre-poursuites, et un échange de nombreux coups d'épée, les deux parties s'entendirent hors cours en avril 1999. *Amazon.com* dut attribuer de nouvelles tâches à un informaticien, un ancien employé de *Wal-Mart* dont nous ne connaissons pas l'identité. Il ne lui était pas permis de travailler à des postes lui donnant accès aux données relatives à l'entreposage, à la mise en marché et à la distribution.

Entre-temps, sur le marché boursier, rien ne freinait l'ascension de l'action d'*Amazon.com*, qui grimpa à 37⁷/₈ $, soit 21 % de 218, le 23 novembre, le jour même où *AOL* annonçait qu'elle venait d'acheter *Netscape*. Cette hausse prodigieuse contribua à tirer une ligne entre le camp des croyants et celui des sceptiques.

En novembre, dans le cadre d'une étude sur les gestionnaires de fonds, *Barron's* qualifia les actions d'*Amazon.com* (et de *Microsoft*) comme étant les plus surévaluées.

Le 15 décembre 1998, Henry Blodget, un obscur analyste de 32 ans chez *CIBC Oppenheimer*, prédit que l'action d'*Amazon.com* atteindrait 400 $ en douze mois. Il écrivait dans son rapport: «Nous continuons de croire qu'*Amazon. com* en est aux balbutiements de la création d'une entreprise globale de détail électronique qui pourra générer 10 milliards de dollars de revenus par tranche de 10 $ d'ici cinq ans.»

Quelques heures après l'ouverture de la Bourse, le 15 décembre, le cours de l'action d'*Amazon.com* passa de 243 $ à 300 $, mais à la fin de la journée, il chuta à 259 $. Néanmoins, la valeur du marché d'*Amazon.com* avait surpassé celle de *Alcoa*, *Caterpillar* et *International Paper*. Moins d'un mois plus tard, le 11 janvier, peu après un fractionnement à raison de 3 pour 1, l'action s'embarqua de nouveau dans les montagnes russes, évaluée à 158,875 $ à l'ouverture et à 160,25 $ à la fermeture, mais ayant atteint au cours de la journée un sommet de 199,125 $.

En juillet, dans un éditorial du *Wall Street Journal*, l'éditeur de *Forbes*, Rich Karlgaard écrivit que la capitalisation de *Yahoo!* était supérieure à celle de la *New York Times Co.*, que la capitalisation d'*Amazon.com* était plus élevée que celle de *Barnes & Noble* et de *Borders* réunies, et que la capitalisation d'*America Online* dépassait la combinaison de celles d'*ABC*, *CBS* et *NBC*. Rich Karlgaard se demanda: «Mais que se passe-t-il? Entendons-nous les trompettes qui annoncent l'arrivée de la très attendue Nouvelle Économie? Ou bien est-ce la fanfare de carnaval d'un embobineur du marché boursier? Au risque de paraître insipide, la réponse est: les deux. Oui, *Amazon* et *Yahoo!* et leurs semblables sont ridiculement surévaluées. Eh oui, *Amazon* et *Yahoo!* sont la preuve inéluctable que nous vivons dans la Nouvelle Économie.» Et dans sa propre rubrique du *Forbes*, Rich Karlgaard écrivit: «*Amazon* est le premier rayon entièrement voué à l'Internet du nouveau millénaire commercial, se déplaçant à la vitesse d'une étoile filante et n'ayant pas à tirer derrière elle un lourd héritage. C'est la silhouette de l'entreprise du siècle prochain.»

Mais Manuel P. Asensio, de *Asensio & Co.*, une banque en valeurs de New York, dit à *Forbes*: «*Amazon* sera un jour une marque de tulipe.»[1] Il faisait référence à la folie qui s'était emparée du monde boursier en 1634 lorsque des spéculateurs avaient fait grimper le prix de la tulipe à des sommets extraordinaires seulement pour voir si le marché s'effondrerait.

«Je ne crois pas qu'*Amazon* gagnera assez d'argent pour justifier le cours de son action», dit Sandi Lynne, une gestionnaire de fonds chez *Hemp Lane Partners*, dont le siège social se trouve à Milford, Pennsylvanie. «Aucune librairie ne connaît de croissance spectaculaire ou ne gagne assez d'argent pour être évaluée de la sorte. Ceci dit, j'ai parlé d'*Amazon.com* à 40 investisseurs aujourd'hui et tous ceux qui

---

1. *Forbes*, 28 décembre 1998.

ne possèdent pas d'actions d'*Amazon* en sont malades»,
dit-elle. «Donnez-moi ma Prozac.»[1]

Quelques jours après la sortie explosive de *Blodget*, Jonathan Cohen, analyste chez *Merrill Lynch*, qui croyait que l'action d'*Amazon.com* était trop chère à 100 $, dit à des journalistes financiers lors d'une audioconférence: «Il est juste de dire qu'en ce moment, *Amazon* est probablement l'entreprise publique la plus chère dans toute l'histoire des marchés boursiers aux États-Unis.» Jonathan Cohen évaluait l'action d'*Amazon.com* à 50 $ en se basant sur les revenus de 1999 et sur les marges d'exploitation à long terme, qu'il situait entre 5 et 7 %.

Le 17 décembre, l'action chuta de 12¼ pour se stabiliser à 276¾, mais le 21 décembre, elle remonta de 32¹/₆ pour atteindre 318¾, un record, en partie grâce à une allusion favorable dans *Barron's* de la célèbre analyste de l'Internet, Mary Meeker, de la firme *Morgan Stanley Dean Witter*. Madame Meeker disait: «L'émergence d'*Amazon* en tant que mégapuissance éventuelle sur le Web nous rappelle les débuts d'*America Online* – croissance, croissance, croissance, dépenses, dépenses, dépenses, expansion, croissance, encore des dépenses, et la croissance continue.» Le 28 décembre, l'action connut une hausse de 27¹/₈ pour atteindre 351¹⁵/₁₆; le 29 décembre, l'action connut une baisse de 19⁵/₈ à 332⁵/₁₆ et le 30 décembre, elle redescendait de 11¹¹/₁₆ pour s'arrêter à 321¼. Les actions changeaient de mains au rythme stratosphérique de 97,4 fois par jour (comparativement à 1,6 fois pour celles de *Wal-Mart*). En 1998, les options de souscription augmentèrent de 966 %. Cela n'a rien d'étonnant si un article de *Fortune* au sujet d'un psychothérapeute de Manhattan, dont la clientèle venait essentiellement de Wall

---

1.   *Bloomberg*, 17 décembre 1998.

Street, fut intitulé: «Je déteste ma mère... snif!... et j'ai vendu mes actions d'*Amazon.com* à 50 $».

Trente jours de négociation après la prédiction de Henry Blodget – qu'il comparerait plus tard au fait de «jeter de l'huile sur le feu» – l'action d'*Amazon.com*, qui avait été fractionnée à raison de 3 pour 1, atteignit 134 $. Cela dépassait le chiffre pré-fractionnement avancé par Blodget. Le 13 avril 1999, l'action d'*Amazon* se négociait à 178,38 $. Si l'on ne tient pas compte du fractionnement survenu en janvier, cela représentait 535,13 $. Du jour au lendemain, Henry Blodget était devenu l'un des analystes les plus influents de Wall Street. Peu de temps après, il passa chez *Merrill Lynch*, où il prit la place de Jonathan Cohen, désormais chez *Wit Capital*. À l'automne 1999, Henry Blodget signa un contrat avec *Random House* pour la rédaction d'un livre sur l'impact économique de l'Internet.

«*Amazon* a montré aux gens l'importance que peut avoir l'Internet en tant que phénomène économique», dit Henry Blodget. «L'une des choses qu'il est important de comprendre, c'est qu'*Amazon.com* a entrepris sa croissance dans une industrie moribonde. L'industrie du livre n'est pas en pleine croissance. Elle ne peut croître qu'en subtilisant à d'autres leur part du marché, et peut-être en accélérant quelque peu la croissance du marché du livre – et ce qui est extraordinaire à propos d'*Amazon.com*, c'est qu'elle accroît la demande et qu'elle crée la demande. Donc, dans un marché immobile, *Amazon.com* est passée de 0 à 1 milliard de dollars en quatre ans. C'est l'une des choses qui échappent à ceux qui ne s'attardent qu'au cours de l'action. Aucune autre entreprise – exception faite de *eBay* – n'a connu une croissance aussi rapide qu'*Amazon.com*.»

Le grossiste de livres *Baker & Taylor* est l'une des entreprises qui profita de la hausse du cours de l'action d'*Amazon*.

com. *Baker & Taylor* et *Ingram* offraient toutes deux leurs banques de données aux libraires sous forme de cédéroms mis à jour chaque mois. Alors que la banque de données d'*Ingram* s'inspirait de *Books in Print*, de *Bowker*, celle de *Baker & Taylor*, une production maison, était plus complète. *Amazon.com* s'inscrivit au service offert par *B&T* au coût de 1 200 $, ce que payait tout libraire.

«Lorsque *Baker & Taylor* réalisa qu'*Amazon.com* payait son abonnement 1 200 $ par année, elle jugea que ce n'était pas équitable», dit une source bien informée. «Des représentants de *Baker & Taylor* se rendirent à Seattle et négocièrent un engagement financier de l'ordre de 100 000 $ avec *Amazon.com* afin qu'elle puisse utiliser ses données. Les dirigeants de *Baker & Taylor* dirent toutefois qu'il s'agissait d'une somme ridicule.» Pour l'exercice financier de 1997, *Baker & Taylor* renégocia cette entente et signa un accord de licence qui lui donna 1 350 000 actions ordinaires (un nombre calculé en fonction de fractionnements ultérieurs), selon des documents datés du 23 juillet 1999 déposés à la *Securities and Exchange Commission*. Au cours de l'exercice financier de 1999, la liquidation de ces actions procura la somme de 43,7 millions de dollars en espèces à *Baker & Taylor*.

LE PREMIER NOËL INTERNET

On se rappellera du jour de Noël de 1998 comme du premier Noël Internet. Aux États-Unis, les ventes au détail en ligne excédèrent 3,5 milliards de dollars (représentant 45 % des ventes en ligne annuelles), ce qui était presque trois fois plus que le 1,2 milliard de dollars de ventes réalisées l'année précédente, selon *Forrester Research Inc*. On constate sans surprise que les livres étaient la marchandise la plus populaire auprès des consommateurs en ligne, suivis par les ordinateurs et le matériel informatique, les disques, les vidéocassettes, et les logiciels. Ce rendement était soutenu par une économie saine, mais il bénéficia aussi d'un coup de pouce du Sénat américain. En effet, en octobre, le Sénat avait adopté la *Internet Tax Freedom Act*[1], qui autorisait un moratoire de trois ans pour les ventes réalisées sur Internet.

C'était une façon spectaculaire de terminer une année exceptionnelle pour *Amazon.com*, qui arrivait au deuxième rang des sites les plus consultés en décembre 1998, avec plus de 9 millions de visiteurs distincts, selon *Media Metrix*. (*Bluemountainsarts.com*, le site de cartes de souhaits électroniques, accueillit 12,3 millions de visiteurs distincts). Pour répondre à la demande suscitée par cette fièvre de Noël, *Amazon.com* dut embaucher 500 employés temporaires dans ses entrepôts de Seattle et de New Castle, Delaware.

«À Noël, on travaillait coude à coude dans les entrepôts», dit E. Heath Merriwether, une ancienne employée. «Des employés de bureau venaient nous prêter main-forte quand nous n'étions pas assez nombreux.» Il n'était pas facile de prévoir à l'avance le nombre d'employés requis car on disposait de peu de données sur lesquelles se baser. «Nous savions quels avaient été nos besoins l'année précédente et on pouvait généralement escompter doubler nos effectifs. Mais on ne pouvait employer qu'un certain nombre d'employés à la fois. Il arrivait parfois que Jeff Bezos, Joy Covey, des représentants du service à la clientèle, des vice-présidents et des membres du service du marketing se retrouvaient à l'entrepôt en train de faire des emballages-cadeaux, de déplacer des boîtes et d'assembler des commandes. Il y avait donc beaucoup de formation improvisée. Et cela favorisait un fort sentiment de camaraderie.»

Amazon.com gagna environ 1,7 million de nouveaux clients entre le 17 novembre et le 31 décembre, expédia environ

1.   Loi sur l'exemption de taxe pour les transactions en ligne.

7,5 millions d'articles et ses ventes totalisèrent 252,89 millions de dollars – une augmentation de 283 % par rapport au quatrième trimestre de l'année précédente, où elle avait enregistré des ventes de 66 millions de dollars. Par contre, ses pertes nettes s'élevaient à 46,43 millions de dollars, incluant les 22,2 millions de dollars consacrés aux acquisitions. L'entreprise fut débordée à un point tel que quelques commandes ne purent être expédiées à temps pour Noël. Un Jeff Bezos contrit dit: «Comme le disent les obstétriciens, si on échappe un seul bébé et qu'il tombe sur la tête, c'est déjà un de trop.»[1]

Amazon.com clôtura l'année 1998 avec des ventes aux livres de 610 millions de dollars (dont 250 millions de dollars au cours du quatrième trimestre), ce qui représentait une augmentation de 313 % par rapport à 1997 (147,8 millions de dollars). En seulement trois ans et demi, *Amazon.com* s'était hissée au troisième rang des libraires (virtuels et traditionnels), derrière *Barnes & Noble* (2,7 milliards de dollars) et *Borders* (2,3 milliards de dollars). Ses ventes équivalaient à celles de 50 magasins entrepôts. Le nombre de clients augmenta de plus de 300 %, passant de 1,5 million à la fin de 1997 à 6,2 millions. Mais l'entreprise continuait à inscrire des pertes attribuables à des investissements massifs dans ses activités de marketing (22 % de ses revenus), à sa politique de prix compétitifs, aux coûts plus élevés de traitement des commandes et aux minces profits que générait la vente de disques et de vidéocassettes. En 1998, *Amazon.com* perdit 124,55 millions de dollars, ou 0,84 $ par action, comparativement à 31,02 millions de dollars, ou 0,24 $ par action, en 1997.

Étant devenue le deuxième plus grand détaillant en ligne – derrière *Dell* – *Amazon.com* s'approchait des plus hauts

---

1. *Seattle Times*, 19 janvier 1999.

sommets et, en cours de route, Jeff Bezos en avait fait l'enfant prodige du commerce électronique.

Mais tout ce qu'il avait accompli jusque-là n'était qu'un avant-goût. Jeff Bezos ne faisait que démarrer. Le prochain chapitre de l'histoire d'*Amazon.com* illustrera ce qu'il a vraiment en tête, et ce que cela signifie pour chacun de nous.

À RETENIR

Les dirigeants d'*Amazon.com* savaient qu'une seule et unique entreprise serait «l'enfant prodige du commerce électronique», et ils étaient déterminés à faire en sorte que ce soit la leur. Ils disposaient d'une arme, peu cachée d'ailleurs, et qui était Jeff Bezos. Il devint rapidement le symbole de la société, tout comme Bill Gates chez *Microsoft* et Jack Welch chez *GE*.

- Les grands leaders sont de grands communicateurs et de grands recruteurs.

- Les relations publiques sont un outil précieux – apprenez à vous en servir.

- L'histoire d'*Amazon.com* est caractérisée par la vision, l'intelligence, la technologie, l'argent et le synchronisme, mais aussi par la personnalité de son fondateur.

- Si votre directeur général est charismatique, faites-en le symbole de votre entreprise. Ceci est indispensable à l'efficacité de la couverture médiatique dont fera l'objet votre société.

- Étant donné que les frais fixes reliés au commerce électronique sont élevés, amortissez-les sur un plus grand nombre de clients.

- Restez maître de votre destin.

- Procédez à l'expansion et à la diversification de vos produits et de votre territoire.

chapitre onze

toujours plus haut

*«Celui qui peut voir trois jours devant lui sera riche
pendant trois mille ans.»*

– Proverbe japonais

S i «se propulser vers les plus hauts sommets» a été le
mantra d'*Amazon.com* pendant ses trois premières années et demie d'existence, on peut dire que celui de 1999 et
2000 fut «toujours plus haut».

Tout au long de 1999, il n'y eut pratiquement pas une
journée sans que le *New York Times* ou le *Wall Street Journal* ne
fassent mention d'*Amazon.com*, qu'il s'agisse d'articles portant directement sur l'entreprise ou la comparant à d'autres
entreprises virtuelles. *Amazon.com* annonçait une nouvelle
initiative majeure ou une action stratégique à toutes les six
semaines environ, car Jeff Bezos ne cessait de travailler à
l'édification d'une entreprise en ligne qui jouerait plusieurs
rôles: 1) détaillant direct d'une grande variété de marchandises; 2) point de vente en une seule étape permettant à des
tierces parties de vendre pratiquement n'importe quoi sous

l'égide d'*Amazon.com;* et 3) investisseur et partenaire d'autres entreprises virtuelles.

Voici comment Jeff Bezos s'y est pris. Ce qui suit ressemble à une liste de courses parce que c'*est* une liste de courses. La première initiative majeure eut lieu en février quand l'entreprise acquit une participation de 46 % dans *drugstore.com,* une entreprise établie à Redmond, Washington, et dirigée par Peter Neupert, un ancien cadre de *Microsoft* (également établie à Redmond). Cette initiative était en harmonie avec le *kereitsu,* cette philosophie chère à John Dœrr, dont la firme, *Kleiner Perkins Caufied & Byers,* avait négocié l'entente. De plus, *drugstore.com* était «du pays», car la société d'investissement privé *Maveron L.L.C.,* propriété de Howard Schultz, directeur général de *Starbucks Coffee,* de Seattle, y avait injecté beaucoup d'argent. Jeff Bezos et Howard Schutlz devinrent tous deux directeurs de la nouvelle entreprise.

Immédiatement après cette transaction, *Amazon.com* ajouta un hyperlien sur son site Web pour le relier à *drugstore.com.* Quelques mois plus tard, Peter Neupert dit, lors d'un congrès sur les services médicaux: «*Amazon.com* est très efficace lorsqu'il s'agit de nous envoyer des clients.» En juin 1999, les intérêts d'*Amazon.com* dans *drugstore.com* furent réduits à 29 % lorsque deux chaînes nationales – les pharmacies *Rite Aid* et le fabricant de vitamines et de suppléments alimentaires *General Nutrition Centers* – investirent dans la nouvelle entreprise.

En mars (le mois où *Barron's* lui donna le sobriquet «*Amazon.bomb*»), *Amazon.com* lança son site d'enchères en ligne pour faire concurrence à *eBay,* le leader du marché dans la catégorie des enchères de personne à personne. (Avec trois millions de clients, *eBay* était une entreprise rentable). Au lieu de se limiter à des transactions de personne à personne, le site d'enchères d'*Amazon.com* était plutôt présenté comme un service permettant de trouver pratiquement n'importe quoi auprès de particuliers ou de détaillants, grands et petits. La commission versée par le vendeur à *Amazon.com* se situait entre 1,25 et 5 %. «Nous voulons créer un lieu où les gens pourront trouver tout ce qu'ils souhaitent acheter en ligne», dit Jeff Bezos. «On comprend vite qu'il est impossible de tout vendre soi-même. Il faut donc s'associer de diverses façons avec des milliers et même des millions de tierces parties. Essayer de faire cavalier seul et s'en tenir au modèle traditionnel de la vente de détail n'est pas pratique.»[1]

Amazon.com avait songé à acheter un site d'enchères déjà existant, mais décida plutôt de développer son propre site, car cela lui permettrait de capitaliser sur ses propres clients, qui étaient alors au nombre de 8 millions. Afin de minimiser les risques de fraude (un problème occasionnel lors d'encans virtuels, où le vendeur et l'acheteur ne se rencontrent jamais), la société créa le Programme Alliance. Celui-ci lui permettait de déceler et de retirer du site la marchandise contrefaite et offrait une garantie de remboursement pour tout achat de moins de 250 $ si la marchandise ne correspondait pas à ce qui avait été annoncé sur le site. (*eBay* avait également un programme d'assurance qui couvrait en cas de fraude la première tranche de 200 $ de pertes, avec une franchise de 25 $).

Pour rendre son site plus convivial, plus facile d'accès, *Amazon.com* y incorpora sa caractéristique de commande en un clic, des taux compétitifs et, toujours dans l'optique de créer une communauté en ligne, elle demanda aux utilisateurs d'évaluer la fiabilité des acheteurs et des vendeurs. Jeff Bezos en était lui-même un utilisateur assidu. Dans une

---

1. *Business Week*, 31 mai 1999.

entrevue accordée au *Seattle Times* en octobre 1999, il mentionna que ses comparses acheteurs/vendeurs lui donnaient une note de 4,8 sur 5. (Si Jeff Bezos n'avait pas un score parfait, c'est qu'un acheteur légèrement vexé avait fait le commentaire suivant: «Livraison lente, mais la marchandise est tout de même arrivée»).[1]

Pour faire connaître le site, *Amazon.com* organisa un encan au profit du *World Wildlife Fund* (un organisme voué à la préservation de la forêt humide du bassin de l'*Amazon*ie, en Amérique du Sud) en mettant aux enchères, entre autres, un portrait de James Dean réalisé par Andy Warhol et le premier «bureau-porte» de Jeff Bezos. Ce dernier fut acheté par Jackie Bezos pour la somme de 30 100 $. La société faisait également la promotion de son nouveau créneau partout sur son site. Si un utilisateur faisait une recherche sur des livres traitant des poupées de collection, il obtenait la liste des poupées qui avaient été mises aux enchères sur le site. Des souvenirs sur la réalisation du film *Titanic* étaient annoncés dans les pages consacrées au cinéma et à la musique. *Amazon.com* offrait également l'occasion aux vendeurs de faire la promotion de leur marchandise sur son site de livres. Un mois plus tard, l'entreprise acheta *LiveBid.com*, une entreprise de Seattle qui utilisait la technologie de l'Internet pour relier – *en direct* – les encanteurs traditionnels aux acheteurs en ligne du monde entier. (Tom Alberg – et son entreprise, *Madrona Investment Group* – en était l'un des investisseurs externes).

Les sites d'enchères furent très achalandés en mars, et ils étaient en voie de devenir la catégorie la plus populaire sur le Web. Ce mois-là, *eBay* conclut une entente de 75 millions de dollars avec *AOL* afin d'annoncer son site sur ce portail pouvant rejoindre 20 millions d'utilisateurs; *Priceline.com*, qui

1. *Seattle Times*, 19 septembre 1999.

vendait aux enchères des billets d'avion et des chambres d'hôtel, fit son entrée en Bourse; *Sharper Image*, un vendeur par corresponsance d'appareils électroniques et de gadgets divers, commença à offrir aux enchères ses stocks excédentaires; *Cyberian Outpost*, un détaillant virtuel d'ordinateurs, lança son propre site d'enchères. En quelques mois, ce secteur devint de plus en plus compétitif avec la pression exercée par des sites comme *Yahoo!* et l'alliance de près de 100 sites Internet, dont trois des plus importants – *MSN* de *Microsoft*, *Excite@Home* et *Lycos* – une initiative de *Fairmarket Inc.*, une entreprise spécialisée dans les encans virtuels.

Également en mars, *Amazon.com* annonça qu'elle venait d'acheter 50 % de *Pets.com*, une petite entreprise en ligne, établie à Pasadena, Californie, qui se spécialisait dans les accessoires et la nourriture pour animaux. Cette catégorie de produits représentait une industrie de 23 millions de dollars aux États-Unis et, comme les encans virtuels, elle était largement représentée sur le Web: *Petopia.com*, *Allpets.com*, *Petsmart.com* et *Petstore.com*. Bien que la participation d'*Amazon.com* dans *Pets.com* ait été réduite à 43 % juste avant l'entrée en Bourse de cette dernière en décembre, elle n'en demeurait pas moins la principale actionnaire grâce à des investissements de près de 58 millions de dollars réalisés en deux temps.

Au cours du premier trimestre qui se terminait le 31 mars, les ventes montèrent en flèche pour atteindre 293,6 millions de dollars, une augmentation de 236 % par rapport au premier trimestre de 1997 (87,4 millions de dollars), et les pertes pro forma s'élevèrent à 36,4 millions de dollars. Si l'on inclut les frais non récurrents reliés à toutes ces acquisitions, la société enregistra des pertes de l'ordre de 61,7 millions de dollars, ou 0,39 $ par action, comparativement à 10,4 millions de dollars l'année précédente, ou 0,07 $

par action. Malgré tous ces chiffres inscrits en rouge, l'évaluation sur le marché d'*Amazon.com* atteignit 28 milliards de
dollars le 8 janvier, surpassant pendant un moment *Merrill
Lynch & Co.* et *Sprint*, ainsi que *JCPenney* et *Kmart* combinées.

La frénésie entourant le marché de l'Internet était telle
que les actions d'une entreprise comme *Zapata*, qui produi-
sait de l'huile de poisson, connurent une hausse de 23 %
lorsqu'elle annonça qu'elle serait reliée au site d'*Amazon.com*.
Il n'y avait là rien de bien nouveau; à cette époque, 180 000
sites étaient déjà associés à *Amazon.com*.

Cette folie amena Rick Berry, analyste chez *J. P. Turner
Co.*, à qualifier la situation de «théâtre de l'absurde» et à
poser cette question: «Comment peut-on expliquer ce comportement? C'est de l'avarice sous sa forme la plus pure.
C'est à qui sera le plus ridicule: les gens achètent des actions
dans l'espoir que quelqu'un arrivera par derrière pour les leur
racheter encore plus cher.»[1]

À la fin de janvier 1999, *Amazon.com* décida de mobiliser
une somme de 500 millions de dollars par le biais d'une
émission à diffusion restreinte de billets subordonnés pouvant être convertis en actions ordinaires. Lorsque le principal
souscripteur, *Morgan Stanley Dean Witter & Co.*, fut submergé
d'ordres totalisant 3 millions de dollars dans les premières
heures qui suivirent l'annonce, *Amazon.com* fixa promptement l'émission à 1,25 milliard de dollars (à un taux global
de 4,75 %, avec échéance en 2009), ce qui représentait la plus
grosse transaction de financement par emprunt jamais faite
aux États-Unis. L'action Internet la plus courue était simultanément devenue l'obligation la plus courue.

---

1. *New York Times*, 11 janvier 1999.

En juin, deux mois après l'achat par *eBay* des encanteurs traditionnels *Butterfield & Butterfield*, *Amazon.com* investit environ 45 millions de dollars pour acquérir une participation de 1,7 % dans *Sotheby's Holdings*, une maison de vente aux enchères spécialisée dans les arts et établie depuis 250 ans. Les deux entreprises créèrent un site conjoint sous le nom de *sothebys.Amazon.com* et mirent aux enchères des œuvres d'art, des antiquités et des pièces de collection telles que de la monnaie, des timbres et des souvenirs d'Hollywood. Même si le prix de ces articles n'était pas assez élevé pour que *Sotheby's* les écoule dans le cadre de ventes aux enchères traditionnelles, la vénérable institution était mieux équipée qu'*Amazon.com* pour établir l'authenticité de la marchandise.

Debout au milieu de la salle de vente de *Sotheby's* afin d'annoncer la transaction, Jeff Bezos, vêtu de son uniforme – chemise bleue et pantalon brun roux – dit aux médias: «La dernière fois que je me suis trouvé dans cette salle, c'était il y a six ans. Il y avait une vente aux enchères d'articles ayant appartenu à des astronautes russes. J'ai misé sur un jeu d'échecs conçu pour l'impesanteur et sur un très joli marteau, mais j'ai perdu.»

Lorsque le site appelé *Sothebys.Amazon.com* fut lancé en novembre 1999 aux États-Unis, au Royaume-Uni, en Allemagne et au Canada, il y avait parmi les lots une œuvre de Marc Chagall, un lingot d'or provenant d'une épave de l'époque de la ruée vers l'or, et une Volkswagen Beetle qui avait été utilisée lors du tournage du film *Austin Powers*.

En avril, *Amazon.com* déboursa 200 millions de dollars, principalement sous forme d'actions, pour acquérir *e-Niche Inc.*, une entreprise similaire à *Exchange.com*. Cette entreprise exploitait deux sites Web commerciaux: *Bibliofind*, qui offrait des livres rares, très anciens ou épuisés (sa liste de 9 millions de titres était deux fois plus importante que celle d'*Amazon*.

com), et *MusicFind*, qui offrait des disques de collection. Ces sites étaient reliés à des détaillants de livres d'occasion et à des boutiques de disques de collection qui pouvaient ainsi afficher leur liste d'inventaire en ligne. *Exchange.com*, établie à Cambridge, Massachusetts, avait aussi fait l'objet d'un procès intenté par *Barnes & Noble*.

Au même moment, *Amazon.com* acheta deux autres entreprises. La première, *Accept.com*, établie à Redwood City, Californie, développait des logiciels pour faciliter les transactions en ligne de personne à personne et de détaillant à consommateur. *Amazon* céda des actions évaluées à l'époque à 101 millions de dollars.

L'autre acquisition, *Alexa Internet Co.*, était une fascinante petite entreprise qui avait été fondée par le philosophe du Web Brewster Kahle et dont le nom s'inspirait d'une ancienne librairie égyptienne d'Alexandrie. C'était un service de navigation qui servait à repérer les sites fréquentés par les utilisateurs et à leur suggérer d'autres sites qu'ils pourraient trouver intéressants. Bien que le chiffre d'affaires annuel de cette jeune entreprise n'était que de 500 000 $ et qu'elle ne réalisait pas de profits, *Amazom.com* lui versa l'équivalent de 250 millions de dollars sous forme d'actions.

En fait, une partie de la valeur d'*Alexa* résidait dans sa base de données exhaustive portant sur le comportement de millions d'utilisateurs de l'Internet – 13 téraoctets (l'équivalent de 13 millions de livres) de «métadonnées» (des informations sur des informations). Avec ce trésor, *Amazon.com* était en mesure d'isoler des modèles de comportement. Son objectif était de déterminer la meilleure façon de présenter un produit ou un service spécifique à un client, à l'instant même où ce dernier était prêt à effectuer un achat. L'acquisition d'*Alexa* venait corroborer le fait qu'*Amazon.com* n'évoluait pas uniquement dans le commerce de marchandises, mais aussi dans le commerce de l'information.

Ceci devint manifeste vers la fin de 1999, quand *Amazon.com* commença à démontrer plus précisément comment *Alexa* s'intégrait à son plan stratégique. En utilisant une technologie développée par *Alexa*, *Amazon.com* mit sur pied une application qui permettait aux utilisateurs de chercher partout sur le Web le plus bas prix pour un article donné – sans avoir à quitter le site où ils se trouvaient, que ce soit celui d'*Amazon.com* ou celui d'un autre détaillant ou grossiste. Cette application, appelée *zBubbles*, effectuait la recherche en puisant dans la vaste banque de données d'*Alexa*. Lorsqu'un client faisait ses emplettes sur un site cybercommercial qui fournissait des comparaisons de prix, un «Z» de couleur grise dans un icone placé dans le coin supérieur droit de l'écran tournait au jaune, et un petit «Z» jaune apparaissait vis-à-vis des produits. Un clic sur l'icone ouvrait une bulle qui indiquait au client où il pouvait se procurer le produit et qui affichait des commentaires d'autres acheteurs. L'utilisateur apprenait qu'il trouverait le produit chez *Amazon.com* et qu'il pouvait l'acheter sur-le-champ en suivant quelques étapes simples. Pour réduire au minimum les récriminations de la concurrence, *Amazon.com* restreignit l'utilisation des *zBubbles* – qui pouvaient être téléchargées à partir de son site et de celui d'*Alexa* – aux sites de manufacturiers et de services aux consommateurs.

Un grand nombre d'observateurs et de défenseurs de la vie privée sont préoccupés par les multitéraoctets d'information portant sur les comportements d'achat du grand public qu'*Amazon.com* recueille au moyen d'*Alexa*. En janvier 2000, un procès fut intenté à San Francisco par un homme qui accusait *Alexa* d'avoir secrètement intercepté de l'information le concernant et de l'avoir transmise à *Amazon.com* sans son consentement. Vers la même époque, Richard M. Smith, un consultant en sécurité informatique, déposa une plainte contre *Amazon.com* auprès de la *Federal Trade Commission*, affirmant qu'elle rassemblait davantage d'information personnelle sur ses clients qu'elle ne voulait bien l'avouer. Brewster Kahle, le fondateur d'*Alexa*, partageait cette inquiétude entourant l'acquisition de données personnelles: «Je me réveille la nuit, effrayé. Je suis inquiet parce que j'en sais trop.»[1] Il ne fait aucun doute que c'est un problème sur lequel Jeff Bezos devra se pencher s'il espère conserver la loyauté de sa clientèle.

Jeff Bezos avait emprunté une stratégie à *Microsoft*, une stratégie consistant à acheter ce qu'il ne pouvait créer. Il avait voulu acquérir *Blue Mountain Arts*, une entreprise de cartes de souhaits en ligne, mais son offre avait été rejetée. Il était difficile d'ignorer *Blue Mountain (mont bleu)* qui, avec ses 12 millions de visiteurs, se classait au 13e rang des sites les plus consultés en mars 1999 (*Amazon.com* se classait au 15e rang). En avril, lorsque ses efforts pour acheter *Blue Mountain* se révélèrent vains, l'entreprise créa *Amazon.com Cards*, un service gratuit de cartes de souhaits électroniques offrant 800 modèles de cartes dans 45 catégories. Copiant le concept de *Blue Mountain*, *Amazon.com* envoyait un e-mail au destinataire, qui pouvait ensuite établir un lien avec le site hébergeant la carte. Les cartes de souhaits constituent un autre des volets hautement compétitifs de l'Internet. Quelques mois après le lancement de ce nouveau service par *Amazon.com*, *American Greetings* se déclara prête à verser à *AOL* 100 millions de dollars répartis sur cinq ans afin de pouvoir offrir des cartes de souhaits sur les sites de son réseau.

En mai 1999, *Amazon.com* acheta 35 % de *Home-Grocer.com*, à qui elle versa la somme de 42,5 millions de dollars. La transaction avait été gardée secrète pendant un mois, car *HomeGrocer* craignait que la publicité génère un achalandage

---

1. *Forbes*, 24 janvier 2000.

monstre et que son site tombe en panne. C'était arrivé à *drugstore.com*, qui avait dû fermer son site pendant trois jours. Tom Alberg faisait partie des investisseurs, ainsi que Jim Barksdale, un collègue d'Alberg chez *McCaw Cellular* qui avait également été directeur général chez *Netscape*.

En juillet, les utilisateurs qui accédaient à la page d'accueil du site d'*Amazon.com* ne trouvaient plus une librairie en ligne, mais un détaillant de livres, de disques, de vidéocassettes, de cartes de souhaits électroniques, d'articles vendus aux enchères et, la toute dernière nouveauté, de jouets et d'appareils électroniques (caméras, lecteurs de disques compacts et téléviseurs).

Les appareils électroniques et les jouets s'intégraient en fait au *Gift Center* d'*Amazon.com*, qui avait été lancé en novembre 1998. Il comprenait un service appelé *Gift-Click*, le pendant du shopping en un clic. Le client qui avait déjà enregistré son numéro de carte de crédit n'avait qu'à choisir un article, à entrer le e-mail du destinataire et à cliquer sur «go». *Amazon.com* communiquait alors avec le destinataire et lui demandait à quelle adresse le cadeau devait être expédié.

En réduisant de 10 à 20 % le prix de catalogue des appareils électroniques, *Amazon.com* était loin d'offrir les prix les plus avantageux sur le Web. Mais l'entreprise misait sur le fait que les consommateurs accepteraient de payer un peu plus cher en échange de comptes rendus descriptifs. Dix rédacteurs se chargeaient des comptes rendus sur les appareils électroniques, et six autres sur les jouets. La société offrait également des échantillons sonores qui permettaient aux clients de juger si un jouet était trop bruyant.

Bien sûr, *Amazon.com*, très orientée sur la promotion, tentait d'allécher les clients en leur offrant quelques friandises. Elle offrait un certificat-cadeau de 100 $ à ceux qui accédaient au site de jouets pour les remercier de contribuer à sa construction. Elle les encourageait à faire des commentaires et leur demandait d'évaluer les jouets en se basant sur trois critères : la valeur de divertissement, la valeur éducative et la durabilité. *Amazon.com* organisa un concours appelé *Toy Quest* qui invitait les enfants à soumettre en 200 mots un projet pour la création d'un nouveau jouet. L'entreprise s'engageait à réaliser les deux meilleurs projets et à vendre ces jouets à Noël de l'an 2000. Les gagnants recevraient 10 000 $ et une redevance de 7 %.

Avec cette incursion dans la vente d'appareils électroniques et de jouets, l'acquisition en juillet d'une participation de 49 % dans *Gear.com* par *Amazon.com* passa pratiquement inaperçue. *Gear.com* était un détaillant d'articles de sport qui faisait de la liquidation de marchandises neuves dans leur emballage d'origine en offrant des rabais de 20 à 90 % sur le prix de détail.

Les ventes continuaient à augmenter, tout comme les pertes. Pour le deuxième trimestre se terminant le 30 juin, la société enregistra des ventes de 314 millions de dollars, une augmentation de 171 % par rapport à la même période l'année précédente (116 millions de dollars). Elle comptait 10,7 millions de clients, comparé à 3,1 millions un an plus tôt. En excluant les coûts d'acquisition et les frais non récurrents, *Amazon.com* déclara des pertes de 82,8 millions de dollars, ou 0,51 $ par action, comparativement à 17 millions de dollars, ou 0,12 $ par action, pour le deuxième trimestre de 1998. Ajoutons-y les frais, et *Amazon.com* se retrouve avec des pertes de l'ordre de 138 millions de dollars, ou 0,86 $ par action diluée, comparativement à 22,6 millions de dollars, ou 0,15 $ par action, en 1998. Le bénéfice brut chuta d'environ 5 % à cause de rabais massifs et de l'offre qui était faite à tout nouveau client d'acheter un best-seller à 0,01 $.

En septembre, dans l'optique de s'approprier une part du marché des listes de cadeaux évalué à 17 milliards de dollars, l'entreprise acquit une participation de 20 % dans *Della & James*, un service en ligne de listes de cadeaux de mariage qui amorçait un processus de diversification. Les deux entreprises relièrent immédiatement leurs sites Web respectifs. Grâce à cette affiliation, les clients de *Della & James* pouvaient inscrire des livres, des disques, des jouets ou n'importe quel autre produit offert par *Amazon.com* sur leur liste de cadeaux. Une fois leur sélection terminée, un lien les acheminait vers le site d'*Amazon.com*. L'investissement de 45 millions de dollars dans *Della & James* se fit en association avec le *Neiman Marcus Group*, *Williams-Sonoma* et *Crate & Barrell* (tous partenaires de *Della & James*), et avec les sociétés spécialisées en capital de risque *Kleiner Perkins Caufield & Byers* et *Trinity Ventures*.

En octobre, *Amazon.com* devint le premier détaillant majeur à offrir des téléphones sans fil et des appareils miniatures, informatiques ou non. (Des portails tels que *Yahoo!* et *America Online* avaient déjà des sites spécialisés dans ce type de marchandise). Dans le cadre de cette initiative, appelée «*Amazon.com Anywhere*», l'entreprise remodela et simplifia son site. Très épuré en termes de graphiques et de textes, il rendait le téléchargement plus rapide et la navigation plus facile sur des appareils miniatures sans fil qui n'avaient pas la puissance des ordinateurs personnels.

Ce projet suscita instantanément les louanges: «Si un client est dans sa voiture et entend une chanson qui lui plaît, il peut l'acheter sur-le-champ», dit Warren W. Adams, le directeur du développement des produits chez *Amazon.com*. «Dans notre esprit, c'était comme mettre une caisse enregistreuse dans la poche des consommateurs.»[1]

---

1. *New York Times*, 4 octobre 1999.

La création d'*Amazon.com Anywhere* fut annoncée le jour où *3Com Corporation* lançait la dernière version de son agenda électronique sans fil *Palm VII* avec lien Internet. Avec *Amazon.com Anywhere*, les clients qui participaient aux ventes aux enchères d'*Amazon.com* pouvaient être avertis lorsque quelqu'un surenchérissait. (*eBay* avait déjà offert un service similaire). C'est *Convergence*, une entreprise établie à Atlanta, Georgie, qu'*Amazon.com* avait achetée en août 1999 au coût de 20 millions de dollars, qui se chargea du développement du site et du logiciel spécialisé.

En novembre 1999, *Amazon.com* signa une entente de marque de commerce de cinq ans avec *Nextcard Inc.*, un émetteur en ligne de cartes de crédit. *Nextcard* accepta de payer des frais de constitution de dossier, ainsi qu'une indemnité additionnelle lors de chaque renouvellement. Elle versa 85 millions de dollars à *Amazon.com*, avec la possibilité de débourser encore 17,5 millions, selon le nombre de dossiers de crédit qui seraient générés. *Amazon.com* versa également 22,5 millions de dollars en échange de 4,4 millions d'actions ordinaires de *Nextcard*, à raison de 39,20 $ l'action, ce qui représentait une participation de 8 %, selon les documents soumis par *Nextcard* lors de son appel public à l'épargne. Cette entente fournit une nouvelle source de revenus à *Amazon.com* à partir de sa banque de clients.

À la fin du troisième trimestre, *Amazon.com* enregistra des pertes de 197 millions de dollars pour des ventes de 356 millions de dollars. Un an plus tôt, elle avait perdu 45 millions de dollars pour des ventes de 154 millions de dollars. Ces pertes incluaient des frais non récurrents de 111 millions de dollars reliés aux acquisitions, aux investissements et aux indemnités sous forme d'actions. Si l'on exclut ces frais, l'entreprise perdit 0,26 $ par action. Par contre, *Amazon.com* comptait 13,1 millions de comptes-clients, près de trois fois plus que l'année précédente. Les clients réguliers généraient 72 % du chiffre d'affaires, une hausse de 2 % par rapport au trimestre précédent.

zSHOPS

Toutes ces acquisitions et ces affiliations préparèrent le terrain pour la plus grande déclaration de l'année. Nous sommes en novembre et Jeff Bezos est debout sur une contremarche devant le salon Versailles de l'hôtel Sheraton, à New York. Avec cinq équipes de télévision enregistrant chacune de ses paroles, il annonça à l'assemblée: «Il y a seize mois, *Amazon.com* était un endroit où vous pouviez acheter des livres... Demain, *Amazon.com* sera un endroit où vous pourrez trouver de tout, avec un grand T.»

Jeff Bezos annonça le lancement de *zShops*, le centre commercial d'*Amazon.com*. Joel Spiegel, vice-président et directeur général de *zShops*, dit que le nom de l'entreprise dérivait de «z pour zéro tracas, zéro risque et une sélection de A à Z». Pratiquement n'importe qui – du monastère *Spencer Abbey Trappist* qui vendait du thé et des confitures maison jusqu'à *OfficeMax*, le fournisseur de disquettes et de classeurs – pouvait ouvrir une boutique dans ce centre commercial virtuel et y vendre à peu près n'importe quoi (sauf des armes à feu, des animaux vivants, du matériel pornographique et du tabac) tout en se faisant connaître des 12 millions de clients d'*Amazon.com*. Un vendeur pouvait offrir jusqu'à 3 000 articles sur *zShops*. L'entreprise était particulièrement intéressée à attirer des fournisseurs de marchandises non conventionnelles plutôt que d'articles pouvant être achetés partout ailleurs. Pour donner un exemple de marchandise originale, Jeff Bezos cita une combinaison (probablement comestible) de poulet, de canard et de dinde vendue sous le nom mélodieux de «poucadin».

Le vendeur devait acquitter des frais mensuels de 9,99 $ pour assurer sa présence sur le site, ainsi que verser une commission sur ses ventes variant entre 1 et 5 %. Une inscription en caractères gras coûtait 2 $; la mise en relief d'une catégorie donnée, 14,95 $, et une mention sur la page d'accueil d'*Amazon.com*, 99,95 $. Et, en échange d'un pourcentage additionnel sur les ventes, tout individu ou marchand pouvait bénéficier du service *1-Click* d'*Amazon.com* pour accéder à la banque de données et y puiser des renseignements sur les modes de livraison et le crédit. *Amazon.com* imputait le montant de la transaction à la carte de crédit du client et déposait l'argent directement dans le compte du vendeur. Pour faciliter les transactions avec les acheteurs et vendeurs qui n'acceptaient pas les paiements par carte de crédit, *Amazon.com* offrit un service appelé *Amazon.com Payments*. Gratuit pour les consommateurs, ce service coûtait 0,60 $ par transaction au vendeur, plus 4,75 % du montant de la vente.

Curieusement, le concept de *zShop* constituait un retour au modèle d'affaires initial d'*Amazon.com*, c'est-à-dire à la vente de marchandises en ligne sans les soucis et les frais reliés à la gestion des stocks. Avec un centre commercial virtuel comprenant plus de 500 000 produits – dont des livres, des disques, des jouets, des appareils électroniques et des vidéocassettes – *Amazon.com* offrait quatre fois plus de marchandises qu'une chaîne de magasins traditionnels tels que *Kmart Corp.* et *Target*. En ouvrant ses portes aux individus et aux petits détaillants, *Amazon.com* créait un effet de dépendance; les raisons de s'attarder sur le site étaient nombreuses.

Si un consommateur ne parvenait pas à trouver ce qu'il cherchait sur le site d'*Amazon.com* ou dans les *zShops*, il avait la possibilité de chercher sur le Web, sans frais, grâce à un service offert par *Amazon.com*, appelé *All-Products Search*. Conscient que ce moteur de recherche orienterait souvent les clients vers ses concurrents, Jeff Bezos dit : « Si nous sommes incapables d'être compétitifs dans les catégories où nous vendons directement, nous ne devrions pas compliquer la vie du client. Cela nous importe peu de vendre quelque chose directement ou par le biais de *zShops*. On ne peut pas tout vendre soi-même. Il faut s'associer à des tierces parties. »[1]

Et en quoi cela influe-t-il sur le fameux service à la clientèle d'*Amazon.com*? En accueillant tous ces vendeurs, *Amazon.com* se rend vulnérable en ce qui a trait à sa marque et à sa réputation d'excellence en matière de service. En fait, si le vendeur – qui est responsable de l'expédition et de la qualité du produit – est inefficace ou malhonnête, c'est certainement sur *Amazon.com* que le consommateur rejettera le blâme. Étant donné qu'elle ne procède qu'à une enquête très rudimentaire sur les participants à *zShops*, *Amazon.com* compte sur les évaluations et les commentaires des clients – qu'elle affiche sur le site – pour retirer les pommes pourries du panier. Les clients bénéficient d'une garantie pouvant aller jusqu'à 250 $ pour chaque transaction effectuée auprès d'un marchand de *zShops*, et d'une garantie de 1 000 $ s'il a utilisé le service de traitement de crédit *Amazon.com Payments*.

Comme toutes les nouvelles entreprises où elle fit une incursion en 1998 et 1999, le portail du commerce électronique illimité était déjà encombré et allait devenir bondé avec la concurrence générée par *AOL*, *Yahoo!*, *AltaVista*, *eBay*, *iMall d'Excite@Home*, et par les douzaines de coalitions formées de petites entreprises variées. Mais *zShops* ne fait pas que vendre de la marchandise; elle permet à *Amazon.com* de continuer à amasser de l'information sur les habitudes d'achat des consommateurs ainsi que sur les produits les plus populaires, une information qu'elle pourrait éventuellement

---

1. *Bloomberg*, 29 septembre 1999.

décider de vendre elle-même. Avec toutes les données que possède *Amazon.com*, et grâce à l'immense influence qu'elle exerce sur l'Internet, on peut envisager que l'entreprise ira chercher des revenus supplémentaires auprès de manufacturiers qui voudront effectuer des études de marché avant le lancement de nouveaux produits sur Internet.

En novembre, *Amazon.com* ajouta à sa gamme de produits des outils, des jeux vidéos, des logiciels et des cadeaux, ainsi que des cartes de crédit avec entente de marque de commerce, en association avec *Nextcard Inc.* Cette alliance devait rapporter à *Amazon.com* 150 millions de dollars en cinq ans. L'incursion dans le domaine des outils nécessita l'acquisition de *Toll Crib of the North*, un service de vente à rabais par catalogue qui avait son propre site Web. Toujours en novembre, *Amazon.com* se lança dans la vente d'articles de luxe et versa 10 millions de dollars pour obtenir une participation de 16,6 % dans *Ashford.com*, un détaillant en ligne de bijoux et d'articles de cuir. Elle élargit également sa sélection de jouets en achetant *Back to Basics Toys Inc.*, un détaillant de jouets classiques qui vendait sa marchandise en ligne et par commandes postales.

LES CENTRES DE DISTRIBUTION

Où donc *Amazon.com* – une entreprise qui insistait pour exercer un contrôle sur les processus de commande et d'expédition – allait-elle entreposer toute cette marchandise? En septembre 1999, lors d'un congrès de la *National Retail Federation* à Philadelphie, Mary Morouse, la vice-présidente de la mise en marché d'*Amazon.com*, dit: «À ce stade de notre croissance, et à ce stade du développement de l'Internet, il est très important d'être présent tout au long du processus. Notre habileté à exercer un contrôle sur chacune des étapes et d'être en mesure de dire au client où en est exactement sa commande est primordiale.» Elle ajouta qu'*Amazon.com* ne souhaitait pas partager ses ressources avec une autre entreprise, car au cours de périodes de pointe comme Noël, ce serait quelqu'un d'autre qui jugerait des priorités en matière d'expédition. *Amazon.com* décida donc d'acquérir des entrepôts dans tout le pays et d'en faire des installations spécifiquement adaptées au commerce électronique. Après tout, c'était dans ce but que Jeff Bezos avait embauché Richard Dalzell, Jimmy Wright et plusieurs autres anciens Wal-Martiens.

En janvier 2000, l'entreprise loua un entrepôt de 53 884 mètres carrés à Fernley, à 50 kilomètres à l'est de Reno, Nevada. Ce centre de distribution, le troisième d'*Amazon.com* et plus de deux fois plus vaste que les installations de Seattle et du Delaware réunies, permit de réduire les délais de livraison dans l'ouest et le sud-ouest du pays. Fernley fut le premier de plusieurs nouveaux centres de distribution – d'une superficie totale de plus de 278 710 mètres carrés – qui furent acquis au coût d'environ 200 millions de dollars (plus 300 millions de dollars pour la mécanisation des opérations d'expédition), situés à Coffeyville, Kansas, McDonough, Georgie, Campbellsville et Louisville, Kentucky. Jeff Bezos dit en plaisantant qu'il s'agissait du «plus grand déploiement en temps de paix» d'entrepôts et d'installations de distribution de toute l'histoire. C'était à tout le moins la plus grande expansion jamais réalisée par une entreprise en une seule année. Bien que la stratégie de Jeff Bezos fut risquée et coûteuse, il paria qu'à long terme, elle ferait économiser de l'argent à *Amazon.com*, qui expédiait plus de 60 % de ses produits par la poste.

Mais ces centres de distribution n'allaient-ils pas à l'encontre du modèle d'affaires initial d'*Amazon.com?* La réponse est oui. Par contre, ils ne s'intégraient pas au modèle d'affaires que Jeff Bezos avait remanié lorsqu'il avait décidé de se propulser vers les plus hauts sommets. *Amazon.com* n'avait jamais confié à quiconque la manutention de sa marchandise, et Jeff Bezos croyait qu'en ayant une telle superficie d'entreposage – pouvant abriter 15 milliards de dollars de marchandise – il serait en mesure de continuer à offrir un service à la clientèle hors du commun.

LE RECRUTEUR

Pour faire face à cette incroyable expansion, Jeff Bezos dut embaucher des directeurs expérimentés qui ne se laisseraient pas intimider par l'ampleur de la tâche. Il se servit de son charme, de son charisme et de son pouvoir de persuasion afin de former une équipe adéquate.

En juin, Joseph Galli, l'ancien président de la division *Worldwide Power Tools and Accessories* de *Black & Decker*, venait d'accepter le poste de président et chef de la direction de la division nord-américaine *Frito-Lay* de *PepsiCo*. Mais cela n'arrêta pas Jeff Bezos, qui offrit à Joseph Galli de se joindre à *Amazon.com* à titre de premier président et chef de l'exploitation. Bien que se disant non intéressé, Joseph Galli accepta de déjeuner avec Jeff Bezos. Comme Joy Covey allait le découvrir, il n'y a plus rien à faire une fois que Jeff Bezos vous a invité à déjeuner.

«Le courant passa instantanément», dit Joseph Galli. «Cela fit des étincelles. Notre conversation dura dix heures.» Joseph Galli rappela *Frito-Lay* et annonça qu'il avait changé d'avis. «Bezos est un tel visionnaire. Il change le monde, il fait l'histoire», dit Joseph Galli. «Je crois que j'ai le plus merveilleux mentor sur terre. Être assis à la table de Jeff et l'écouter parler de l'Internet est une expérience merveilleuse.»[1]

---

1. *Fortune*, 8 novembre 1999.

Joseph Galli fut également charmé par l'option qui lui fut offerte d'acheter 2 millions d'actions d'*Amazon.com* en 20 ans (au coût de 113,625 $ l'action), et par le boni de 5 millions de dollars qui lui serait versé en guise de bienvenue, selon des documents déposés auprès de la *Securities and Exchange Commission*. Un versement de 3 millions de dollars était prévu à la fin de la première année, et le solde de 2 millions de dollars après deux ans de service. Son salaire de base annuel avait été fixé à 200 000 $. *Amazon.com* lui garantissait que, quoi qu'il arrive, l'exercice de son droit d'option ne serait pas inférieur à 20 millions de dollars au cours des dix années à venir. Et s'il n'atteignait pas 20 millions de dollars, l'entreprise s'engageait à lui verser la différence en espèces.

En septembre, Jeff Bezos alla chercher Warren Jenson chez *Delta Air Lines* et lui confia le poste de vice-président et de directeur des finances. Warren Jenson occupait un poste similaire chez *Delta* depuis 1998, après avoir travaillé pendant six ans à la *NBC*, une division de *General Electric*. Il succéda à Joy Covey, qui avait été nommée directrice de la planification stratégique en avril.

Au cours de la semaine qui précéda l'embauche de Warren Jenson, *Amazon.com* recruta Jeffrey Wilke, d'*AlliedSignal*, à titre de vice-président et directeur général de l'exploitation. Il succédait à Jimmy Wright, le directeur de la logistique, qui avait pris sa retraite. Chez *AlliedSignal*, Jeffrey Wilke avait eu sous sa responsabilité 15 usines et centres de distribution aux États-Unis, en Europe et en Asie. Le départ inopiné de Wright en septembre obligea les porte-parole d'*Amazon.com* à admettre que l'entreprise éprouvait quelques difficultés avec ses plans d'expansion. «C'est complexe. C'est un énorme défi. Tout est dans l'exécution»[1], dit l'un d'eux.

---

1. *Seattle Weekly*, 21 octobre 1999.

Ben Slivka se joignit également à l'entreprise. Il est reconnu comme étant celui qui a fait constater l'importance de l'Internet chez *Microsoft*. Ben Slivka, qui avait œuvré chez *Microsoft* pendant 14 ans, où il avait occupé le poste de directeur général du *Consumer and Commerce Group* et participé au développement du navigateur *Internet Explorer*. Jeff Bezos le nomma directeur de l'informatique et lui confia le mandat d'améliorer les produits et services et de participer à la constitution et à la mise en œuvre de la culture d'entreprise d'*Amazon.com*.

Jeff Bezos continua à grossir les rangs de son équipe de direction. Mais quel que soit le nombre de nouveaux directeurs, il demeurait la personne clé de l'entreprise, son cœur, son âme et son cerveau; sa vision et sa personnalité la propulsant toujours vers l'avant. Les couloirs et les murs de tous les centres de distribution sont tapissés de citations de Jeff: «Notre objectif est d'être l'entreprise la plus orientée vers le client. Un endroit où les gens peuvent trouver n'importe quoi et l'acheter en ligne.» Les tableaux d'affichage rappellent également les valeurs essentielles de l'entreprise: «l'obsession du client, la propriété, l'action, la frugalité, la compétence du personnel et l'innovation». Pour maintenir le degré de motivation des quelque 5 000 employés répartis à travers le pays, la station de radio interne, *Radio Amazon*, diffuse des enregistrements traitant des stratégies de l'entreprise et rappelle le slogan de l'entreprise: «Travaillez fort, amusez-vous et faites l'histoire».

ERREURS DE RELATIONS PUBLIQUES

Bien que Jeff Bezos et *Amazon.com* avaient fait preuve de génie dans leurs relations avec les médias, l'entreprise fit quelques graves erreurs en 1999, qui portèrent atteinte au concept de «communauté» de lecteurs si soigneusement élaboré. Mais chaque fois que l'entreprise se trouvait en difficulté, elle arrivait à limiter les dégâts avec une habileté remarquable.

Le premier faux pas majeur se produisit en février, lorsque Doreen Carvajal, qui couvrait l'industrie du livre pour le *New York Times*, révéla dans un article à la une qu'*Amazon.com* demandait 10 000 $ aux éditeurs pour afficher un de leurs ouvrages sur sa page d'accueil. Pour cette somme, *Amazon.com* dressait un profil de l'auteur ou l'interviewait, et elle lui «réservait une revue éditoriale complète». La société avait adopté cette pratique à l'été 1998 sur une échelle modeste en demandant 500 $ pour inscrire pendant deux ou trois jours le titre d'un ouvrage sur la liste intitulée «Ce que nous lisons». À cette époque, Jeff Bezos disait: «Si l'éditeur X nous fait une meilleure offre [pour une nouveauté] que l'éditeur Y, et que nous prévoyons que les consommateurs apprécieront aussi bien l'une que l'autre mais que nous n'avons qu'un emplacement pour l'afficher, affichons celui qui nous rapportera le plus d'argent.»[1]

Par exemple, selon des documents internes dévoilés par Carvajal, Scribner paya 10 000 $ pour que *Sac d'os* de Stephen King soit mis bien en évidence sur la page des best-sellers d'*Amazon.com*, et pour que cette dernière fournisse un profil de l'auteur et une mention sur la liste intitulée «Chefs-d'œuvre». De plus, le livre était annoncé dans sa catégorie, un e-mail promotionnel était envoyé aux clients qui avaient déjà acheté des ouvrages de Stephen King, de même qu'un avis intitulé «actuellement sous presse»; un compte à rebours figurait sur la page d'accueil et, lorsque le livre était publié, on l'annonçait sur cette même page.

---

1. *Washington Post*, 20 juillet 1998.

Ce type de publicité est monnaie courante dans les grandes librairies, où les éditeurs paient pour que leurs livres soient placés sur des présentoirs et qu'on en fasse le promotion. Mais *Amazon.com*, avec son «obsession du client» et son concept de communauté d'amateurs de livres, semblait s'être hissée à un échelon supérieur.

Lorsque Doreen Carvajal interrogea *Amazon.com* au sujet de cette pratique, Mary Morouse, la vice-présidente des achats, admit que l'entreprise était préoccupée par le fait qu'elle donnait «peut-être l'impression de vendre de la publicité», mais elle ajouta qu'*Amazon.com* estimait avoir réglé le problème à l'interne en permettant aux éditeurs se spécialisant dans des catégories spécifiques de refuser d'annoncer certains livres. De plus, rien n'indiquait aux clients que l'éditeur avait acheté cette publicité. «Je pense que l'étiquetage des livres serait agaçant», dit Mary Morouse. «Je crois que ce serait encombrant. Le client vit une expérience agréable sur notre site et je veux qu'elle demeure agréable.»

Mais après deux jours de mauvaise presse, de commentaires défavorables de concurrents, d'organismes de protection du consommateur et de libraires indépendants, ainsi que de plaintes de la clientèle (qui étaient «presque étonnantes par leur intensité», dit une porte-parole d'*Amazon. com*, la société révisa son programme, promettant de divulguer les cas où l'éditeur payait des frais de publicité. Jeff Bezos fit valoir la position de la société auprès de la presse. «C'est nous qui faisons affaire avec le plus grand nombre d'éditeurs, en ligne ou non, et si un livre ne répond pas à nos critères, il n'y a pas une somme d'argent qui nous incitera à l'annoncer», dit-il. Fidèle à lui-même, Jeff Bezos dit que la décision d'*Amazon. com* était «une dérogation à la pratique courante dans l'industrie du livre», que «nous croyons être le premier détaillant à fournir cette information à la clientèle et nous espérons que cela créera une tendance.» Il ajouta qu'*Amazon. com*, «en tant que magasin virtuel possédant une véritable communauté de lecteurs est tenue d'adopter des normes plus élevées que les magasins traditionnels. Et vous savez quoi? C'est tout à fait correct.»[1] Il contourna rapidement le problème, tournant un «Oups! nous avons été pris en défaut» en un «Joignez-vous à nous dans cette croisade pour la transparence.»

Glenn Fleishman, qui avait été directeur du catalogue, dit que ses amis au sein d'*Amazon.com* avaient été «choqués» par l'article du *New York Times*. «C'était la première fois qu'*Amazon* disait: "C'est ce que le reste de l'industrie fait, et c'est ce que nous ferons", au lieu de faire ce qu'elle croyait être dans l'intérêt de l'entreprise. *Amazon* était blâmée parce qu'elle était un véhicule éditorial en lequel les gens avaient confiance. C'était un malentendu.»

Et il y eut un autre malentendu en août lorsqu'*Amazon. com* offrit un nouveau service appelé «*Purchase Circles*». Cette caractéristique était conçue pour aider les acheteurs à trouver les dix produits les plus populaires dans 3 000 villes, universités et lieux de travail publics et privés. (Ces listes étaient groupées par organismes, et non par individus). Par exemple, en août 1999, le best-seller le plus populaire parmi les employés de la *Walt Disney Company* était *Dancing Corndogs in the Night: Reawakening Your Creative Spirit*. *Amazon.com* obtint ces résultats en recoupant les codes postaux et les adresses électroniques des acheteurs. La technologie permettant ce «regroupement par affinités» avait été créée par *PlanetAll*, qu'*Amazon.com* avait achetée en 1998. Pour certaines personnes, il s'agissait d'une évocation inquiétante de la

---

1. *Seattle Times*, 9 février 1999.

quantité phénoménale d'informations que détenait *Amazon.com* sur les habitudes d'achat de ses 12 millions de clients.

Mais Paul Capelli, un porte-parole d'*Amazon.com* trouvait cela «amusant. Les gens peuvent voir ce que les autres achètent.» Il ajouta que si des entreprises portaient plainte, *Amazon.com* retirerait leur nom de ses listes. Lorsque Deirdre Mulligan, conseillère en personnel auprès du *Center for Democracy and Technology* de Washington, D.C., un groupe voué à la défense des libertés civiques, confia au *Los Angeles Times:* «Cela pourrait gêner, et avec raison, des entreprises qui se préoccupent de ce que les achats de leurs employés pourraient révéler à leur sujet», Paul Capelli répondit: «À mon avis, cela ressemble à de la paranoïa – quand des gens ne veulent pas que les autres sachent quelles vidéocassettes vous regardez.»[1]

Mais le lendemain, l'entreprise fit volte-face et annonça qu'elle permettrait aux individus et aux entreprises de retirer leurs données des listes. «La protection de la vie privée est d'une importance capitale pour nos clients», dit Warren Adams, le directeur du développement des produits. «Tandis que la majeure partie de la rétroaction fournie par nos clients indique que le service *Purchase Circles* a été bien accueilli et qu'il est extrêmement précieux... certaines personnes ont exprimé leur inquiétude, et c'est pourquoi nous leur laissons le choix.»[2]

IBM fut l'une des entreprises qui se retira. En fait, la requête provint du président lui-même, Louis Gerstner Jr., qui fit un sondage auprès de ses employés pour déterminer s'ils souhaitaient boycotter *Amazon.com*. Quelques heures plus

---

1. *Los Angeles Times*, 26 août 1999.
2. Associated Press, 27 août 1999.

tard, 5 000 employés d'*IBM* avaient répondu: 95 % d'entre eux voulaient se retirer du programme. Louis Gerstner envoya donc à Jeff Bezos un message poli mais ferme au sujet de la protection de la vie privée: «Loin de moi l'idée de vous dire comment diriger votre entreprise, mais je vous somme de considérer cette question avec énormément d'attention.»

Peu après ce revers, le *Seattle Weekly* retourna la situation aux dépens d'*Amazon.com* lorsqu'il analysa comment les Amazoniens utilisaient le site Web du journal, *www.seattle-weekly.com*. Il en ressortit que l'article le plus téléchargé était «Comment je me suis échappé d'*Amazon.cult*», un témoignage cinglant de Richard Howard, qui avait été pendant peu de temps représentant du service à la clientèle chez *Amazon.com*. La rubrique «Aide demandée» était également très fréquemment consultée.

Bien que la politique d'*Amazon.com* en matière de protection de la vie privée stipule qu'elle «ne vend pas, n'échange pas ou ne loue pas de renseignements personnels concernant ses clients», elle spécifie aussi: «Nous pourrons choisir de le faire à un moment ultérieur avec des tierces parties dignes de confiance, mais vous pouvez nous demander de nous en abstenir en nous envoyant un e-mail sans texte à never *Amazon.com*.»

La troisième débâcle majeure en matière de relations publiques se produisit lorsque l'entreprise fut poursuivie en justice pour violation de la loi fédérale sur les marques par *Amazon Bookstore Inc.*, une petite coopérative féministe de Minneapolis. Bien que l'entreprise était en affaires sous le nom d'*Amazon* depuis 1970, elle n'avait jamais enregistré sa marque auprès du bureau des brevets et des marques, le *U.S. Patent and Trademark Office*. Mais elle déposa sa plainte en vertu du droit coutumier et jurisprudentiel. La réaction d'*Amazon.com* ne fut pas atypique. Le porte-parole Bill Curry dit: «*Amazon Bookstore* s'est contentée d'attendre pendant quatre ans, alors que nous consolidions notre marque. S'il y avait un problème, il fallait le dire plus tôt.»[1] (Ironiquement, à la même époque, *Amazon.com* intentait un procès à une entreprise qui vendait des livres écrits en grec sous le nom d'*Amazon.gr* et *Amazon.com.gr*).

Les témoignages s'envenimèrent. Le premier interrogatoire des avocats d'*Amazon.com* porta sur l'orientation sexuelle de la copropriétaire de la librairie et sur d'éventuelles activités de prosélytisme. D'après les registres de la cour, lorsque la femme demanda à l'avocat Paul Weller de clarifier sa question, il répondit: «Je vous demande si vous êtes lesbienne?» Après qu'une objection ait été soulevée, il poursuivit ainsi: «Parmi les femmes qui travaillent chez vous, savez-vous s'il y en a qui sont mariées à une femme?» Et la situation dégénéra.

Bill Curry défendit la teneur de ses questions en disant que les propriétaires de la librairie *Amazon* tentaient de «camoufler leurs véritables couleurs» en prétendant s'adresser au grand public alors que sa clientèle était principalement lesbienne. «Dans ce litige, nous tentons de les amener à confirmer leurs déclarations initiales quant à l'identité des propriétaires et des exploitants de ce commerce, et quant au contexte dans lequel il se situe.»[2]

Étant donné la publicité négative que ce procès généra dans l'industrie du livre et dans les médias, *Amazon.com* accepta de conclure un arrangement à l'amiable. Les termes de cette entente stipulaient qu'*Amazon Bookstore Cooperative* cédait les droits du nom *Amazon* à *Amazon.com* qui, en retour, l'autoriserait à conserver sa raison sociale.

---

1. *Wall Street Journal*, 9 septembre 1999.
2. Ibidem.

Les interrogatoires provocants des avocats d'*Amazon.com* à propos de l'orientation sexuelle ne correspondaient absolument pas à la position éclairée de l'entreprise vis-à-vis de ses employés gais, ni à la philosophie libertaire de Jeff Bezos. «*Amazon* soutient la communauté des gais et lesbiennes, tout comme les diverses communautés auxquelles appartiennent ses clients», dit E. Heath Merriwether, une ancienne employée, qui précise que lorsque l'entreprise mutait un employé, elle acquittait les frais de déménagement du conjoint, quel que soit son sexe.

Et puis, il y a eu l'épisode *Mein Kampf*. En novembre 1999, au moment du dixième anniversaire de la chute du mur de Berlin, le *Washington Post* rapporta qu'*Amazon.com* expédiait en grande quantité la version anglaise du manifeste raciste d'Adolf Hitler en Allemagne, où la loi en interdit la vente. Et *Mein Kampf* figurait sur la liste des 10 livres les plus vendus auprès de la clientèle allemande d'*Amazon.com*.

La première réaction de l'entreprise fut de dire qu'elle n'estimait pas violer la loi allemande en expédiant des versions anglaises, et qu'elle ne souhaitait pas réglementer les habitudes de lecture de ses clients. Mais un jour ou deux plus tard, suite à une plainte déposée par le *Simon Wiesenthal Center* et à une enquête des autorités allemandes portant sur la légalité de cette pratique, *Amazon.com* cessa rapidement de vendre ce livre en Allemagne. Par contre, *Barnes & Noble* continua de le faire.

ET ENSUITE?

Grâce à la frénésie générée par la période des fêtes de 1999, *Amazon.com*, qui avait expédié près de 20 millions d'articles, termina le quatrième trimestre avec des ventes de plus de 676 millions de dollars, une augmentation de 167 % par rapport à l'année précédente (253 millions de dollars), ce qui dépassait de loin les 610 millions de dollars de ventes pour toute l'année 1998. *Amazon.com* clôturait l'année 1999 avec des ventes de 1,64 milliards de dollars.

Toutefois, l'entreprise continuait à enregistrer des pertes colossales attribuables, d'une part, au maintien des stocks (particulièrement les jouets et les appareils électroniques) de manière à s'assurer que les clients reçoivent leur marchandise à temps pour Noël; et d'autre part, aux frais de marketing et de publicité (l'entreprise tripla l'enveloppe budgétaire réservée aux activités de marketing, qui passa à 90 millions de dollars) de manière à ce que le nom d'*Amazon.com* demeure au premier plan dans l'esprit des consommateurs.

Amazon.com se situa au premier rang des commerces électroniques du 22 novembre au 26 décembre, avec une moyenne de 5 693 000 visites hebdomadaires distinctes, selon *Media Metrix*. Ce fut la destination de shopping numéro un pendant la période des fêtes. Elle attira le pourcentage incroyable de 42 % de tous les consommateurs en ligne, comme le démontrent les résultats d'une étude menée par le cabinet d'experts-comptables *Ernst & Young*.

En moins de quatre ans, *Amazon.com* était passée de zéro à 2,6 milliards de dollars de ventes. Ayant vu le jour dans un garage de Bellevue avec quatre employés, l'entreprise occupait maintenant un ancien centre médical rénové d'une superficie de 14 865 mètres carrés – la *PacMed Tower*, située sur Beacon Hill, à Seattle – et elle employait plus de 7 500 employés aux États-Unis et en Europe. La marque était reconnue par plus de 52 % des adultes américains et elle était l'une des plus connues au monde. Et ceci est d'une part attribuable aux millions de dollars qu'*Amazon.com* a consacré à la publicité et au marketing sur une grande échelle, et d'autre part à un marketing de personne à personne mené de main de maître. Comme l'a dit l'éditeur Peter Osnos: «*Amazon* s'est affirmée avec éclat, mais à beaucoup de frais. Lorsque les gens pensent à commander un livre en ligne, ils pensent à *Amazon*. C'est pareil avec *Xerox*. Cela fait maintenant partie du langage populaire.»[1] Tout comme le nom «Bezos». *Add-Ashop.com*, une entreprise offrant des services de démarrage à des détaillants qui souhaitent faire une incursion dans le monde du commerce électronique, publia une annonce titrée: «Passez de Bozo à Bezos en seulement 5 minutes».

Jeff Bezos sait qu'il y aura beaucoup, beaucoup de ga-gnants sur Internet, mais que les véritables grands vain-queurs se compteront sur les doigts d'une main. «Si je vous demande de nommer un fabricant de chaussures de tennis, vous me répondrez *Nike*, *Adidas* et *Reebok*, et puis cela de-viendra moins facile», dit Jeff Bezos. «Ils sont légion, mais ça ne vaut tout simplement pas la peine que votre cerveau re-tienne plus de trois marques environ pour un produit donné. Mais vous voulez vous rappeler de milliers de marques diffé-rentes; il suffit de les compartimenter. Et je crois que nous assisterons au même phénomène avec le commerce électro-nique.»[2]

En septembre 1999, l'implantation de la marque *Amazon.com* est telle que la société commence à vendre des sacs arborant son logo. Pour répondre à la demande de la clientèle, l'entreprise offrit six modèles, dont un fourre-tout à bandoulière, un sac de courses, un sac à dos et une sacoche pour ordinateur, à un coût variant de 29,99 $ à 79,99 $.

À quoi ressemblera *Amazon.com* dans cinq ans? À quoi ressemblera *Amazon.com* dans un an? «Jeff veut avoir une grande influence», dit Tom Alberg, le directeur d'*Amazon*.

1. *Washington Post*, 20 juillet 1998.
2. *Wall Street Journal*, 12 juillet 1999.

com. «Il a toujours pressenti qu'il y avait là une formidable occasion et il veut en profiter pleinement. Il est clair que Jeff a la capacité de créer l'équivalent de *Microsoft*, de *General Electric* et de *Wal-Mart*.»

Les amis de Jeff Bezos disent qu'il se voue entièrement à la réalisation de sa vision. Selon Nick Hanauer: «Il possède la discipline nécessaire pour mener à bien des projets à long terme, et il est capable de se dire à lui-même et de dire à ses employés et à ses actionnaires: "Si vous cherchez à réaliser rapidement des bénéfices, regardez ailleurs. Nous essayons de bâtir quelque chose d'extraordinaire et nous investissons dans l'avenir."» Nick Hanauer dit de Jeff Bezos qu'il est «la personne la plus orientée sur un but unique qu'il connaisse et à son détriment; rien d'autre ne l'intéresse. Il vit, mange et respire pour *Amazon.com*. Il ne pense qu'à ça. Il en fait une obsession. Je crains pour sa santé. Je me demande de quoi il aura l'air à l'âge de 50 ans.»

Mais la grande question est la suivante: le modèle d'*Amazon.com* est-il efficace?

Au début de l'an 2000, *Amazon.com* éprouvait des problèmes avec toutes les nouvelles catégories dans lesquelles elle s'était lancée. En fait, *eBay* continuait à dominer le marché de la vente aux enchères en ligne, et *eToys* ne se laissait pas déloger. *Blue Mountain Arts* régnait sur le domaine des cartes de souhaits électroniques. *Pure-play*, un détaillant d'appareils électroniques, investissait massivement afin d'accroître sa clientèle. *Amazon.com* injecta environ 0,26 $ par dollar de ses revenus dans ses activités de marketing[1] dans le but de se gagner de nouveaux clients – comparativement à 0,04 $ par dollar chez les détaillants traditionnels.

---

1. *Business Week*, 15 novembre 1999.

La concurrence est féroce. Des chercheurs de l'université de Notre Dame ont démontré que seulement 19 clics séparent la sélection au hasard de deux pages Web. Grâce à des agents de recherche d'information appelés *shopping bots*, les consommateurs sont en mesure d'effectuer des comparaisons de prix. *Buy.com*, un site Web qui vend des livres, des vidéocassettes et des disques, est programmé pour scanner les prix d'*Amazon.com* et les couper automatiquement. Et, bien sûr, *Wal-Mart* se pointe à l'horizon, rongée par le désir d'écraser cette arriviste de Seattle.

Entre-temps, *Amazon.com* continua à scruter le marché. En janvier 2000, la société déboursa 60 millions de dollars pour acquérir une participation de 23 % dans *Kozmo.com Inc.*, une entreprise en ligne qui effectuait, entres autres, la livraison de films en format VHS et DVD, ainsi que de casse-croûte, généralement dans l'heure suivant la commande. (Cette initiative pourrait constituer une opération de couverture pour tous les centres de distribution d'*Amazon.com*). Également en janvier 2000, la société acquit 5 % des actions en cours de *Greenlight.com*, un concessionnaire de voitures en ligne. *Greenlight* était financée par *Kleiner Perkins Caufield & Byers*.

À la même époque, *Amazom.com* amorça un remaniement de ses objectifs de rendement en exerçant un effet de levier sur ses 16 millions de clients et sur la valeur de ses biens-fonds. Elle commença à vendre de l'espace publicitaire sur les onglets de sa page d'accueil – les espaces les plus en vue de son site Web – *Greenlight* accepta de verser 82,5 millions de dollars sur 5 ans. À cette même période, *Amazon.com* investit encore 30 millions de dollars dans *drugstore.com*, acquérant ainsi une participation de près de 28 %.

En février, l'entreprise conclut une entente similaire avec *Living.com Inc.*, un détaillant en ligne vendant des lits, des canapés, des oreillers, des draps et une variété d'articles pour la maison. *Living.com* accepta de verser 145 millions de dollars sur cinq ans à *Amazon.com* en échange d'une présence sur un onglet. La société acheta également, pour une somme qui n'a pas été révélée, une participation de 18 % dans *Living. com* avec un privilège d'achat correspondant à une participation additionnelle de 9 %. Grâce à toutes ces transactions, *Amazon.com* était non seulement devenue la propriétaire d'un centre commercial virtuel, mais aussi un détaillant des plus dynamiques.

Il est clair que Jeff Bezos avait l'intention de vendre de tout à tout le monde. *Amazon.com* modifia son logo en janvier 2000 pour mieux symboliser l'étendue de sa gamme de produits. Elle remplaça la courbe descendante soulignant le mot «*Amazon*» par une courbe ascendante commençant sous la lettre *A* et s'achevant sous la lettre *Z*, suggérant un sourire et soulignant le fait que l'entreprise offrait des produits de A à Z.

«Plus nous avançons, plus nous découvrons de nouvelles avenues. Nous pensons qu'il serait absurde de nous en tenir servilement aux plans que nous avons faits autrefois», dit Jeff Bezos. Mais il ajoute que le plus grand défi auquel *Amazon.com* fait face est de «faire en sorte de maintenir l'excellence du service à la clientèle, malgré les contraintes suscitées par cette croissance».

Le modèle sera-t-il efficace? Dans le monde moderne de la vente de détail, il y a toujours eu un phénomène de flux et de reflux entre les magasins spécialisés et les grandes surfaces, entre les géants étrangleurs (comme *(Toys «R» Us)* et les magasins entrepôts tels que Costco. Les consommateurs seront-ils intéressés à acheter en grande quantité chez *Amazon.com*, qui est disposée à les aider à trouver tout ce

qu'ils cherchent? Ou bien, s'ils cherchent un article spécifique – une poupée Barbie ou une scie électrique –, se ren-
dront-ils chez un spécialiste ou dans un magasin général?
S'abonneront-ils à un club d'achats en ligne? Achèteront-ils
ce dont ils ont besoin aux enchères? Marchanderont-ils?

Donc, qu'est-ce qu'*Amazon.com*? C'est essentiellement
un «chantier» qui pourrait devenir un portail titanesque capable de rivaliser avec *Yahoo!*. Jeff Bezos a dit qu'il voulait
construire quelque chose que le monde n'avait jamais vu.
Bien qu'on lui demande souvent si *Amazon.com* aspire à être
«le *Wal-Mart* du Web», il a confié à *Fortune* que l'entreprise
«ne tente pas d'être le Quelque Chose du Web. Nous sommes
génétiquement des pionniers... Chacun d'entre nous ici veut
réaliser quelque chose d'entièrement nouveau. Je me lève
chaque matin avec l'intention de trouver des moyens de con-
fondre les journalistes et les experts qui essaient de résumer
ce que nous sommes en une phrase toute faite de huit secondes.» Il a dit que l'une de ses définitions du succès était
«la compétence avec laquelle on arrive à défier toute ana-
logie».[1]

Quand vous aurez terminé ce livre, *Amazon.com* aura
profondément changé. Quittez-la des yeux un seul instant,
et elle aura eu le temps de se transformer encore.

Des prédictions? Je crois qu'il y a de l'avenir tant pour
les magasins virtuels que pour leurs pendants traditionnels,
et que les véritables gagnants seront ceux qui sauront jumeler une présence physique et une présence virtuelle. Après
tout, *Wal-Mart*, *Sears* et *Nordstrom* œuvrent dans les domaines
de la distribution et de la logistique depuis plus de cent ans –
tant pour la vente de détail que pour les commandes

---

1. *Business Week*, 15 septembre 1999 et *Fortune*, 8 novembre 1999.

postales. Elles traitent chaque jour avec des clients sélectifs. Elles ont des cultures d'entreprise bien définies. L'avenir appartient à ces entreprises qui s'engageront sur des multivoies pour vendre leur marchandise de différentes façons dans de nombreux points de vente.

On a pu avoir un aperçu de l'avenir de la vente de détail à la fin de 1999, lorsque *Wal-Mart*, un géant du commerce de détail, annonça un partenariat stratégique avec *America Online*. *AOL* l'autorisa à utiliser sa division *CompuServe* pour bénéficier d'un accès bon marché à l'Internet, et *Wal-Mart* accepta de faire la promotion de *CompuServe* dans ses magasins et dans ses messages publicitaires à la télévision. En retour, *AOL*, accepta de faire la promotion du site Web de *Wal-Mart* auprès de ses 19 millions d'utilisateurs. À la même époque, *Yahoo!* s'associa avec *Kmart*, et *Microsoft* s'allia avec *Tandy Corp* (propriétaire de *Radio Shack*), *Best Buy Co.* et le *Simon Property Group*, le plus grand propriétaire de centres commerciaux du pays. Et que signifiera pour *Amazon.com* la fusion d'*AOL* et de *Time Warner?* Gardez les yeux ouverts!

Un jour, nous verrons probablement *Amazon.com* s'établir dans le monde matériel. Cela peut sembler insensé, mais des choses bien plus étranges se sont déjà produites dans l'univers de la vente de détail. Les entreprises traditionnelles ne correspondent évidemment pas au modèle d'affaires d'*Amazon.com*, mais Jeff Bezos n'a pas cessé de le remodeler, et ce, depuis le Jour Un.

Une chose est certaine: même si *Amazon.com* faisait faillite demain, elle aura eu un énorme impact sur l'évolution du monde des affaires à la fin du XXᵉsiècle et au début de ce nouveau millénaire. Pratiquement toutes les entreprises, quelle que soit leur taille, ont remanié leur philosophie à cause d'*Amazon.com*. Par exemple, lorsque *General Motors* annonça en août 1999 la création d'un groupe d'affaires basé sur Internet, appelé *e-GM*, le président et chef de l'exploitation, G. Richard Wagoner Jr., dit que c'est le nombre phénoménal de gens qui utilisent Internet chaque jour qui les avait motivés à prendre cette décision. «Nous pensons à des entreprises telles qu'*Amazon.com* dont nous n'avions jamais entendu parler il y a trois ou quatre ans, et quand nous constatons l'impact qu'elles ont, nous nous disons qu'il faut absolument que nous prenions part à l'aventure», dit Richard Wagoner. «Nous voulons frapper fort et nous voulons gagner.»

Si *General Motors* a pris la décision de mettre sur pied un commerce électronique, c'est qu'il y a assurément une révolution dans l'air. Quoi qu'on pense d'*Amazon.com*, c'est sans conteste l'étincelle qui a déclenché cette révolution.

Le magazine *Time* était certainement d'accord sur ce fait lorsqu'il nomma Jeff Bezos «Personnalité de l'année pour 1999». À l'âge de 35 ans, il était la quatrième plus jeune personne à mériter cet honneur, après Charles Lindbergh en 1927 (25 ans), la Reine Élizabeth II en 1952 (26 ans) et Martin Luther King Jr. en 1963 (34 ans). Le magazine décrivit simplement Jeff comme «sans contredit, le roi du cybercommerce...» et comme quelqu'un qui a «contribué à l'édification des fondations de notre avenir».

Est-ce qu'*Amazon.com* deviendra telle que Jeff Bezos l'espère, ou ne sera-t-elle, comme il le dit souvent à ses employés – par hyperbole, peut-être – qu'une note de bas de page dans l'histoire de l'Internet? À la fin de 1999, *Amazon.com* était classée au premier rang des sites Web pour les livres, les disques et les vidéocassettes; pour les jouets et les jeux; et pour les marchandises courantes. Le site *drugstore.com* arrivait également premier en matière de santé, selon *Forrester Research*. Mais dans combien de temps une nouvelle *Amazon.com* fera-t-elle son apparition et destituera-t-elle le roi? (Pour mettre en perspective la notion du temps lorsqu'il s'agit d'Internet, le *New York Times*, en novembre 1999, dit d'*Amazon.com* qu'elle était «le grand-père des librairies virtuelles»).[1]

Observateur intelligent du monde des affaires, Jeff Bezos est profondément conscient du fait que les pionniers ne survivent pas toujours. «Je dis à mes employés de se lever chaque matin paralysés d'horreur et terrifiés», déclare-t-il. «Je sais que nous pouvons tout perdre. Ce n'est pas une crainte. C'est un fait.»[2]

Quoi qu'il en soit, je ne miserais pas contre Jeff Bezos.

---

1. *New York Times*, 18 novembre 1999.

2. *60 Minutes II*, 4 février 1999.

À RETENIR

Jeff Bezos a appuyé à fond sur l'accélérateur pour s'assurer qu'*Amazon.com* irait «toujours plus haut». Il consacra une bonne partie de 1999 à bâtir une entreprise qui pourrait offrir pratiquement tout à tout le monde. Il tira parti du cours élevé de l'action d'*Amazon.com* pour acheter ce qu'il ne pouvait pas créer lui-même. En cours de route, l'entreprise fit quelques erreurs de relations publiques qui révélèrent qu'elle devait apprendre à maîtriser son arrogance.

- Visez toujours plus haut afin de toujours devancer la concurrence.

- Achetez ce que vous êtes incapable de créer vous-même.

- Lorsque vous avez mauvaise presse, réagissez promptement et renversez la situation en prenant une décision ferme.

- Entourez-vous d'une équipe de direction qui vous permettra d'accéder à un échelon supérieur.

- Consacrez-vous chaque jour à créer une entreprise durable.

- «Travaillez fort, amusez-vous et faites l'histoire».

CHEZ LE MÊME ÉDITEUR :

Liste des livres en vente :

52 cartes d'affirmations, *Catherine Ponder*

52 étapes pour atteindre le succès, *Napoleon Hill*

52 façons de développer son estime personnelle et sa confiance en soi, *Catherine E. Rollins*

52 façons simples d'aider votre enfant à s'aimer et à avoir confiance en lui, *Jan Lynette Dargatz*

52 façons simples de dire «Je t'aime» à votre enfant, *Jan Lynette Dargatz*

1001 maximes de motivation, *Sang H. Kim*

Accomplissez des miracles, *Napoleon Hill*

Agenda du Succès *(formats courant et de poche), éditions Un monde différent*

Aidez les gens à devenir meilleurs, *Alan Loy McGinnis*

À la conquête du succès, *Samuel A. Cypert*

À la recherche d'un équilibre: une stratégie antistress, *Lise Langevin Hogue*

Amazon.com, *Robert Spector*

Ange de l'espoir (L'), *Og Mandino*

À propos de..., *Manuel Hurtubise*

Apprivoiser ses peurs, *Agathe Bernier*

Arrêtez d'avoir peur et croyez au succès!, *Jean-Guy Leboeuf*

Arrêtez la terre de tourner, je veux descendre!, *Murray Banks*

Ascension de l'empire Marriott (L'), *J.W. Marriott et Kathi Ann Brown*

Attirez la prospérité, *Robert Griswold*

Attitude d'un gagnant, *Denis Waitley*

Attitude gagnante: la clef de votre réussite personnelle (Une), *John C. Maxwell*

Attitudes pour être heureux, *Robert H. Schuller*

Au cas où vous croiriez être normal, *Murray Banks*

Bien vivre sa retraite: l'art de profiter de ses temps libres, et la vie affective et sexuelle à la retraite, *Jean-Luc Falardeau et Denise Badeau*

Bonheur et autres mystères, suivi de La Naissance du Millionnaire (Le), *Marc Fisher*

Capitalisme avec compassion (Le), *Rich DeVos*

Chapeau neuf (Le), *Marc Montplaisir*

Cartes de motivation, *Un monde différent*

Ces forces en soi, *Barbara Berger*

Cœur à Cœur, l'audace de Vivre Grand, *Thierry Schneider*

Comment contrôler votre temps et votre vie, *Alan Lakein*

Comment réussir l'empowerment dans votre organisation? *John P. Carlos, Alan Randolph et Ken Blanchard*

Comment se fixer des buts et les atteindre, *Jack E. Addington*

Comment vaincre un complexe d'infériorité, *Murray Banks*

Comment vivre avec soi-même, *Murray Banks*

Communiquer: Un art qui s'apprend, *Lise Langevin Hogue*

Créé pour vivre, *Colin Turner*

Créez votre propre joie intérieure, *Renee Hatfield*

Dauphin, l'histoire d'un rêveur (Le), *Sergio Bambaren*

Débordez d'énergie au travail et à la maison, *Nicole Fecteau-Demers*

Découverte par le Rêve (La), *Nicole Gratton*

Découvrez le diamant brut en vous, *Barry J. Farber*

Découvrez votre mission personnelle par les signes de jour et par les rêves de nuit, *Nicole Gratton*

De l'échec au succès, *Frank Bettger*

De la part d'un ami, *Anthony Robbins*

Dépassement total, *Zig Ziglar*

Développez habilement vos relations humaines, *Leslie T. Giblin*

Développez votre confiance et votre puissance avec les gens, *Leslie T. Giblin*

Développez votre leadership, *John C. Maxwell*

Devenez la personne que vous rêvez d'être, *Robert H. Schuller*

Devenez une personne d'influence, *John C. Maxwell* et *Jim Dornan*

Devenir maître motivateur, *Mark Victor Hansen et Joe Batten*

Dites oui à votre potentiel, *Skip Ross*

Dix commandements pour une vie meilleure, *Og Mandino*

Échelons de la réussite (Les), *Ralph Ransom*

Elle et lui une union à protéger, *Willard F. Harley*

En route vers la qualité totale par l'excellence de soi, *André Quéré*

En route vers le succès, *Rosaire Desrosby*

347

Moine qui vendit sa Ferrari (Le), *Robin S. Sharma*
Motivation par l'action (La), *Jack Stanley*
Napoleon Hill et l'attitude mentale positive, *Michael J. Ritt*
Naufrage intérieur, le vrai Titanic, *Richard Durand*
Objectif: Réussir sa vie et dans la vie!, *Richard Durand*
Oser... L'Amour dans tous ses états!, *Pierrette Dotrice*
Osez Gagner, *Mark Victor Hansen et Jack Canfield*
Ouverture du cœur, les principes spirituels de l'amour (L'), *Marc Fisher*
Ouvrez votre esprit pour recevoir, *Catherine Ponder*
Ouvrez-vous à la prospérité, *Catherine Ponder*
Paradigmes (Les), *Joel A. Baker*
Pardon, guide pour la guérison de l'âme (Le), *Marie-Lou et Claude*
Parfum d'amour, *Agathe Bernier*
Pensée positive (La), *Norman Vincent Peale*
Pensez du bien de vous-même, *Ruth Fishel*
Pensez en gagnant!, *Walter Doyle Staples*
Pensez possibilités, *Robert H. Schuller*
Père riche, père pauvre, *Robert T. Kiyosaki et Sharon Lechter*
Performance maximum, *Zig Ziglar*
Personnalité plus, *Florence Littauer*
Plaisir de réussir sa vie (Le), *Marguerite Wolfe*
Plus grand miracle du monde (Le), *Og Mandino*
Plus grand mystère du monde (Le), *Og Mandino*
Plus grand secret du monde (Le), *Og Mandino*
Plus grand succès du monde (Le), *Og Mandino*
Plus grand vendeur du monde (Le), *Og Mandino*
Pourquoi se contenter de la moyenne quand on peut exceller?, *John L. Mason*
Pouvoir de la pensée positive (Le), *Eric Fellman*
Pouvoir de la persuasion (Le), *Napoleon Hill*
Pouvoir de vendre (Le), *José Silva et Ed Bernd fils*
Pouvoir triomphant de l'amour (Le), *Catherine Ponder*
Prenez du temps pour vous-même, *Ruth Fishel*
Prenez rendez-vous avec vous-même, *Ruth Fishel*
Progresser à pas de géant, *Anthony Robbins*
Provoquez le leadership, *John C. Maxwell*
Puissance d'une vision (La), *Kevin McCarthy*

Quand on veut, on peut!, *Norman Vincent Peale*

Que faire en attendant le psy?, *Murray Banks*

Réincarnation: il faut s'informer (La), *Joe Fisher*

Relations humaines, secret de la réussite (Les), *Elmer Wheeler*

Rendez-vous au sommet, *Zig Ziglar*

Retour du chiffonnier (Le), *Og Mandino*

Réussir à tout prix, *Elmer Wheeler*

Réussir grâce à la confiance en soi, *Beverly Nadler*

Rêves d'amour, du romantisme à la sensualité dans les images de la nuit (Les), *Nicole Gratton*

Roue de la sagesse (La), *Angelika Clubb*

Route de la vie (La), *Carolle Anne Dessureault*

Sagesse du moine qui vendit sa Ferrari (La), *Robin S. Sharma*

S'aimer soi-même, *Robert H. Schuller*

Saisons du succès (Les), *Denis Waitley*

Sans peur et sans relâche, *Joe Tye*

Se connaître et mieux vivre, *Monique Lussier*

Secret d'un homme riche (Le), *Ken Roberts*

Secret d'une prospérité illimitée (Le), *Catherine Ponder*

Secret est dans le plaisir (Le), *Marguerite Wolfe*

Secrets de la confiance en soi (Les), *Robert Anthony*

Secrets de la vente professionnelle, *Jean-Guy Leboeuf*

Secrets d'une vie magique, *Pat Williams*

Semainier du Succès (Le), *éditions Un monde différent ltée*

Sommeil idéal, guide pour bien dormir et vaincre l'insomnie (Le), *Nicole Gratton*

S.O.S. à l'amour, *Willard F. Harley, fils*

Souriez à la vie, *Zig Ziglar*

Sports versus affaires, *Don Shula et Ken Blanchard*

Stratégies de prospérité, *Jim Rohn*

Stratégies pour communiquer efficacement, *Vera N. Held*

Stress: Lâchez prise! (Le), *Guy Finley*

Succès d'après la méthode de Glenn Bland (Le), *Glenn Bland*

Succès n'est pas le fruit du hasard (Le), *Tommy Newberry*

Télépsychique (La), *Joseph Murphy*

Tiger Woods: La griffe d'un champion, *Earl Woods et Pete McDaniel*

Tout est possible, *Robert H. Schuller*

Un, *Richard Bach*

Vaincre les obstacles de la vie, *Gerry Robert*

Vente: Étape par étape (La), *Frank Bettger*

Vente: Une excellente façon de s'enrichir (La), *Joe Gandolfo*

Vie est magnifique (La), *Charlie «T.» Jones*

Visez la victoire, *Lanny Bassham*

Vivre au cœur de la tornade, *Diane Desaulniers et Esther Matte*

Vivre Grand: développez votre confiance jusqu'à l'audace, *Thierry Schneider*

Votre chemin de fortune, *Guy Finley*

Votre droit absolu à la richesse, *Joseph Murphy*

Votre force intérieure = T.N.T, *Claude M. Bristol et Harold Sherman*

Votre liberté financière grâce au marketing par réseaux, *André Blanchard*

Vous êtes unique, ne devenez pas une copie!, *John L. Mason*

Liste des cassettes audio en vente:

Après la pluie, le beau temps!, *Robert H. Schuller*

Arrêtez d'avoir peur et croyez au succès!, *Jean-Guy Leboeuf*

Assurez-vous de gagner, *Denis Waitley*

Atteindre votre plein potentiel, *Norman Vincent Peale*

Attitude d'un gagnant, *Denis Waitley*

Comment attirer l'argent, *Joseph Murphy*

Comment contrôler votre temps et votre vie, *Alan Lakein*

Comment se fixer des buts et les atteindre, *Jack E. Addington*

Communiquer: Un art qui s'apprend, *Lise Langevin Hogue*

Créez l'abondance, *Deepak Chopra*

De l'échec au succès, *Frank Bettger*

Dites oui à votre potentiel, *Skip Ross*

Dix commandements pour une vie meilleure, *Og Mandino*

Fortune à votre portée (La), *Russell H. Conwell*

Homme est le reflet de ses pensées (L'), *James Allen*

Intelligence émotionnelle (L'), *Daniel Goleman*

Je vous défie!, *William H. Danforth*

Lâchez prise!, *Guy Finley*

Lois dynamiques de la prospérité (Les), (2 parties) *Catherine Ponder*

Magie de croire (La), *Claude M. Bristol*

Magie de penser succès (La), *David J. Schwartz*

Magie de voir grand (La), *David J. Schwartz*

Maigrir par autosuggestion, *Brigitte Thériault*
Mémorandum de Dieu (Le), *Og Mandino*
Menez la parade!, *John Haggai*
Pensez en gagnant!, *Walter Doyle Staples*
Performance maximum, *Zig Ziglar*
Plus grand vendeur du monde (Le), (2 parties) *Og Mandino*
Pouvoir de l'optimisme (Le), *Alan Loy McGinnis*
Psychocybernétique (La), *Maxwell Maltz*
Puissance de votre subconscient (La), (2 parties) *Joseph Murphy*
Réfléchissez et devenez riche, *Napoleon Hill*
Rendez-vous au sommet, *Zig Ziglar*
Réussir grâce à la confiance en soi, *Beverly Nadler*
Secret de la vie plus facile (Le), *Brigitte Thériault*
Secrets pour conclure la vente (Les), *Zig Ziglar*
Se guérir soi-même, *Brigitte Thériault*
Sept Lois spirituelles du succès (Les), *Deepak Chopra*
Votre plus grand pouvoir, *J. Martin Kohe*

En vente chez votre libraire ou à la maison d'édition
Prix sujets à changement sans préavis

Si vous désirez obtenir le catalogue de nos parutions,
il vous suffit de nous écrire à l'adresse suivante:
Les éditions Un monde différent ltée
3925, Grande-Allée
Saint-Hubert (Québec), Canada J4T 2V8
ou de composer le (450) 656-2660 ou le téléco. (450) 445-9098
Site Internet: http://www.umd.ca
Courriel: info@umd.ca

Transcontinental
IMPRESSION
IMPRIMERIE GAGNÉ